YouFei

有匪

叁

多情累

Priest 作品

CnS
PUBLISHING & MEDIA
中南出版传媒

湖南文艺出版社
HUNAN LITERATURE AND ART PUBLISHING HOUSE

博集天卷
CS-BOOKY

经一场大梦，

梦中见满眼山花如翡，

如见故人，

喜不自胜。

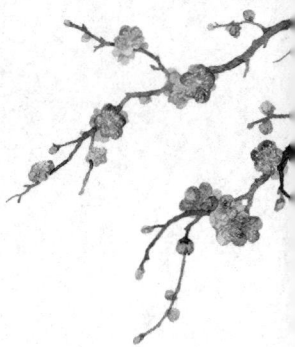

目录

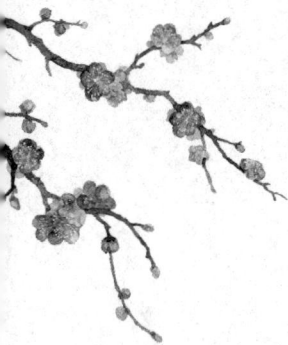

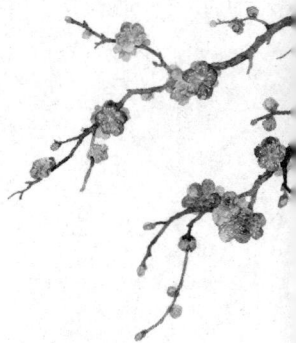

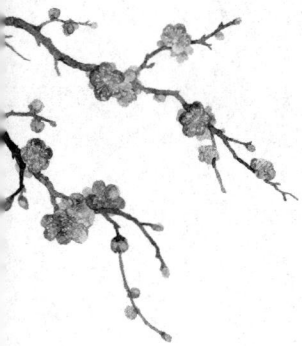

【卷五】 诗万卷，酒千觞

第一章 ·
路有不平

一别数年，周以棠言犹在耳——
"取舍"乃强者之道。

　　"走吧走吧，咱们家不是开善堂的。"店小二愁眉苦脸地将跪在门口的流民往外轰，"我说诸位父老呀，我也瞧着你们可怜，可是小人我也就是个臭跑堂的，我说了不算，有什么法子呢？赶快走吧，一会儿掌柜的火气上来，我也落不了好，你们倒是也可怜可怜我……都上别家瞧瞧去吧！"

　　这一年冬天，蓄势了三年多的南北二朝再一次翻脸，打将起来，南来北往的流民好似被大水冲了洞穴的蚂蚁，"呼啦啦"一下，倾巢而出。

　　边境的老百姓们，往日里是被压在世道的下头，吃苦受累，将大人们的锦衣玉食都扛在肩上，得弯着腰、贴着地，一点一点从石土缝隙里往外扒粮食。如今，却又集体飘到了世道上头，像根基柔弱的飞蓬，无处抓挠，稍有风吹草动，就得随着狼烟黄土一起上天。

当沉时浮，当浮时沉，想那蝼蚁，百世百代，过的可不都是这样的日子吗？

客栈名为"头一户"，前院是两层的小酒楼，后有院落，不负其名，算是本地最气派的去处，因此门口的流民也格外多些，走了一拨又来一拨，赶都赶不走。

店小二劝走了一帮，便提着壶来给客人加水，有几个走镖客模样的黑衣汉子坐在大堂，旁边放着一杆旗子，上面写着镖局的名号"兴南"，几个汉子个个都是一脸风霜，中间簇拥着一对细皮嫩肉的少年和少女。

那少年脸色不佳，面带病容，间或还要咳嗽几声，不知是有伤还是病了。他往门口瞥了一眼，似乎心有不忍，便叫住小二，取出些许碎银，道："就算不管旁人，那些个老弱妇孺也怪可怜的，好歹给人家拿点吃的，算我账上便是。"

少年想必是个不知疾苦的少爷，骤然开口，旁边几个随从再要阻拦已经来不及了，只好一脸不赞同地看着他。

少女皱眉道："哥！"

那店小二赔了个笑脸，却没伸手去接钱，只对那少年说道："多谢少爷——不是小人不识抬举，只是您几位住店，想必也是路过，不能常有，今日有您发善心可怜他们，过几日您走了，他们可找谁去呢？再要来，还是得挨饿，不如催着他们紧着找活路是正经啊，这场仗还长着呢，刚开始，哪儿就到头了呢？"

镖局的少爷头一回出门，一时好心，从未想过长远，当场愣了愣。

那店小二却点头哈腰地冲他作了作揖，撂下一句"有事您再吩咐我"，便一溜烟地冲召唤的客人去了。

"车水马龙，摩肩接踵，数十年积累，一朝离乱，便分崩离析去，好似那瓷瓶落地也似的，江山远近，尽是寥落——"老说书人用沙哑的声音开了腔，听在耳中，浑似生了锈的铁器反复刮擦着碎瓷片，客栈四座一时安静下来，只听那老说书人重重地叹了口气，仰头环顾，怒拍惊堂木，"啪"一声脆响。

角落里有个早早穿上厚棉衣的客人，下巴缩在领子里，看不清长相，就着这声惊堂木响，他若有所思地看了一眼跑上跑下的店小二，放下酒钱，将领子又往上拉了拉，悄然而去。店小二好不容易才忙完一圈，见此处有空桌，忙赶来收拾，顺手将客人撂下的几枚大子儿收了起来。谁知伸手一碰，他却是悚然一惊，这铜钱上竟结着一层寒霜。

两天后，"头一户"客栈中迎来了几个年轻客人——

走在前头的，是两个年轻姑娘，大概是姐妹，互相挽着胳膊，年长些的戴着面纱，另一个不过十四五岁，鹅蛋脸大眼睛，看着还有几分孩子气。

此地一天到晚除了流民就是跑江湖的，漂亮大姑娘并不常见，她们俩一进门，便有几道明里暗里的视线射了过来。谁知，紧接着便是一个脸黑如炭的汉子跟了进来，手中提着好霸气的一把雁翅大环刀，那汉子环顾四周，将手中的长刀重重地一甩，冷哼了一声，刀背上的铁环被他内力所激，一时竟是响个不休，显然是个内外兼修的高手。

美色再好，也不如小命重要，那些个偷眼看的纷纷收回目光，正襟危坐下来，只敢用眼角瞟一眼。

黑脸汉子身后还有人，因要将随行车马交给店家照顾，那两人便耽搁了片刻方才进门——那是一个青年和一位穿了男装的姑娘。

姑娘约莫只是为了赶路方便，倒也并未刻意女扮男装，衣裳是短打的男装，头上依然十分随意地梳了条辫子，人是细细的一条，长得眉目清秀，她脸颊苍白，很有几分大病过的柔弱模样。

可她走进来的时候，却不知为什么，没人敢像先前一样明目张胆地打量她。

那姑娘身上有把刀，刀身略长，挂在少女腰间有些累赘，她便拎在手里，漆黑的刀鞘与素白的手背交相辉映，又诡异地浑然一体。但凡有经验的老江湖，一眼便能看出来那刀是见过血的，绝非初出茅庐的小青年拿出来哄人的货色。

来人正是周翡一行。

这一路热闹，李妍、李晟都跟出来了，前面戴着面纱跟李妍走在一起的是吴楚楚，还有个杨瑾留着路上逗闷子。

那天周翡在四十八寨客房中偶然撞见杨瑾，立刻就想起此人跟行脚帮关系匪浅。她和谢允两人护送吴楚楚回四十八寨，走得那么小心翼翼，这厮居然都能堵住他们，这能耐算起来比他那闻名九州的"断雁十三刀"还厉害。

有便宜不占王八蛋，杨瑾这么个浑身上下写满了"快来利用我"的冤大头在前，周翡顿时有了想法。她即兴发挥，像煞有介事地将寇丹为了"海天一色"反叛四十八寨的事添油加醋一番，还把青龙主与山川剑的旧恩怨等事一起编了进来，给杨瑾画了一张神秘的大饼——

"你肯定猜不出这'海天一色'是什么，"周翡神神秘秘地对杨瑾说道，"端王爷——南边的那个——告诉我，'海天一色'其实是一笔遗产，收容了无数或因天灾，或因人祸分崩离析的门派的遗物，也包括大药谷，我鱼太师叔的'归阳丹'就是这么来的。除了大药谷，其他门派的武功典籍自然也是应有尽有，你想想山川剑的剑，再想想我外公的刀……是不是都有点博众家之长、集大成者的意思？可惜端王没说完就跑了，要想追查到底，我得先找到他。"

杨瑾听了个目瞪口呆，自动过滤了其他字眼，只剩下"典籍……我外公的刀……集大成者"这么几个词。

周翡这种鬼话，连李妍都糊弄不住，大概只够忽悠忽悠杨瑾了。杨瑾其人，听闻江湖上捕风捉影地传出一个"南刀传人"，连人家是男是女、是老是少都不清楚，便先行热血上头，不管不顾地前来较量，断然不能以常理度量。此人听说一个"刀"字，耳朵能当场长两寸，被周翡一番渲染，立即对"海天一色"充满了向往，晕头转向地便被她拐下了山。

而吴楚楚跟来，则另有缘故。

她虽知道周翡在胡说八道，但也知道她不是凭空胡诌——无论"海天一色"是什么，都必然跟吴家关系匪浅，是害死她母亲和弟弟的元凶。按理说，她从终南到四十八寨，一路腥风血雨，可谓九死一生，好不容易才安稳下来，刚来又走，岂不折腾？

可话说回来，即便她只是个娇娇弱弱的闺阁小姐，便能以自己无能、没用为由，心安理得地躲在蜀山中闭目塞听吗？那纵然平安一世，苟且富贵，又岂是为人子女的道理？

吴楚楚听了周翡对水波纹的转述，发现刻着水波纹的东西正是她从小戴在身上的长命锁，便当机立断地将这东西托付给了李瑾容——戴着这玩意，她是仇天玑等人争抢的香饽饽，交出去了，她就成了一个无牵无挂的孤女，谁也没工夫对付她。

吴小姐回自己院里，给李大当家留了一封言辞恳切的信，也跟着周翡跑了。

有李妍这个大喇叭在，他们的动静自然瞒不了李晟。李晟放心不下那位教了他几个月的老道士冲云子，也不想再蜗居在长辈羽翼下自命不凡。他受冲云子之托，带话回来，现在话已经带到，眼看四十八寨有李瑾容坐镇，又有南朝大军驻扎，用不着他，便干脆也跟着下山了。

至于李妍……那是以"不带我，明天就给你们宣传得举世皆知，你们谁都走不了"的方式，死皮赖脸跟出来的添头。

行脚帮有"车船店脚牙"，论其"无孔不入"，比丐帮有过之而无不及，其中仅是"店"一支，便能将大小酒楼客栈都纳入眼线中，有杨瑾的面子和李妍身上那方红玛瑙的五蝠令，行脚帮办事很痛快。

但谢允常年跟玄白二位先生斗法，经验十分丰富，小尾巴也不是那么好抓的。

"头一户"的店小二趁着招呼他们落座点菜的工夫，在杨瑾耳边悄声道："小人是蓝色蝠的，那日小人多嘴，跟别的客人多说了几句话，隔壁桌有个客人大概是听出了点什么，立刻便放下钱走了。小人回想起来，那人形貌似乎与您要找的'水貂'很像，而且对咱们帮里人非常熟悉，不知准不准……哦，对了，他还留下了这个。"

店小二说着，取出铜钱，迎着众人不解的目光，他压低声音解释道："这其实就是普通的大子儿，但那位客人留下的时候，钱上是生着一层寒霜的。"

周翡眼皮一跳，一时间，谢允那格外冰凉的手，两军阵前曹宁那隐约的一句"你不要命了吗"，都匆匆从她眼前闪过，她忙追问道："往哪边去了？"

店小二客客气气地回道："恕小人无能，那便真不知道了。不过呢，这人在外面，不可能不住店、不坐车船，对不对？衣食住行，咱们占了半壁江山，您要找的人，再小心也有疏忽的时候，您少安毋躁。那人前两天刚走，这会儿未必走远了，不如几位先在客栈住下等等其他消息？"

众人也别无办法，只好道了谢，打发走行脚帮的店小二。

"我看他这是往南去了，"李晟蘸了一点水，在桌上轻轻画了一条线，疑惑道，"南边有什么？"

众人都是一头雾水，没人吭声。

周翡心不在焉地端起一杯热水往嘴里送去，想起了那天在四十八寨山下，谢允同她说过的一段话。

"一般到了冬天，我都喜欢往南边跑。那些小客栈为了省钱，都不给你生火，万一错过宿头，还得住在四面漏风的荒郊野外，滋味就更不用提了，不如去南疆晒太阳。"

他裹着棉袄往南边去，会不会只是去晒太阳的？

不知为什么，在这人人喧嚣浮躁的乱局里，周翡觉得这很像谢允能办出来的事。

"那咱们也去南边玩？"李妍跃跃欲试，很不见外地用胳膊肘戳了杨瑾一下，"哎，黑炭，你们老家是不是在南疆，听说你们连虫子都吃，是真的吗？"

杨瑾的水差点被她这毛手毛脚的一下给碰洒了，转头怒视她。然而他还没来得及发作，便听门口有马长嘶一声，又有一帮人进了客栈。

客栈中吃饭喝酒的都是一静——只见来人个个身着黑色劲装，头上都戴了斗笠，齐刷刷往门口一站，凶神恶煞般的气息扑面而来，不像打尖也不像住店，倒像是来寻仇的。

店小二愣了一下，忙挤出个笑脸迎了上去："诸位客官，住店哪？住店的里面请，还有房。"

领头的黑衣人不言语，漠然地越过他，直奔店里，占了三张桌子，一时间，临街的上下两层小楼，地方好像都不够用了。一侧角落里"兴南镖局"的人则谨慎地互相使起了眼色，几个汉子站了起来，将那对兄妹护在中间。

李妍好奇地抻长脖子看了一眼："这些人是干什么的？"

周翡目光一扫，伸手轻轻敲了敲桌子。

李妍问道："干吗？"

"一直没顾上说，"周翡掀起眼皮瞟了她一眼，说道，"今天得跟你约法三章。这回出门没人护着你，在我眼皮底下，你要是敢像上次在邵阳一样乱跑，我就打折你的腿。李妍，我警告你，别指望我也像……"

她话音到此，不免一顿，将"像马叔一样惯着你"一句话含混地咽了下去。

周翡没说出来，别人却听得出，李妍愣了愣，不知想起了什么，有些低落地"哦"了一声。

"没事不要找事，"周翡又意有所指地看了杨瑾一眼，"实在是手痒了想练练，我可以奉陪。"

杨瑾冷哼了一声，将扣在断雁刀上的手放了回去，说道："这些黑衣人是活人死人山的，我揍……见过一次。"

李晟皱眉问道："哪一门下？"

"玄武。"杨瑾道，"你看那个人的手。"

"千里眼"李妍大眼睛骨碌一转，便将一楼大堂尽收眼底，小声汇报道："我看见了，那个人手背上文了个长着大尾巴的王八！"

"乖，"李晟面无表情地道，"闭嘴。"

吴楚楚至今还记得将他们逼到衡山密道中的郑罗生，听到"活人死人山"，先紧张地捏了捏衣角，说道："和那个青龙主是一样的吗？"

周翡怕自己说得多了，吴楚楚反而不放心，便简短地回道："没事，没有郑罗生那样的高手。"

比起当年两眼一抹黑，连活人死人山是什么地方都要沈天枢告知的周翡，李妍这"包打听"的消息显然灵光多了，她看热闹不嫌事大地说道："我知道，听说玄武主名叫'丁魁'，非常不是东西。姐，他还扬言要找你给青龙主报仇呢！"

周翡："……"

她不明白这有什么好兴高采烈的。

李晟从桌子底下给了李妍一脚："你唯恐别人不知道是吧？"

李妍吐了吐舌头，不敢提这茬儿了，便转向吴楚楚，对她说道："没事，等你把我教你的武功口诀练好了，咱就谁也不怕了。"

此言一出，一张桌子上的其他三人都惊了。

周翡一口水呛了出来："娘啊，你还教别人？"

杨瑾一本正经地皱眉道："习武可不像写字，倒插笔也没事，出了岔子不是小事，怎能随便误人子弟？"

李晟最不客气，直接问道："李大状，你还记得你姓什么吗？"

李妍难得好为人师一回，当场被这"三座大山"活活压得矮了一截，脸上颇为挂不住，吴楚楚忙出来打圆场，用眼神示意大家看兴南镖局的方向，小声道："嘘——你们看，那些人是不是跟那个什么……玄武派的人有过节？"

大堂下有些怕事的已经悄悄走了，也就二楼还剩下点人，吴楚楚这一瞥并不突兀，因为在座的其他人也都在窃窃私语。只见那兴南镖局中的少女愤然上前一步，从腰间抽出一对峨眉刺，指着楼下玄武派的人说道："青天白日里追到客栈里，公然劫镖，你们还有没有王法了！"

众人听罢，顿时微微哗然——

自古有镖局押镖，便自然免不了有人想劫，只是既然做的是拦路打劫的买卖，必是要在人烟稀少的地方，多半也不会透露名姓。谁知现如今，这劫道的反倒是大摇大摆、招摇过市，仿佛劫得很有理一样，非但不屑掩藏身份，还追杀到人来人往的客栈中，反倒是苦主走投无路，求救无门，简直怪哉。

这一来是中原武林群龙无首，秩序崩乱的缘故，二来也是南北双方战事正紧，连朝廷也没空管这些江湖仇杀。

盛世的王法，乱世的刀兵——在这样乱的世道里，从来都是越恶便越得势。

杨瑾冷笑道："报杀父之仇的都未必敢这么有恃无恐，你们中原人真行。"

"我们中原人不这样，"周翡眼皮也不抬地说道，"中原王八才这样。"

她话音没落，便听楼下玄武派的领头人笑道："小丫头片子，谁稀罕劫你们的镖？咱们兄弟吃过见过，犯得上惦记你们那仨瓜俩枣？只不过看不惯你们给霍连涛那伪君子跑腿卖命，还脸大自称南朝武林正统，特地来替天行道罢了。"

李晟一听"霍连涛"三个字，后背不由得挺直了，摆手冲李妍做了个"嘘声"的手势。

那玄武派的领头人又得意扬扬地接着道："霍家堡的当家人本来是霍老爷子，谁不知道霍连涛这家主之位是怎么来的？这是人家的家务事，倒也罢了。只是那区区一个北斗，尚未抵达岳阳，那霍连涛便先自己屁滚尿流地逃了，一把火烧死亲兄长，这是什么臭不要脸的混账东西？也好意思发什么'征北英雄帖'？呸！我看不如叫'捧臭脚帖'！"

兴南镖局一行人闻言，自然怒骂不止。

玄武派的领头人阴恻恻地一笑："你们若是识相，便将东西留下，滚回去跟霍连涛那老小子说，他那个什么'捧臭脚大会'一定要如期开，弟兄们还等着前去搅局呢。"

他说完，突然便连招呼都不打，人影一闪，竟已经蹿到了二楼拐角处，伸手便向那写着"兴南"俩字的旗杆抓去，口中话音不断："武功稀松就算了，还有眼无珠，哈哈，你们要这旗何用，一并给了我吧！"

走镖的，走的便是这一杆旗，走到哪儿亮到哪儿，这是名头，也是脸面。要是哪个镖局被人劫镖，充其量赔钱，再赔上点声誉罢了，可要是哪个镖局被人拔了旗，那便是被人一巴掌扇在了脸上，特别是折在活人死人山这些魔头手上，传了出去，往后南半江山，哪里还有兴南镖局的立锥之地？

那镖局众人一看便红了眼，四五个汉子抢上前去，兵器齐出，奔着那玄武派的领头人身上去了。

那领头人大笑一声，一只脚踩在木头扶手上，走转腾挪，竟然颇为游刃有余。

李晟漠然地收回目光，对周翡等人说道："霍连涛放火烧死亲哥这事倒是真的，我亲眼所见，那些魔头不算扯淡，但怎么……霍连涛丧家之犬似的从岳阳南奔，还真把自己当棵葱了？当年山川剑都不敢自称武林盟主，他算什么东西？"

李妍抻着脖子看了半晌，见那边打得锣鼓喧天，便问道："哥，咱们真不管啊。"

周翡道："坐下吃你的饭。"

李晟道："狗咬狗，有什么好管的？"

两人几乎异口同声，李晟因为自己所见与周翡略同，顿时颇为不爽，大爷似的冲周翡翻了个白眼。

就在这时，那玄武派的人仿佛戏耍够了，蓦地从那木扶手上翻了下去，猛鹰扑兔似的扑向镖局的一个汉子，一把抓住那汉子手中的板斧，竟能以蛮力拉开，随即一掌印上了那汉子胸口。

那镖师惨叫一声，当即往后退了好几步，一屁股坐在了台阶上，脸上泛起可怖的青紫色，双腿蹬了两下，随即形似疯狂地伸手去扒自己的衣领，指甲抠进了肉里竟也浑然不觉，他口中"嗬嗬"作响，不过片刻光景，竟已经没了气息，临死时将自己布满血道子的前襟扒开，里面竟有一个漆黑的掌印。

玄武派的黑衣人将双手露了出来，只见他手上隐隐有光划过，竟是戴了一双极薄的手套，掌心处布满细得几乎看不见的小刺，能轻易穿透布料衣襟，将淬的毒印在人的皮肉上。这玩意就算跟毒掌比起来也是旁门左道——毒掌好歹还得自己炼化毒物入体，还得内力深厚才行，哪儿有此物省事？想那青龙主郑罗生也是个成名已久的高手，与人对阵时也一样是花样百出，一身的鸡零狗碎，比起杂耍卖艺的也不遑多让，跟眼前玄武派的黑衣人这"省事"的毒掌异曲同工。

可见活人死人山实在是从上到下、一脉相承地上不得台面。

那被众镖师护在中间的少年少女同时大叫道："胡四叔！"

玄武派的领头人一挥手，三张桌子旁的黑衣人全都站了起来，个个手上都有那带刺的手套。领头人冷冷一笑，黑衣人们一拥而上，与兴南镖局的镖师们斗在一处。整个楼梯当即成了擂台，原本在楼梯口上看热闹的几桌人抱头鼠窜，掌柜与店小二没有一个胆敢上前劝阻。

那少女扑在方才死了的镖师尸体上，满脸是泪地抬起头来，说道："你们与霍堡主有仇，大可以找他分说，我们不过是小小的生意人，受人之托押送货物给霍家，又得罪你们什么了？尔等不敢找上正主，便拿我们出气，这算什么？王法不管，道义不管，凭你们这等魔头竟也能一手遮天，我……啊！"

她话音没落，又一个镖师倒了下来，正好砸在了少女脚上，那镖师也是一脸铁青，中毒而亡。

想也知道，活人死人山的魔头们胆敢找上门来，说明根本没把兴南镖局这些看着挺厉害的镖师放在眼里，双方才交手数个回合，高下立判、强弱分明，镖师们不一会儿的工夫便溃不成军，好几个中了玄武派见血封喉的毒，都是连话都没来得及交代一句，便断了气。

少女双目通红，抽出峨眉双刺便扑了上去。

周翡冷眼旁观，简直要皱眉——这姑娘那点微末的功夫连李妍都不如，白瞎了那对峨眉刺。

只见那少女双刺直指凶手双目，玄武派的领头人见状忍俊不禁，往后一错步，轻易便隔着手套捏住了她的兵刃，少女本能去拔，对方的目光在她身上一扫，突然眼露邪光，一松手道："还你。"

少女骤然失去平衡，整个人往后趔趄了半步，那玄武派的领头人当即抢上一步，一把抓住了少女的衣襟，"刺啦"一声便撕了下来。

刀剑声中传来少女惊慌的尖叫，周翡捏着筷子的手微微一顿。

旁边脸色苍白的少年骤然失色，大叫一声"阿莹"，一个镖师上前一步，试图拦在那少女面前，却遭到前后两个玄武派的黑衣人阻击，一时左支右绌，更多的黑衣人仿佛找到了什么乐趣，纷纷向着那少女围了过去。

周翡放下了筷子，一直分神留意战局的李妍还以为她在催自己，忙低头做扒饭状。谁知就在她低头的一瞬间，眼前突然有衣角闪过，李妍吃惊地抬起头，发现方才呵斥她时一套一套的李晟和周翡居然转眼间都不在座位上了！

四五个玄武派的黑衣人将掌中小刺收敛，分别抓住那少女四肢，少女前襟裂开一大片，露出雪白的里衣和肌肤来，活鱼似的挣扎不休，却无论如何都挣不出。她骂哑了嗓子，全身的血都往头顶冲去，恨不能当场咬舌自尽。

　　就在这时，她听见一声轻响，接着，抓着她的手倏地松了，她整个人骤然失去依托，从空中摔了下去，却没触地——有什么托住了她。

　　那托在她腰间的东西是一把又冷又硬的刀鞘，托住她的人吩咐道："留神。"

　　随即，对方一抖手腕，少女不由自主地往一侧倒去，伸手一抓，正好抓住了客栈的木扶手，堪堪站定。她惊魂甫定地往地上一扫，见地上一片血迹，方才抓着她的几条胳膊全部齐肘断了，惨叫声四起。

　　周翡磕了磕望春山血槽里的血迹，抬头看了一眼慢了半步的李晟。

　　李晟自动将其视为挑衅，气结不已，黑着脸转身迎上了对众镖师赶尽杀绝的玄武派黑衣人，将一腔火气都发了出去。

　　三颗米粒从李妍的筷子尖上滚了下来，她目瞪口呆地瞪着"只许州官放火，不许百姓点灯"的哥姐，说道："不……不是说好了不惹事吗？"

　　杨瑾没吭声，一双眼跟点着的灯笼似的，亮出足有十里地，眼一眨不眨地盯着周翡的刀——不过几个月，他觉得周翡的刀说不上进步神速，却多出了某种莫测的感觉。

　　周翡一刀断四臂实在骇人，再加上一个怒气冲冲的李晟，两人一插手，战局就像一端加了秤砣的秤杆，顷刻歪了过去。玄武派那领头人一声尖哨，下令停手，戒备地盯着周翡和李晟道："什么人敢管活人死人山的闲事？"

　　周翡才不回答，只是简单粗暴地问道："死还是滚？"

　　玄武派那领头人显然也是个遇强则弱、遇弱则强的人物，脸上退意同戒备一样明显，可他混了这许多年，连对方的名号都不知道便夹着尾巴跑，也实在不像话，便硬梗着脖子道："阁下是铁了心要给霍连涛那罔顾人伦的伪君子当打手，与我玄武主为敌？"

　　周翡只能容忍一个半人跟她叽叽歪歪地讲理，一个是周以棠，半个是谢允——即便是谢允，叨叨起来没完没了的时候也得做好挨揍的准备——她根本不想搭理这些多余的人。

眼见那手上文个大王八的货还要说话，周翡突然招呼都不打，直接提刀上前，那人只见刀光一闪，悚然一惊，危急之下转身要往身后的人堆里钻，以同侪为盾，可周翡是独自破过青龙主翻山倒海阵的人，哪里看不出这一点滑头，她不知怎的便晃过了眼前碍事的人，脚下轻轻一转，望春山如附骨之疽一般缠上了那玄武派领头人的脖子，直接往前一送。

这些活人死人山的魔头往日里横行霸道惯了，何曾见过这种话都不耐烦说，便直接提刀杀人的？一时都惊呆了，这才知道眼前这人"死还是滚"四个字的纯度。

头头儿都死了，没人跟命过不去，方才还气势汹汹的黑衣人转眼作鸟兽散，客栈中顷刻安宁了下来，徒留一股弱肉强食的血腥味。

一别数年，周以棠言犹在耳——"取舍"乃强者之道。

周翡扫了一眼那眼圈通红的镖局少女，还刀入鞘，脸上没什么表情，心里却微微叹了口气——谢允一路陪她返回蜀中，此时却突然不告而别，除了那日为了救她使出了那什么"推云掌"之外，仿佛没别的缘由了。有什么东西能让一个人放弃他一直暗地里追查的事？

周翡虽然不愿意妄下结论，却也知道情况恐怕并不乐观。

要不是因为这个，她真的很想留在蜀中见她爹一面，跟他好好聊一聊那些以前她想不明白，这一年间却尝透了滋味的道理。

许是她方才跟活人死人山的人动刀太过凶神恶煞，兴南镖局的一帮镖师愣是没敢上前同她说话，都转向了李晟。李晟是个"窝里横"，只对自己人不假辞色，在外人面前非常之伪君子，三言两语便和人家聊到了一处，约莫一顿饭的工夫才回来。

他往桌上丢了个黑木雕的请柬："你们先看看这个。"

吴楚楚第一个反应过来，"啊"了一声，说道："这上面怎么也有个水波纹？"

普通请柬写在纸上，霍连涛的请柬却十分铺张地刻在了木头上，上面镂空刻了时间地点，下面有一截诡异的水波纹图案，和吴楚楚长命锁上那个非常像。

李妍感叹道："这个霍堡主肯定很有钱。"

杨瑾奇道："不是都说他一把火烧了自己家，逃难到南边了吗？怎么还能很有钱？"

"要紧的东西他早就送走了，岳阳的霍家堡就给沈天枢剩下一个空壳和一个傻大哥。"李晟随口道，"那兴南镖局的总镖头朱庆，本是个颇为了不起的人物，不料一次走镖遭人暗算，后脊梁骨受伤，至今只能瘫在床上，生活尚且不能自理，更不必说照看生意了。这朱庆一双儿女都还不到十八，兄长叫作朱晨，就是刚才被他们镖师护在中间的那个，从小身体不好，练功夫也是三天打鱼两天晒网，他那妹子朱小姐更是自小娇生惯养，身手也就那么回事。兄妹两个突遭大变，也没办法，只能自己顶门立户，幸亏一帮老镖师厚道，还愿意给他们撑门面，镖局这才能勉力支撑——前几年霍家堡崛起的时候不是四处招揽人吗？听说连活人死人山的木小乔都去了，朱家那两兄妹便顺势依附了霍家，那霍连涛牛皮吹破天，根本就没怎么管过他们死活，这回活人死人山的杂碎捣乱找不着正主，反倒拿他们出气，也是倒霉。"

杨瑾听罢，对乱世孤苦小儿女的遭遇没什么感慨，只是若有所思道："听说霍家腿法独步天下，那么这个霍连涛能网罗这么多人投到他麾下，武功必然是很厉害的？"

周翡悚然道："难道你还打算挑衅霍家堡？"

杨瑾挺直了腰杆，一本正经地纠正道："是挑战。"

周翡无言以对，跟一个满脑子打遍天下无敌手的南疆汉子实在说不清楚。

"武功怎么样说不好。"她想了想，说道，"但你这么一说，我确实想起了一件事——当时受到战火波及，再加上曹仲昆有意针对，洞庭一带各大门派先后凋零，唯独让沉寂多年的霍家堡做大，为什么？老堡主不能管事，而那霍连涛既不是底蕴最深厚的，也不是武功最好的……"

李晟从小就是个人精，一点就透，闻听此言，立刻恍然大悟道："但他一定是最有野心的，此人背后很可能有别的势力。当时霍家堡刚一遭到北斗威胁，立刻就放火撤退，将自己的大本营都甩了，除了说明他特别怕死之外，还有可能是他早就已经找好了退路，说不定他计划将霍家堡迁往南边很久了，所以他背后的势力很可能是……"

周翡和吴楚楚对视一眼——谢允说过，"白先生"是他堂弟的人，谢允是建元皇帝的侄儿，那他的堂弟岂不是皇帝那老儿的皇子？

吴楚楚先是点了一下头，示意周翡和李晟的猜测都有理，随即又摇了摇头，敲了敲桌上的木请柬，暗示他们有事说事，别再揣度这些大人物的心计。他们仨仅仅用眼神交流了片刻，便各自明白了其他人的意思，一时都默契地噤了声，只剩下杨瑾和李妍大眼瞪小眼，全然不明所以。

李妍怕挨骂，憋着没敢吭声，杨瑾却很实在地皱紧眉头，说道："不是刚才还在说霍连涛的武功厉害不厉害吗？你们在扯什么乱七八糟的？为什么你们中原人老想这么多事？好不痛快！"

"……"周翡无语片刻，问道，"徐舵主是你什么人？"

杨瑾道："哦，是我义父。早年他到我们擎云沟来求过医，我爹治好了他，那以后便经常有往来。"

周翡真心实意道："那你可一定要多跟你义父亲近，有事多听他老人家的。"

不然迟早让人称斤卖了。

杨瑾压根儿没听懂她这句隐晦的挤对，莫名其妙地看了她一眼，实诚地点头道："那是自然。"

李晟将木请柬翻过来观察了片刻，说道："永州，正月——方才据咱们推断，谢公子是往南去了，永州不也是这方向吗？你们说，他有没有可能是去那边了？"

周翡倏地一愣，这么一说还真有可能！

"再说说这个水波纹。"李晟数道，"现在就咱们知道的，吴将军那里有一个，霍家堡显然也有一个。"

"山川剑有一个，"周翡想起寇丹在洗墨江边的话，补充道，"我娘……不对，按时间算，应该是外公那儿也有一个。羽衣班不清楚，但我觉得霓裳夫人很可能知道'海天一色'的一些内情。鱼太师叔没有，否则寇丹一定拿到了，但他老人家似乎也知道内情。"

"要是按着那一辈人算，霍连涛当时还狗屁不是呢，他现在手里的水波纹，该是老堡主留下的。"李晟顿了顿，想起他目睹的那场大火，想起冲云子和霍老堡主之间那种诡异的默契，又说道，"我总觉得齐门也应该有一个。"

周翡听到这里，突然沉吟道："等等，我发现这里面有个问题。"

李晟叹了口气："不错。"

李妍终于被他们俩这不知所云的对话逼疯了："劳驾，大哥，亲姐，你俩能用人话交流吗？"

"就现在咱们知道的，最初拿着这个水波纹的人大都死了，而且都没有和继任者说过其中内情，"吴楚楚小声跟她解释道，"那长命锁我从小就戴着，但我爹从来没跟我说过它有什么特异之处。山川剑死于非命，这不用说了，之后他的东西落到了郑罗生手里，郑罗生到死都没明白'海天一色'是怎么回事。"

"齐门和羽衣班不太了解，"周翡说道，"我娘也一样，倘若她不是完全蒙在鼓里，当时肯定不会派晨飞师兄他们去接你们。"

张晨飞太年轻了，他们那一队人虽然常在江湖上行走，做的却大多是跑腿的事，李瑾容不可能明知吴家人身上有要命的东西，还将弟子派去送死。

"说回这个霍连涛身上，"李晟道，"霍连涛这个人，心机深沉，很会自吹自擂、狐假虎威，但'海天一色'不比其他，他不可能傻得明知自己有个怀璧其罪的东西，还拿出来满天下展览招祸。这水波纹很可能是霍家堡堡主平时用的一样信物，被不明内情的霍连涛当成了取代霍老堡主的凭证。"

李妍听了这前因后果，简直一个头变成八个大，满城的鸟都飞过来围着她脑袋转了一圈。她绞尽脑汁地思考了片刻，没想出什么所以然，只将脑中原本泾渭分明的面和水和成了一团难舍难分的糨糊，只好无力地问道："所以呢？我还是没听懂。"

"所以永州这回要热闹了。"李晟低声道，"霍连涛根本不知道水波纹代表什么，自以为来客都是给他捧臭脚的，到时候恐怕会来一大批不速之客。"

对"海天一色"垂涎三尺的活人死人山、北斗，甚至是……南面朝廷。

李晟问道："怎么样，我们去永州看看吗？兴南镖局的人能把我们带过去。"

周翡迟疑着没表态，毕竟谢允不见得一定会去永州，她只想寻人，没兴趣跟着霍连涛搅浑水。

然而就在这天傍晚，"头一户"的店小二给杨瑾送来了一个消息——

"黄色蝠的兄弟们传信，说好似见过您打听的人，此人自己买了马车，出手十分阔绰，就是说什么也不肯让人帮他赶车，非要亲力亲为。小人那些兄弟没见过少爷不当非当车夫的，觉得有点奇怪，还派人小心地跟了一段，见他走的是往永州去的官道。"

第二章·
永州

谢允倏地一愣，"她是来找我的"这句话，
在他心里难以抑制地起伏了片刻，让他轻轻
地打了个寒噤，一时竟心生恐慌。

周翡平日里是"刀不离手"，即使出门在外，也和在四十八寨中
做弟子那会儿一样，早晨天不亮便起来练刀，练满一个时辰，这一个时
辰不打套路，就是来来回回地练枯燥的基本功，一点花哨也没，等她练
完，别人差不多也该起了。

到了傍晚时分，则是她雷打不动的练内功时间，她就算不吃饭也
不会忘了这个。

可这一天傍晚，她却没在房中，李妍找了一圈，却在前头的酒楼
里找到了她，惊诧地发现她居然在闲坐！

"周翡"和"闲坐"两个词，完全不可能搭界。李妍吃了一惊，

十分忧虑地走上前去，伸手去探周翡的额头，怀疑她是伤口复发了，烧糊涂了。

周翡头也不回地捏住了她的小爪子："做什么？"

李妍忙屁颠屁颠地将店小二传来的消息说了，周翡听完心不在焉地点点头，说道："知道了，咱们准备准备就走。"

李妍还要再说什么，却见周翡竖起一根手指，冲她比画了一个"闭嘴"的手势。

李妍顺着她的目光望去，见萧条的大堂中，被玄武派打烂的桌椅尚未清理出去。说书的没来，来了唱小曲的，弦子受了潮，"嘎吱"作响。卖唱的老头面相不佳，门牙缺了一颗，哼唧起来总有点漏风。

李妍奇道："你就为了听这个没练功？这唱的什么？"

"《寒鸦声》。"周翡低声道。

李妍听也没听过，一头雾水地在旁边坐下来，屁股上长了钉子似的，左摇右晃半晌，方才听出一点意味来——这段《寒鸦声》十分新鲜，因为唱得并非王侯将相，也不是才子佳人，它带着些许妖魔鬼怪的传说色彩，听着神神道道的。

说有个男人，乃流民之后，年幼时外族入侵，故乡沦陷，迫不得已四处颠沛流离，因缘际会拜入一个老道门下，学得了一身刀枪不入的大本领，便怀着兴复河山的心从了军。

先头的引子被那老人用老迈的声音唱出来，说不出地苍凉，吸引了不少因战乱而流亡至此的流民驻足，老头唱到"他本领学成，乃经天纬地一英才"的时候，手里的弦子破了音，调门也没上去，破锣嗓子跟着露了丑，将"英才"二字唱得分外讽刺滑稽。

这位"英才"文武双全，上阵杀敌，果然英勇无双，很快便在军中崭露头角，官拜参军。

　　参军接连打了几场胜仗，受到了将军的赏识，将他叫到身边如此这般地表彰一遍，参军备受感动，涕泪齐下，跪在地上痛陈自己的身世与愿景，将军听罢拊膺长叹，给他官升一级，交给他三千前锋，令他埋伏途中，攻打敌军精锐。一旦成功，便能夺回数座城池，将军答应给前锋请首功。

　　方才被卖唱老头那一嗓子丢丑唱笑了的众人重新安静下来，津津有味地等着听这苦命人如何出将入相、功成名就。

　　参军为报将军知遇之恩，自然肝脑涂地，埋伏三日，等来敌军。这一段金戈铁马，弦子铮鸣作响，老艺人竟没演砸，李妍也不由得屏住呼吸——却谁知原来他们只是诱饵，那将军忌惮参军军功，唯恐其将自己取而代之，便以这三千人性命为筹码，诱敌前来，一石二鸟，攘内安外。

　　参军死到临头，却忽然见天边飞来群鸦，方才知道是师父派来救他性命的，遂舍弃功名盔甲，随群鸦而去，出家去也。

　　李妍听得目瞪口呆："什么玩意！"

　　翌日，周翡他们声称为了"凑热闹长见识"，蹭着兴南镖局的名头，同行去永州。朱氏兄妹正求之不得——能多几个高手同行，好歹不用再担心那些活人死人山的杂碎追上来。

　　周翡与杨瑾在前开路，李妍、吴楚楚和那位兴南镖局的女孩朱莹同坐一辆马车，跟在镖师们和押送的红货之后，朱晨则陪着李晟他们骑马缓行殿后。

　　路上，李妍仍对那段匪夷所思的《寒鸦声》念念不忘。

　　"后面就更扯了，说那位参军出家以后，整天跟乌鸦和骨头架子为伍，一天到晚在深山老林里修炼，好不容易有点法术，时灵时不灵，有时候还被妖魔鬼怪追得满山跑，历经千辛万苦，最后偶遇了一帮少年打马郊游，自言自语了一句'缘分到了'，就得道成仙了！"隔着一辆马车，都能听见李妍喋喋不休的抱怨，"这就成仙了！听说过吗？早知道我应该专门带一帮人到深山老林里郊游，碰见谁谁成仙，一千两银子碰一次，那咱们不就发了？唉，我就不明白了，你们说说，前面又是行军打仗，又是国耻家仇的，跟这结局有什么关系吗？"

吴楚楚轻轻柔柔地说道："这些消遣都是以词曲为先，故事还在其后，比这更离奇的也有呢，只要曲子好听就行啦。"

"不好听啊！"李妍恨不能掬出一把辛酸泪来，嗷嗷叫道，"你不知道啊楚楚姐，那唱曲的老头子龅牙露齿，咬字不清，不是琴跑调就是他跑调，我就为了看看这故事能扯出一个什么样的淡，硬生生地在那儿听他锯了一个时辰的木头！你看你看，昨天晚上竖起来的头发现在都没下去呢！"

骑马在侧的李晟嘴角抽了几下，对朱晨道："舍妹年幼无知，见笑了。"

朱晨笑道："哪里，李姑娘天真无邪，蛮难得的。"

他说着，低低地咳嗽了几声，听见马车里李妍又不知叽咕了一句什么，几个姑娘嘻嘻哈哈笑成了一团，连素日未曾开怀的朱莹都轻松了不少。

朱晨听见小妹的声音，有些欣慰，随即又不由得叹了口气——若是他也有一刀一剑横行天下的本领，何至于要年方二八的妹子跟着出来餐风饮露、受尽欺凌？他想起自己本领低微，便觉前途渺茫，正满心茫然沉郁时，突然，前面走得好好的的杨瑾毫无征兆地抽出刀来，劈头便往旁边的周翡头上砍去。

朱晨吃了一惊，座下马都跟着慌乱起来，脚步一阵错乱，被旁边李晟一把薅住辔头方才拽住。

李晟见怪不怪道："没事，别理这俩疯子。"

只见那好像一直在马背上发呆的周翡连头也没抬，将望春山往肩上一扛，长刀倏地翘了起来，正好打偏了杨瑾的断雁刀。同时，她整个人往后微微一仰，不等杨瑾变招，长刀便脱鞘而出，短短几个呼吸间，她与杨瑾已经险而又险地过了七八招，分明是两把长刀，却招招不离周翡身旁半尺之内，她简直好似被刀光包围了。

这搏命似的打法看得朱晨目瞪口呆，好生捏了一把大汗。连旁边马车里的人都被这动静惊动，车里的三个姑娘都探出头来——除了朱莹比较震惊，吴楚楚和李妍只看了一眼就又缩回头去，显然也是已经习惯了。

若说杨瑾的刀是"从一而终"，周翡的刀便是"反复无常"。

她几乎一刻不停地在摸索，过几天就会换一个风格，出刀的角度、力度与刀法，完全取决于杨瑾偷袭的时候，她脑子里正在想什么。

这一日，周翡本来正在聚精会神地回忆鸣风楼的"牵机"和纪云沉"断水缠丝"的区别和相通之处，骤然被杨瑾打断，她使出来的刀法便不觉带了那二者的特点——轻灵、诡异、发黏，好像她手中拿的并不是一把长刀，而是一根千变万化的头发丝，能随意卷曲成不同的形状，又在无声之处给人致命一击。

杨瑾被这种"缠"法打得不耐烦，断雁刀快成了一道残影，直取周翡前心。周翡突然仰面而下，望春山横出一招略微变形的"斩"字诀。"斩"字诀气魄极大，将方才的黏糊一扫而空，毫无过度，两相对比，简直如同盘古一斧突然劈开混沌一样，"喤"一下拨开了杨瑾的断雁刀。

杨瑾最怕周翡说变招就变招，被她这陡然"翻脸"打了个措手不及，不由得往前一闪，就在这时，周翡倒提望春山的刀鞘，狠狠地往杨瑾的马屁股上戳去。

那马本来任劳任怨地跑在路上，背上那俩货这么闹腾都还没来得及提意见，便骤然遭此无妄之灾，简直要气得炸蹦子，当即仰面嘶鸣一声，差点把杨瑾掀下去，暴跳如雷地往前冲去。

饶是杨大侠的断雁刀快如疾风闪电，也不得不先手忙脚乱地安抚坐骑，好不容易坐稳了屁股，他愤然冲周翡嚷道："能不能好好比武，你怎么又耍诈！"

大概是邵阳一战养成了习惯，只要跟她动手的人是杨瑾，周翡就总是忍不住弄出一点小花招来。而杨瑾也从来不负所望，挖坑就跳，跳完必要怒发冲冠，久而久之，这简直成了一种乐趣。

周翡好整以暇地将望春山还入鞘中："谁让你先偷袭的？"

同行这一路，朱晨还从未见周翡说过话。

只要有人领路，周翡就心安理得地沉浸在自己的刀法里，一天十二个时辰，她有十个半时辰都在琢磨自己的刀——朱晨一直当她是个脾气古怪的高手，头一次发现她居然也会玩笑打趣。

方才打斗时，她被杨瑾弄乱的一缕长发落在耳边，周翡随意地往耳后一掖，露出少女好看的眉眼来，舒展又清秀。

朱晨不由得看了许久，直到旁边的李晟说话，他才突然回过神来，意识到自己不该盯着人家女孩看，连忙有些狼狈地收回视线。

路程不长，除了杨瑾和周翡时而没有预兆地互砍一通之外，旅程堪称和平，永州的地界很快便到了。自古永州多状元，山清水秀、人杰地灵，自秦汉始建，城中透着森森的古意，未曾被南北战火波及，透着一股子雍容平静。

只不过现如今因有霍连涛在此地兴风作浪，来往这潇湘古城之间的便都成了南腔北调的江湖人。大街上车水马龙，堪称拥挤，各大门派间有互相认识的，时不时还要互相打个招呼。路边行乞的、路上赶车的，看着都像是丐帮、行脚帮的人，叫人不敢小觑，随便一个挂着拐杖走过去的老头都似乎身怀绝技。

周翡他们随着兴南镖局的人走进一家客栈，随意往座中一扫，便先注意到了三个人——一个一手提刀、一手领着只猴的独眼老汉，一个五大三粗、明显是男扮女装的中年男子，还有个身后背着个箩筐，筐里一堆毒蛇乱拱的青年。

兴南镖局里有个头发花白的老镖师，朱庆不能理事之后，便是由他来代"总镖头"，朱家兄妹都十分恭敬地叫他"林伯"。林伯常年走南闯北，见识颇广，一路悄悄地给朱晨四下指点："领着猴的那人叫作'猿老三'，男扮女装的是他兄弟，叫作'猴五娘'，这两人长于杀人，曾经位跻四大刺客，可有些年头没露过面了，这回居然肯接霍家的'征北英雄帖'，来意着实叫人看不透。"

天下闻名的刺客，周翡只听说过有个"鸣凤楼"，没想到还分帮派，便不由得抬头看了林伯一眼。

朱晨非常有眼力见儿地将她的疑惑问了出来："林伯，四大刺客都有谁？"

林伯一边小声交代年轻后辈们不要到处乱瞟，省得惹麻烦，一边引着众人上楼。到楼上坐定，他才对朱晨说道："要说刺客，首先是'云想衣裳花想容，春风拂槛烟雨浓'，这说的是南北两大刺客帮派……"

周翡听得心头一跳，感觉都像熟人。

果然，林伯接着说道："……就是传说中的'羽衣班'和'鸣凤楼'。"

周翡只知道霓裳夫人跟她手下一帮女孩子来无影去无踪，没料到她们除了唱曲之外，竟然还有人命买卖的副业！

林伯又道："另外两个，一个是独来独往的'黑判官'封无言，还有一个，便是这'猿猴双煞'，都已经隐退好多年了。当年因为北斗天怒人怨，十个悬赏里有八个都跟他们有干系，别的好说，四大刺客倘若都避而不接，实在对不住自己的名头，可又不能真接——你们想想，连鸣风楼接了北边的活，最后都闹得被迫退隐四十八寨，其他人讨得着好吗？怎么都是为难，聪明人便都急流勇退，顺势金盆洗手了。"

后生们听了一时都有些戚戚然，李妍自来熟地问道："老伯，那个背一筐小蛇的又是谁啊？"

林伯"噫"了一声："你这女娃娃，倒是胆大，蛇也不怕吗？"

李妍当然不怕，四十八寨常年潮湿多雨，毒虫毒蛇不说满山爬，隔三岔五也总能见着几条，偶尔长个口疮什么的，还能捞到个蛇羹吃一吃。

"有什么好怕的？"李妍大大咧咧地说道，"我还养过一条呢，后来叫姑姑发现，把我骂了一顿，给拿走了。"

杨瑾闻言，面皮一紧，不动声色地离她远了点。

林伯年纪大了，看见李妍这种活宝一样的半大孩子便喜欢得很，笑眯眯地给她解释道："那一位是'毒郎中'，名叫'应何从'，他身上那一筐宝贝可不是你养着玩的，里头都是见血封喉的毒物。"

李妍养的其实也是毒蛇，要不然李瑾容才不管她，只是这小丫头虽然总是一副缺心少肺的样子，却是个争宠和讨人喜欢的好手。听出林伯等人对这养蛇的"毒郎中"颇为忌惮，她便没提这茬儿，只是大惊小怪地"哇"了一声，哄得林伯乐呵呵的，这才有点羡慕地偷偷透过楼梯，往那"毒郎中"的筐里瞟。

"毒郎中"仿佛感觉到了什么，突然一抬头，正好和李妍的目光撞了个正着。

这应何从面颊有些消瘦，长得眉目清秀，气质略显阴郁，但总体是个颇为耐看的青年——只可惜大多数人见了他那一筐蛇，都不敢仔细看他，便也分辨不出美丑。

他一抬头看见李妍，似乎也有些意外，没料到是这么小的一个女孩，一侧的长眉轻轻挑动了一下，李妍也不知怎么想的，冲他露出了一个大大的笑脸。她正在龇牙傻笑，突然脑后一痛，李妍"哎哟"一声："李缺德，你打我干吗？"

李晟往楼下瞥了一眼，见那毒郎中收回了视线，这才放下心来，冲李妍道："嘴别咧那么大，牙掉下去不好找。"

李妍："……"

但凡她打得过，一定要在"李缺德"脸上挠出三条血口子。

周翡从小听他俩掐，在旁边拾了个熟悉的乐子，嘴角刚露出一点笑意，另一侧便突然递过一个白瓷的杯子。

周翡一愣，偏头望去，原来是兴南镖局的那病秧子少主朱晨用开水烫了个杯子，又细细地拿丝绢擦干净了，顺手递给她一个。朱晨骤然见她目光瞟过来，仿佛吓了好大一跳，慌慌张张地移开自己的视线，"吭哧吭哧"地将剩下几个杯子也擦了，任劳任怨地分了一圈，始终没敢抬头。

周翡有点莫名其妙，心道："不就剁了四条胳膊吗，我有那么吓人？"

就在她想说句什么的时候，楼下突然飘来一串琵琶声。林伯侧耳听了片刻，脸色倏地一变，一抬手按住朱晨的肩膀，将食指竖在嘴边。

不但是他，客栈中不少人都戒备了起来，尤其是那猿老三手上的猴。这长了毛的小畜生受了刺激，蹿上长板凳，张嘴大叫起来，好像企图打断琵琶声。琵琶声自顾自地响成了一串，周翡越听越觉得熟悉，忍不住探出身去。

随后，门口传来银铃似的笑声，几个女孩子率先进了客栈中，个个好似风中抖落露珠的花骨朵。

吴楚楚："呀，怎么是……"

　　她话没说完，一角裙裾飘进了客栈，有个人脚踩莲花似的提步缓缓而入，来的居然是个熟人——霓裳夫人！

　　望春山都是人家送的，看见了自然不能当没看见，周翡撂下一句"你们先坐"，便起身提步下了楼，刚站上楼梯，她便觉得楼下的气氛有些剑拔弩张，脚步便是一顿。

　　霓裳夫人看见了她，抬起尖削的下巴，风情万种地冲周翡笑了一下，随即便将视线转向了那造型奇怪的猿猴双煞，她弯起一双桃花眼，笑道："猿三哥，好些年没见，怎么这小畜生见了我还是龇牙咧嘴？"

　　猿老三还没说什么，那猴五娘便一扭八道弯地站起来，捏着嗓子道："想是闻见狐狸精味，呛着了。"

　　霓裳夫人大笑，仿佛被骂得十分受用，她手下的女孩子们旁若无人地闪身进了客栈，嬉笑着占了几张桌子，旁边不少人似乎对她们颇为忌惮，不由自主地退让开了。

　　楼下有出来有进去的，气氛紧绷地乱成了一团。

　　就在这时，一个头戴斗笠的人影出现在门口，正是消失多日的谢允。

　　谢允本是跟着羽衣班前来的，因为没打算跟霓裳夫人相见，便将斗笠压得很低，谁知还未走进来，先一眼看见了楼梯上站着的周翡。

　　谢允脑子里"嗡"一声，空白了片刻——这水草精怎么在这儿！

　　他当时想也不想，掉头便走。

　　周翡站得高，看人其实只能看见头顶，斗笠遮住的脸完全看不见，而且这边霓裳夫人跟那一对"猿猴"显然不是很对付，似乎随时能大打出手，周翡原本没注意别处。倘若谢公子偷偷摸摸地进来，安安静静地蹲着，周翡大概会把他当朵蘑菇忽略了，坏就坏在他偏偏见了鬼一样掉头就走。

　　谢允刚一转身，立刻就反应过来自己办了件蠢事，心里暗叫了声糟。

可是这时候他已经打草惊蛇，不可能装作什么都没发生过了，谢允只能一边安慰自己是"智者千虑，必有一失"，一边祈祷着周翡眼瞎没看见，撒丫子狂奔。

但是周翡又不瞎，怎么可能看不见？

谢允身量顾长，在人群里本就颇为显眼，这一进一退，更好比秃子头上的虱子。周翡一眼扫过去，便觉得那身影十分熟悉，先是想也不想地便追了上去，掠至门口，她心里方才回过味来，打眼一扫，只见就这么一会儿工夫，那人已经瞧不见了。

就这种没用的机灵劲，这种轻功——周翡这回确定，那货十有八九就是谢允，她心里无端一阵狂跳，脚步却慢下来了。

周翡一脚踩在客栈的门槛上，紧紧地攥住手中的长刀，面无表情地深吸了一口气，心里缓缓数了十个数，然后果断掉头上楼，拉过李妍说道："你那个五蝠印借我一下。"

谢允轻功快到极致的时候，即便满大街都是武林中人，也只能看见一道影子疾风似的闪过，连闪过去的是人是狗都看不清。他倏地越过一条小巷，这才小心翼翼地往回望去，只见身后人来人往，暗潮涌动，但周翡没有追来。

她果然是没看见。

谢允微微松了口气的同时，心里又不免升起些许惆怅。他回过神来，将这惆怅掰开揉碎了自省，觉得自己好似那刚刚长大成人的孩子，要从长辈那里拿压岁钱，心里知道不能要，嘴上手上也百般推托，待对方真的不给，却又难免失落。

恨对方不能再坚持一点，再死缠烂打一点。

"真是凡夫俗子的可鄙之处啊。"谢允"啧"了一声，自嘲地笑了笑，将斗笠压得更低了些，缓缓往前走去，心里慢慢地琢磨起方才一瞥之下见到的熟人们——羽衣班到了，猿猴双煞也到了，这还是明里，暗地里不知多少双眼睛齐聚永州。霍连涛这摊子骤然铺开，大得恐怕他自己都想不到，这会儿应该也十分手忙脚乱。的确，如果不是那木请柬上的水波纹，区区一个洞庭霍家堡，怎么招得来这么多退隐已久的顶尖高手？

至于"海天一色"的事，霍连涛不知道很正常，但难道"眼观六路，耳听八方"的赵明琛也不知道吗？

谢允这小堂弟年纪不大，心术颇为不正，谢允闭着眼睛都知道他在想什么——被困华容的时候，赵明琛意识到他选的这个霍连涛太蠢，想重新洗牌武林势力，自己趁机渗透其中。霍连涛这枚弃子，是他丢出来搅浑水的。

天潢贵胄，一天到晚不琢磨国计民生，总想弄些歪门邪道。

赵渊正当盛年，迟迟不肯立太子，这些年他的儿子们渐渐长大，都开始生出别的心思来，有挖空心思迎合父亲新政的，有想方设法在宫禁中四处讨好的，有仗着自己尚未成年，以请教为名私下结交大臣的，还有赵明琛这个剑走偏锋的——天下人都知道，建元皇帝当年仓皇南渡，是被一群武林高手护送的，方才有今日坐拥南半江山的后昭。

赵明琛一边在朝中小动作不断，一边还要装出"闲云野鹤"的样子给他爹看，四处结交江湖人士，借此拙劣地模仿其父。

可他不知道，这世上有些东西是碰不得的。

不过话说回来，阿翡来做什么呢？

谢允没见着周翡的时候，脑子里转的这些事都是井井有条的，他看似率性而为，但心里一直都有数——如果没有周翡这个"计划外"。

谢允一边下意识地搓着手，企图给自己摩擦出一点温暖，一边顺着蜿蜒的小巷子不远不近地绕着方才霓裳夫人进去的客栈走，极力想将自己跑偏的思绪拉回来。

此事涉及"海天一色"，霓裳夫人必然是风暴中心，他应该紧跟上去。可偏偏周翡也在……

谢允低头捏了捏鼻梁，发现自己无论怎么努力，都不能请周姑娘从自己脑子里移驾出去，便干脆自暴自弃，围着她打起转来，寻思道：李大当家怎么会同意她来凑这个热闹？

他倒是从来没想过周翡是专程来找自己的。一来，谢允不相信那位在自己家门口都不辨南北的"周迷路"能找着他。二来，他自己来永州也是个意外，要不是看见黑檀木上的水波纹，这会儿说不定已经在阳光融融的南疆了。

谢允不由得有些后悔起自己临时改了道——赵家的事，和自己还有什么关系吗？非要犯贱来管，以致现在闹得自己进退维谷，不得安宁。这时，耳边传来沿街小贩的招呼声："公子爷，刚出锅的汤面，来一碗吗？热腾腾的，还冒白汽呢。"

谢允的思路"嘎嘣"一下被人打断，叫"热腾腾"这三个字一激，在阴冷潮湿的冬天里围着大街小巷转了好几圈的谢允感觉自己骨节中都生出了碎冰碴，迫切需要一碗热汤浇一浇。他在大事上时常受委屈，细枝末节便不大肯逼迫自己，被那小贩一招呼，便立刻提步往那小摊里面的位置走去。

小贩欢天喜地地应了一声，掀开一口滚着沸汤的大锅，手脚麻利地切好了面。

谢允低着头往里走了三步，忽然脚步一顿——他发现这不是个挑担沿街叫卖的小贩，后面原来还有一家小馆子，显然是这两天城里外人来得太多，食客在面馆里坐不下，才又在外面摆了个摊。

谢允悄然瞥向那正在往锅里下面的小贩，只见那煮面的人头也不抬，利索地拿着一双长筷子在锅里搅，嘴却不闲着，一迭声地问他道：

"公子有没有忌口？吃不吃得酸？吃不吃得辣？要咸要淡？要硬要软？"

谢允微微眯了一下眼，缓缓说道："随意。"

那小贩站在锅前，面对谢允，却是背向大街的。

一般招呼得热闹的小贩手里做什么，断然不会耽误他口头吆喝，更不会在招来一个客人后就全方位地盯着，除非他根本没打算招呼第二个人！

谢允倏地一抬头，目光正好和街角处一个蜷在马车上的车夫对上。

那车夫没料到他突然看过来，下意识心虚地避开他的视线。

行脚帮！

谢允皱了皱眉——这帮阴魂不散的东西，怎么还在盯着他？

"公子爷，面出锅了！"

谢允露出一点意味深长的笑意，假装转身伸手去接，却在这一步间滑出了一丈有余。

那小贩吃了一惊，高声叫道："你……"

这动静立刻惊动了周围好几双眼睛，谢允方才一动，便有好几个人向着他靠过来。可谢公子的轻功独步天下，自从在四十八寨突然对北斗出手之后，更像是解开了两条脚镣，简直插根毛就能上天摘个蟠桃，哪儿会这么容易便被人堵在小巷里？

那几个行脚帮的人显然低估了他，眼看不过几步远，却总是差一点抓住他。

谢允三两步便甩脱了这些蹩脚的跟踪者，有恃无恐地直奔那街角的车夫去了，他将双手背在身后，显然没打算大打出手，甚至冲那车夫一笑，笑得车夫汗毛倒竖。

谢允人未至，车夫已经探手从车里抓出了一张大网，劈头盖脸地便向他兜了过去。谢允一挑眉，丝毫不以为意，那车夫眼前一花，便只见本该在网中的人居然在那大网迎面而来的一瞬间，不知使了个什么诡异的身法，顺着那空中大网"爬"了上去！

车夫不由得张大了嘴——

谢允一抬手，长袖仿佛自带大风似的鼓起，只是轻轻摆了摆手，那机关重重的行脚帮大渔网竟然好像一朵轻飘飘的云，被他轻柔的掌风推出半尺远，就这一点罅隙，已经足够他在空中二次提气，足尖一点大网，借力脱困而出！

随即，他在一间民房的屋顶上落脚片刻，转眼便隐没在其中，不见了踪影！

行脚帮号称无孔不入，却被谢允当面教育了一回什么是真正的"无孔不入"，当场被激起了一腔非要分个高下的好胜心。外人察觉不到的暗号在整个永州城里无数跑堂的、叫卖的、挑担的、赶车的人中间传递，转眼便结成了一张由人连成的天罗地网，只要谢允这家伙还在永州城里，就算他掘地三尺躲进老鬼婆的棺材里，他们也要把他挖出来！

谢允落在了一户民居的后院里，他目光四下一扫，先将自己头上的斗笠摘下来扔了，随即手探入怀中，摸出两条花白的长毛——这毛也不知是从什么东西身上揪下来的，看着很像头发，几乎能以假乱真。

他非常有技巧地把这玩意往脑袋上一缠，固定好，乍一看好似两鬓斑白，随即又摸出他当"千岁忧"糊弄霓裳夫人时的小胡子和皱纹，三下五除二给自己改头换面一番，在小院里一寻摸，放下点零钱，不见外地将人家晾在院里的一套粗布的破袍子和后门的柳木拐杖顺走了。

谢允把那粗布衣服裹在自己厚实的棉衣外，窝在其中不得舒展的厚衣服便自动成了他缩起的脖、端起的肩和驼起的背。他眯起眼，将膝盖弯起，脚呈微微外八字，继而照着乌龟的动作抻长了脖子，再往前一猫腰，将自己整个身体都压在拐棍上……

片刻后，那来去如风的公子不见了，一个走路都颤颤巍巍的糟老头子好似打盹刚醒，顶着一头乱发，睡眼惺忪地便拄着拐杖出来溜达，与正在围追堵截要紧人物的行脚帮众人擦肩而过，谁也没看出他是谁。

谢允脸上的小胡子得意地往上翘了翘，迈着四方小步，有恃无恐地转回方才的客栈附近，想看看霓裳夫人和猴五娘掐起来了没有。这一路畅通无阻，毕竟，谁也不会留意一个贴着墙根的糟老头子。谢允保持着面朝黄土的动作，不动声色地抬起眼，偷偷往客栈里瞄去，发现周翡已经不在楼梯上了，霓裳夫人正带着她那一帮凶残的娘子军好整以暇地吃饭，方才的猿猴双煞居然已经不在了。

"刚才出什么事了？"谢允暗忖道，"那养猴的兄弟也有学会韬光养晦的一天？"

就在他微微有些出神的时候，突然有个人冒冒失失地经过，从侧后方撞了他一下。谢允不想惹麻烦，不等人家开口，便头也不抬地憋出一副沙哑苍老的嗓子，喃喃说道："不碍事，不碍……"

"事"字尚未出口，他脖子上便被架了一个冰凉的东西。

谢允："……"

他倒是不怎么慌张，反正不怕脱不开身，反而感兴趣地想知道是谁这么火眼金睛，这样居然也能抓住他。

刚一回头，他就傻了——望春山一端卡在墙上，横过谢允的脖颈，另一端被周翡拿在手里，一人一刀正好组成了一个封闭的三角，将谢允困在了其中。

"老人家，"周翡皮笑肉不笑地一伸手，用力扯下了谢允一边的胡子，"这么禁撞，身板不错嘛，你还挂拐干什么？"

谢允蹲过黑牢，陷过囹圄，倘若把他一生中遇到过的困境都写出来，大约能赚好几袋金叶子，然而他始终觉得自己像一只乐天的蛤蟆，即便不断地从一个坑跳往另一个坑，却每次都能当成津津乐道的笑话，事后加工一番，拿出去天南地北地吹牛。

可世上没有哪个地方，让他觉得比眼前这两尺见方的"牢笼"更加窒息了。

他似乎在暗的地方待久了，强光突然晃到眼前，将他的瞳孔"烫"了一下，又畏惧又渴望地缩成了极小的一团。

谢允觉得自己呆愣了好一会儿，然后他就着这身可笑的装扮，轻轻一伸手，按住望春山，那寒铁的刀鞘上顿时生出一层细细的寒霜，顺着他苍白的手指蔓延上去。

谢允移开压在他肩上的长刀，缓缓直起腰："所以那些行脚帮的人是你找来的？"

周翡知道，自己再长两条腿也追不上这姓谢的孙子，她一路从蜀中追到永州，该生的气生过了，该有的困惑也成百上千次地思量过了，事到临头，竟难得没有意气用事。她第一时间联系了永州城内的几大行脚帮，此时，永州这场大戏的"戏台子"正在搭建中，各方势力还未上场，虽然到处挤满了人，气氛却比较消停，行脚帮那一群惯常偷鸡摸狗的汉子闲得蛋疼，一见李妍的红色"五蝠令"，都无二话，纷纷出来帮忙。

不过倘若谢允那么好抓，白先生不是吃干饭的，这么长时间没有堵不着他的道理。周翡知道他多半能脱身，叫行脚帮围追堵截只是为了"打草惊蛇"——谢允此时来永州，不大会是闲得没事来看热闹，他既然悄悄跟着羽衣班，肯定是有什么正经事，周翡断定他还得去而复返。

一旦谢允知道周围布满了行脚帮铺天盖地的眼线，他必然不会再以本来面貌出现，肯定得乔装打扮。既然乔装打扮了……以谢允那人的贱法，说不定会出现得相当明目张胆。

这其实是山里人打兔子的土办法，没练过轻功的人肯定没有兔子跑得快，一般是两拨人合作，一拨从四面喊打喊杀，吓得兔子慌不择路撞进事先布置好的网里，另一拨人埋伏在这儿，趁兔子在网上撞蒙的时候，以大棒槌快准狠狠地将其打趴下。

周翡想守株待兔地赌一把，在这里堵不着谢允也没事，大不了她也死皮赖脸地跟着霓裳夫人，一直跟到霍连涛的"征北英雄大会"上，总有机会抓住谢某人的尾巴。

她守在客栈门口半天了，看见可疑人物就小心翼翼地凑近，去观察一二——直到看见熟悉的两撇小胡子。谢允的"易容"居然比她想象得还要敷衍，往脸上贴的"皮毛"居然不是用完一次即丢的，随便跟别的东西组合组合，就能凑一副新面孔！

起码依他亲王之尊的身份来看，这已经堪称"会过"了。

见周翡冷着脸不吭声，谢允便贼眉鼠眼地往四下看了看，心里一边盘算着退路，一边吊儿郎当地冲周翡一眨眼，说道："我要知道这帮倒霉的穷酸是你招来的，肯定不会这么疏忽大意，哪儿那么容易被你抓到？美人儿，你这属于胜之不武，要不然咱们再重新来一……"

他话没说完，便颇有先见之明地一弯腰，灵巧地躲过了周翡一刀，随后，他顺势闪身往身后小巷中钻去。

还敢跑！

周翡心里陡然升起一股无名火。

她随着那么多南迁的难民，在这么个到处人心惶惶的时候，像个没头苍蝇一样到处找他，从蜀中到永州，反复回顾谢允的一言一行，企图从那胡说八道的《寒鸦声》里听出一点端倪。她有一盆的牵挂，不习惯跟人倾诉，只好全都翻覆在心里。好不容易堵到此人，他居然给她摆一副"玩输了再来一局"的态度，并且随时准备开溜！

周翡抢上两步，横刀拦住了谢允的去路，随即干了一件她酝酿已久的事——挽袖子开始揍他。

谢允眼见她动了真章，忙叫唤道："哎，怎么数月不见，一见面就动手呢！"

他嘴里叫着，也不耽误手上功夫。这一句话的光景，两人已经过了七八招。

周翡还是第一次领教谢允的武功。谢允和她见过的每一个人都不一样，他出手很"轻"。

成名高手中，家里有李大当家，外面有沈天枢、段九娘等人，这些前辈，周翡都因缘际会地过过招，他们都有个共同的特点，就是高手气质。他们单单往那儿一站，便能让人感觉到一股浓重的压迫感，就算只是拎一根小木棍随便往空中一划，都有按捺不住的攻击性，所以自古形容人功夫高，便有"飞花摘叶皆能伤人"的讲法。

谢允却完全不同。

不知他是不是故意留手，周翡觉得他整个人就像一团形迹缥缈的棉絮，一刀砍上去，他能轻轻松松地四两拨千斤，连开山分海的破雪刀都有无处着力的感觉。他出手并不快，一招一式却有种神奇的韵律，仿佛是卡着分与毫来的，他像是比周翡这个正牌传人对破雪刀的领悟更加透彻，往往是周翡上一招未曾使老，他已经预备好了接下一招。

周翡那把逼得寇丹手忙脚乱的望春山到了他面前，忽然好像也成了被推的"云"，全然是听他调配。周翡越打越憋屈，突然眉头一皱，手中望春山陡然跑了调，从名门正派的"山中灵兽"直接变身成"脱缰野马"，她好似忽然抛开了破雪刀的套路，一时间乱砍乱削几乎毫无章法，倘若不是刀鞘没拔下来，大有要将谢允大卸八块的意思，一招一式比方才快了三倍有余，刀刀惊风、快如奔雷——竟然是一部分野马版的断雁十三刀！

谢允刻意控制的舒缓节奏就这么被她打断，一时有些错愕，心道：真这么生气啊？

然而随即他很快又发现，这表面上的"断雁十三刀"，内里却隐约合了"破雪刀"的"断"字诀，看似没有章法，却又处处是玄机。

谢允恍然，原来这就是破雪"无常"的关窍所在——外在能千变万化，内里却万变不离其宗。收天下以为己用，海纳百川，而任凭沧海桑田、斗转星移，又自有一定之规。

"了不得。"谢允心头不由得骇然，旋即正色，将长袖一甩，袖口宛如被风灌满的口袋，飘飘悠悠地鼓开，然后他双手倏地一合。周翡当时便感觉一股浑厚得完全不像青年人能有的内力涌来，好似一道看不见的墙，轻易便将她困在其中。

谢允双手夹住了望春山，他掌心的寒霜好似疯长的藤蔓，不受控地向上蔓延，在"春山"上留下了一道清晰的"乍暖还寒"。

周翡那自成一世界的刀法毕竟功力未足，被对方扣住的长刀伸不出去也缩不回来，两人便僵持在了原地。她气得差一点便想干脆将刀从鞘中抽出来，让谢允这厮也见点血，可是目光一对上那刀鞘上的白霜，周翡便又顿住了。她握着刀柄一端，目光微垂，纤长的睫毛轻轻地盖着眼睛，又在眼尾处卷翘起来。

谢允本可以趁机脚下抹油，可是这会儿看着她的脸，他却好似忽然呆住了，无端错失良机。

周翡道："在洗墨江的时候，你跟我说过天下奇毒之首'透骨青'，中此毒者，会从骨头缝开始变冷……人死时，周身好似被冰镇过……"

谢允听了这话才回过神来，倏地撤回了手。

周翡却没有追击，缓缓将在空中僵了半晌的长刀垂下。她轻轻吐出一口气，抬起眼盯着谢允问道："你怎么会知道得那么清楚？"

谢允很想满不在乎地笑一下，顺势扯个淡，可他的笑容到了嘴边，不知为什么有些发僵，连俏皮话也说得干巴巴的，好不尴尬。他说道："可能是因为我博古通今，天下秘闻无所不知。"

周翡又问道："那你与谷天璇动手的时候，曹宁大喊的那句'不要命了'，又是怎么回事？"

"哈，"谢允短促地笑了一声，"曹宁是敌人，妹妹，敌人在战场上说的每一句话都是为了扰乱你家的军心，谁知道他妖的哪门子言、惑的哪门子众？你还真听他的。"

周翡沉默，两人素来不是打闹就是斗嘴，凑在一起便是演不完的鸡飞狗跳，就连白先生当面揭穿谢允"端王"身份时，两人都未曾有这样相对无言的尴尬。谢允如坐针毡片刻，没话找话道："四十八寨离前线那么近，你怎么还有工夫来永州凑这种热闹……"

周翡突然用一种难以言喻的眼神看向他，谢允心口重重地一跳，喉咙一时竟有点紧，无聊的寒暄说了一半便难以为继。

"我四年多没见过我爹了。"周翡低声道，"我偷溜下山，一路跟着行脚帮给的一点似是而非的消息，追着……追着……你问我怎么有工夫来凑热闹？"

谢允倏地一愣，"她是来找我的"这句话，在他心里难以抑制地起伏了片刻，让他轻轻地打了个寒噤，一时竟心生恐慌。

那些压抑而隐秘的心意好似缝隙中长的乱麻，悄无声息地生出庞大的根，不依不饶地牵扯住他自以为超脱尘世的三魂七魄，将有生之年从未有过的不知所措一股脑地加诸他身上，冻上了他那条三寸不烂之舌。

谢允灵魂出窍的时间太长，长得周翡耗尽了耐心，于是她眼神一冷，硬邦邦地说道："当然是因为霍连涛请柬上那个水波纹。去年'海天一色'还是个只有几个人提起，但也讳莫如深的东西，连我娘都未必知道

‘水波纹’是什么，现在不过几个月，却已经有好几方势力都在追查，霍连涛这么一封请柬更是有要将此事闹得尽人皆知的趋势，这其中没有人暗中推波助澜是不可能的。现在北斗都知道四十八寨里有两件‘海天一色’的信物，我不主动来查，难不成擎等着被卷进来吗？”

她这一番话说得可谓沉着冷静、有理有据，可越说心里越窝火，一口气吐完，非但没有痛快，反而更难受了，不留神眼圈竟然红了。人眼好似连着心肝，她察觉到视线有些模糊时，一直以来憋的委屈便突然决了堤，周翡猛地转头，一言不发，掉头就走。

谢允下意识地伸出手去，一把抓住了她的手腕。

周翡的袖口是扎起来的，衣料十分轻薄，不隔热也不防冻，被他一抓，便好似贴上了一块冻透的寒冰，两人同时哆嗦了一下。

谢允道：“阿翡，我……”

就在这时，不远处突然一阵喧哗。

只见原本懒洋洋地蹲在墙角街角的乞丐们突然如临大敌地爬了起来，众多行脚帮的人也相互打起眼色，一伙黑衣人旁若无人地闯进了永州城，抬着一口巨大的棺材。

第三章 ·

透骨寒霜

她未曾受过岁月的磋磨，未曾在午夜时分，被回不去的旧年月惊醒过。她也未曾怀疑过，很多自己相信且期冀的东西，其实都只是无法抵达的镜花水月，凡人一生到头，爱恨俱是匆匆，到头来剩下的，不过"求不得、留不住"六字而已。

　　谢允本来要说的话被这突如其来的变故打断，骚动中，他回过神来，轻轻掐灭了方才险些脱口而出的冲动话。

　　他看着周翡，认为她年少而无知——不是"无知竖子"的"无知"，是"无知苦痛"的"无知"。她像一朵刚刚绽开的花，开在足够坚实的藤蔓上，与荆棘一起长大，每一颗沾在她身上的露水都生机勃勃。她禁得住风霜，也耐得住严寒，带着一股天生地长似的野性，每天都企图更强大一点，期待自己终有一天能刺破浓雾，坚不可摧。

　　她未曾受过岁月的磋磨，未曾在午夜时分，被回不去的旧年月惊醒过。

她也未曾怀疑过，很多自己相信且期冀的东西，其实都只是无法抵达的镜花水月，凡人一生到头，爱恨俱是匆匆，到头来剩下的，不过"求不得、留不住"六字而已。

谢允心里荒凉地想道：我一个现在就能躺进棺材里的人，做什么要耽误她呢？

有那么片刻的光景，周遭人声鼎沸，唯有他耳畔万籁俱寂。谢公子的嘴唇轻轻地颤动了一下，咽下了千言万语，忽然便笑了。

那边的大棺材足足用了十六个壮汉方才抬起来，大得能"立地成房"，长宽与深度足够躺下一家子，乍一亮相，将窄巷堵了个结结实实。但凡长了眼睛的活物都不由得往那边张望，唯有周翡丝毫不为所动，专心致志地盯着谢允，追问道："你什么？"

谢允深深地看了她一眼。

周翡："说啊！"

接着，她眼睁睁地看着谢允将自己那张欠揍的脸堂而皇之地祭出来，嬉皮笑脸道："我让你瞧那边，你听说过青木棺材吗？那可是玄武主丁魁最宝贝的'座驾'，非逢年过节，他老人家都不轻易拿出来用。啧，刚一进城就这么大阵仗，看来活人死人山这回是打定主意要将此局'先搅为敬'了。"

周翡："……"

谢允用无懈可击的目光低头看着她，顾左右而言他道："你别告诉我，你还不知道玄武主丁魁是何方神圣。"

谢允了解周翡，周翡虽然还算讲道理，但也很有脾气，她绝对有"你不喜欢我就赶紧滚"的魄力和气性，谢允把敷衍明明白白地挂在脸上，她便绝不会纠缠。果然，他两句话出口，周翡的神色渐渐淡了下去，最后摆出一张面无表情的小脸，略有些咬牙切齿地回道："我知道，我不但知道，还亲自动手宰过他手下的疯狗。"

谢允："……"

这丫头绝了，轻易不树敌，可一旦惹事，惹的便一定是大人物。

周翡抬起眼皮，冷冷地说道："怎么，我连郑罗生都杀得，区区一个玄武座下的疯狗，宰就宰了，还用跟谁打招呼吗？"

谢允无奈，一边凝神留意那"抬棺王八们"的动向，一边顺口数落道："你……"

他尚未展开长篇大论，便突然觉得拉着周翡的指尖传来一阵刺痛。谢允的双手太冰冷，难免有些发木，等他察觉的时候已经晚了，他愕然地低头望去，只见自己拽着周翡的那只手的食指上冒出了一颗透着寒意的血珠，流出的血微微有些发紫，尚未完全冒头，就被冻上了——始作俑者是周翡指间的一根小尖刺。

谢允的视线开始模糊起来，他下意识地往后退了半步，见周翡好整以暇地将那根小尖刺用锦缎包好收起来，说道："谢公子上知天文下知地理，可还记得行脚帮最擅长什么？"

行脚帮第一绝活就是偷鸡摸狗，尤以蓝色蝠中开黑店为最，天下倘有十种蒙汗药，八种都是他们独创的。

谢允的四肢渐渐不受控制，他跟跟跄跄地左摇右晃片刻，后背一下撞在旁边的墙上。周翡见他方才上蹿下跳那么神威，想必也没那么容易摔死，便没去扶他。她将手一背，十分"讲理"地说道："你偷袭我一次，我暗算你一次，咱俩扯平了。"

谢允苦笑，舌根发僵，却已经说不出话来，也不知行脚帮那些缺德冒烟的玩意都给了她什么东西，他发现自己越是企图运功去"逼毒"，那药性发作得便越快，终于无力保持直立，眼前一黑，憋憋屈屈地被放倒了。

周翡先是谨慎地上前观察了一下，确定他真晕过去了，才开始考虑该怎么移动这一坨"物件"。她稍微比画了一下，感觉扛在肩上是不可能的，她肩膀不宽，地方不够用；有心想拎着他的腰带拖起来，又发现谢允那自称"五尺长"的腿好生碍事。

周翡拎着长刀在他膝盖上比画了一下，心道："长得真麻烦，削一截得了。"

她在旁边溜溜达达地琢磨了一会儿，拎起谢允的领子，从他怀里摸出点碎银来，挪动着谢允，来到路边一个卖草帽的小贩处，指着人家拉货的木头小推车问道："车卖吗？"

片刻后，周翡在小贩战战兢兢的目光中放下银子，将谢允囫囵扔上去，拿了一顶草帽盖住他的脸，只露出脑袋上一缕假白头发，活像准备去卖身葬父一样，推着"尸体"走了。

而此时，客栈里的兴南镖局众人已经因为玄武主亲至而如临大敌了。

大棺材经过的时候，所有人鸦雀无声，朱家兄妹脸色都很难看，倒是杨瑾百无禁忌，走到窗口往下瞄了一眼——从上往下看，那敞口的大棺材里面原来另有玄机，里面安着一把气派的大椅子，还摆着几张楔在棺材底的小桌，桌上端端正正地放着茶壶酒碗等物，十六个壮汉步履稳健，盛满酒水的杯子一滴也没洒出来。

一个五短身材的男人坐在其中，惬意地喝酒晒太阳，由于此人身形实在太过短小，在这口十分"深邃"的大棺材里根本冒不出头来。

就在杨瑾双手抱在胸前，打量着这"四大魔头"之一的时候，棺材里的"武大郎"骤然抬了头，目光倏地对上了杨瑾的，一张布满皱纹的老脸面无表情地凝视了他片刻，随即龇牙冲他一笑——他一口牙缺了接近一半，仅存的几颗稀稀拉拉地站着，挡不住黑洞洞的嘴，说不出地诡异吓人。

杨瑾的后脊突然蹿上一股凉意，他想也不想便错身一躲，只听"笃笃"几声响，一排巴掌长的飞镖竟从那玄武主的青木棺上射了出来，正好与杨瑾擦身而过，几支射在窗棂上，还有几支进了室内，被反应极快的李晟抽短剑拨开。

李妍吓了一跳，大叫道："杨黑炭，你闲得吗？没事招他做什么？"

杨瑾被她冤坏了，一时间脸更黑了。

林伯摆摆手，说道："活人死人山四大魔头，青龙主郑罗生阴险狡诈，朱雀主木小乔凶残古怪，白虎主冯飞花喜怒无常，玄武主丁魁是非不分——说的是丁魁其人，动手伤人毫无缘由，说不定只是别人多看他一眼，他便要杀人灭门，并不是小哥主动招惹。唉，要不然怎么说这些人是江湖毒疮呢？"

李妍问道："那都没人管吗？"

"谁管？"林伯摇摇头，"群龙无首，没有一个像当年山川剑那种能牵起头的大人物，旁人就算心怀郁愤，又怎会擅自做出头鸟？连李家都隐居深山，关起门来围个四十八寨不问世事。现如今，独善其身已经不易，谁吃饱了撑的还去管闲事？"

周翡他们为防麻烦，并未说自己的师门来路，只大概说是"南边"的人。相比大多数人都只闻其名不见其人的"南刀后人"，杨瑾的断雁刀好认不少，林伯等人想必都认出了这位因"不务正业"出名的擎云沟现任掌门，便将他们一起都视为了南疆人士。林伯这句话脱口而出，并不知道席间两个"李家人"心里是什么滋味。李妍正忍不住要说点什么，被李晟从桌子底下踹了一脚，只好委屈又讪讪地闭了嘴。

这时，吴楚楚忽然道："阿翡呢？她怎么还没回来？"

此言一出，连粗枝大叶的李妍都不免紧张起来。

周翡方才上来要了她的五蝠令，匆匆忙忙地转身就走了，到现在也不知道人干什么去了，连杨瑾在窗户边上多看一眼，都能吃那丁魁一把飞镖，就周翡那狗熊脾气，不会干脆沿街跟玄武派的人动起手来吧？

李晟皱皱眉，起身道："我去看看。"

朱晨下意识地跟着说道："我也……"

林伯喝住他："大少爷！"

朱晨一愣，讪讪地坐了回去，苍白的手指轻轻抠着桌上的瓷杯。李晟按了按他的肩膀，正要下楼，便见那羽衣班的霓裳夫人冲门口"哎哟"了一声，说道："小红玉，你捡了个什么东西回来？"

"红玉"是在邵阳的时候，谢允给周翡捏造的假名，霓裳夫人知道她真名其实不叫这个，只是觉得这么叫起来也挺好听，便顺口叫了。

周翡手上一用力，那拉货的小车便在门口轻轻一弹，越过了门槛，回道："捡了个写小曲的'爹'。"

此时，整个客栈的武林人士都在乱哄哄地议论方才走过去的棺材队，以及霍连涛这个所谓"征北英雄大会"的戏还能不能唱起来，倒是没人注意她这边的动静。唯有霓裳夫人一愣，走上来一掀谢允脸上盖的草帽："千岁忧？"

李晟飞快下楼来："阿翡，你怎么……"

周翡抬头看见他，大大地松了口气："哥，快叫人来给我支把手。"

众人七手八脚将谢允安置好，全是一头雾水。

周翡拿了个空杯子，一口气灌了三杯凉水下去，旺盛的心火方才微微落下去。她将万般心绪沉了沉，说道："小孩没娘说来话长了，有什么事以后再说，知道去哪儿找大夫吗？"

李妍小心翼翼地问道："姐，你把他打残了？"

"滚蛋。"周翡没好气地瞪了她一眼，又将求助的目光转向杨瑾这个"擎云沟主人"，说道："杨兄你……"

"小药谷"的谷主大摇其头："我不是大夫，我连萝卜和人参都分不清。"

周翡："……"

这时，霓裳夫人插话道："我瞧瞧他。"

她说着，便分开人群上前，伸手在谢允手上探了探，只觉触手之冰凉，叫真正的死人也望尘莫及——非得是冻过的死人才比得上他。

霓裳夫人心里暗暗吃了一惊，拉过谢允的脉门，将一缕细细的真气渡了过去。随即她轻呼一声，只见她那青葱似的指尖冻得通红，好似被什么反噬了似的，霓裳夫人连忙撤手，喃喃道："怎么会？"

周翡忙问："夫人，您看出什么了？"

"我只是粗通医道，"霓裳夫人说道，"但这……"

她低头看了谢允一眼，谢允鬓角的白发还在，嘴唇上的胡子被周翡撕了一半，看起来十分滑稽。

"这种毒，"霓裳夫人的声音越来越低，"我以前是见过的，可……廉贞不是已经死了吗？"

周翡听到这儿，心已经沉了下去，果然是透骨青。

她看向霓裳夫人，霓裳夫人也正好抬头看她。

此时四下并不清静，兴南镖局留下的一群帮忙的人都在，因此两人谁都没说话，只是对视了一眼，便各自若无其事地移开视线。所谓"心照不宣"，其实也不需要特别多的默契，只要两个人了解的内情差不多，心里又恰好在想同一件事，就很容易通过细微的表情领会对方的意思。

周翡心里想的是：是我鱼太师叔当年中过的那种毒吗？

霓裳夫人用轻轻一眨眼代替点头，给了她一个肯定的答案——不错。

周翡深吸一口气，负手将望春山背在身后，沉默地站了一会儿，瞥向谢允。

谢允手长脚长，方才被她粗暴地扔在拉草帽的小推车上，身上有好多地方难免蹭着地，这会儿粗布的外衣上沾满了尘土，里面包裹着鼓鼓囊囊的大棉衣，穿出去能直接加入丐帮。他的眉心微皱着，或许是因为粘的皱纹掩住了几分精气神，显得十分疲惫，看起来真是落魄极了。

周翡低声问道："夫人有办法吗？"

霓裳夫人意味深长地回道："我要是有办法，方才被我挤对走的那对'大马猴'，恐怕就不会到永州来了。"

这话在外人听来，似乎前言不搭后语，全然不知所云。周翡的目光却轻轻一闪，从霓裳夫人这句话里听出了几重意思——

第一，鱼老他们当年解毒，与"海天一色"有密不可分的关系。

第二，霓裳夫人显然了解"海天一色"的部分内情，却并不是拥有者，那么她在邵阳说的话很可能是真的，她就是个"见证守秘"的人。

第三，猿猴双煞果然是为了"海天一色"来的，此时在永州城里的很多人恐怕都是被那小小的水波纹吸引来的。

依照林伯所说，羽衣班如今虽然不怎么在江湖上走动，但二十多年前，也曾经位列四大刺客。刺客做的自然是取人性命的行当，什么样的秘密，会去请一个刺客来做见证和保密人呢？

然而在大庭广众之下，周翡实在不便开口探寻这么敏感的真相，这些盘根错节的想法在她脑子里只停留了片刻，随即便被她抹擦干净了。

周翡轻轻吐出口气，冲霓裳夫人行礼道："多谢夫人——呃，还有一件事想请夫人帮个忙。"

打发了闲杂人等，李晟帮忙将谢允安放在一间新开的客房中，问周翡道："锁呢？"

他手里拿着一把样式古怪的锁，锁扣处机关严谨，显得十分厚重，手铐有一对，中间有铁链子连着，一端锁着谢允。

此物名叫"天门锁"，钥匙有九把之多，而且解锁时必须按顺序。这是羽衣班主霓裳夫人所赠，保证结实。这位前辈的原话是："别说区区一个他，就算一边锁着李徵，一边锁着殷闻岚，只要没有钥匙，他俩也挣不开。"

霓裳夫人给的东西很有保障，堪称童叟无欺，至今连一条裂纹都没有的"望春山"就是最好的佐证。

周翡听李晟这么一问，犹豫了一下——把谢允这厮锁在床上是指定不可行的，谢允在两大北斗夹击下都能不露败象，想必不会对着受潮的床板床柱一筹莫展。

还没等她想好，李晟又一本正经地抢先道："锁在你手上肯定不行，他是男的你是女的，不方便。"

周翡："……"

她原地将这话消化了好半晌，卡在嗓子眼里那口气才算顺过来："李晟，你是不是想打架？"

李晟拎着手里的钢锁，神色是大哥似的严肃，显然并没有开玩笑。周翡恼羞成怒，又因为怎么说都别扭，实在不便和李晟当面争论这种事，只好迁怒到谢允身上，灵光一闪想出一个损得冒烟的主意，说道："锁他自己脚踝上。"

李晟："啊？"

　　周翡一把推开他，自己动手，将谢允摆出一个蜷缩的姿势，抢过李晟手里的锁，把天门锁的另一端铐在了谢允的脚腕上，那铁链有一尺来长，这一锁，谢允倘若再想跑，哪怕他轻功盖世，也只有"团成一团在地上滚"和"猫着腰单腿蹦"两种姿势了。

　　李晟蹭了蹭自己的鼻子，暗自打了个寒战，头一次觉得自己小时候将周翡得罪得有点狠。他连谢允被抓住的前因后果都没来得及细问，便敷衍地告了个辞，贴着墙根跑了。

　　客房中终于只剩下一个愤怒的周翡和一个凄惨的谢允。

　　周翡在谢允轻浅的呼吸声中反复踱步，然而章程不是用脚丫子踩出来的。她没走多久就把自己转晕了，只好停下来，顺手将谢允腰间的笛子取过来，摆弄了片刻，学着他的样子吹了几下。

　　笛子在她手中"嘘嘘"作响，就是不出声，好像一直在嘲笑她。周翡一边百无聊赖地瞎吹，一边琢磨着是否还要再单独拜会一次霓裳夫人，再求她说一说什么是"透骨青"。

　　忽然，周翡不知胡乱按了哪个孔，瞎猫碰了死耗子，那哑巴笛子突兀地响了一声，短促又尖锐。周翡自己把自己吓一跳，茫然地看了看这根小木管，好像没弄清它怎么还会出声。

　　突然，她蓦地抬起头来，目光微凝，盯住门口，随手将那破笛子扔在谢允的枕头上，谨慎地拎着刀走到门口，一把拉开房门。门外果然有人，来人正抬着手准备叩门，一下落空，跟周翡大眼瞪小眼片刻，却是他背后的蛇等得不耐烦了，催促似的发出"嗞嗞"的动静——门口站的人居然是那毒郎中应何从。

　　周翡看了一眼他背篓缝隙中时隐时现的蛇头，虽然不至于害怕，也觉得有点头皮发麻，犹疑地打量着面前的毒郎中，她说道："这位……"

应何从不知是从哪个山沟里冒出来的，见了生人，他招呼都不打，家门也不报，直眉愣眼地递过一个草帽——这草帽是周翡盖在谢允头上的，被霓裳夫人揭下来之后，不知随手放在了什么地方，后来也就没人在意了。

应何从将草帽翻过来，说道："我看到有人不小心洒了点茶水上去，开水立刻就不冒烟了，伸手一摸，才知道这里面是冰凉的——我想见见那个中了透骨青的人。"

周翡："……"

哪儿来的自来熟？

周翡皱了眉，没有让路，戒备地将长刀卡在门边，装傻道："什么透骨青？尊驾干什么的？"

应何从端着一张肾虚的俊脸，一本正经地回道："我叫应何从，是个养蛇人，有人叫我'毒郎中'——但那是他们瞎说的，我只喜欢收藏各种天下奇毒，不会给人看病。刚才你们抬进去的人身上中的毒必定是当年北斗廉贞的'透骨青'，我不会看错。"

里面躺着一位不知还能活几天的伤病号，这个"奇葩"却跑来说："你中的毒好稀罕，我好羡慕，能不能给我看看？什么……解毒？哦，不会。"

周翡觉得自己的脾气可能是方才都耗在谢允身上了，这会儿有些懒得发作，竟没把这养蛇的连蛇带人一起打出去。她想了想，说道："不行，你又不管看病救人——凭什么让你看？"

应何从说道："我可以送给你一条蛇，你挑。"

周翡："……"

这人有病吗！

大约是她脸上的嫌弃之色太过明显，应何从脸上的懊恼一闪而过，绞尽脑汁地思索了半响，他又道："我虽然没有解药，但是可以仔细给你讲讲透骨青。"

周翡面无表情地与他对视了片刻，终于错身让开："进来。"

应何从大喜，脸上露出狂热的神色，活似守财奴挖出了一座金山，还紧张地搓了搓手。进屋以后，他小心翼翼地将背篓放在一边，围着谢允转了几圈，试温度似的将手指悬在谢允鼻息之下，继而又好似验证出了什么一般，了然地点点头。

周翡虽然没抱什么期望，却还是忍不住追问道："怎么样？"

应何从十分高兴地说："时日无多。"

周翡的脚跟和地面狠狠地摩擦了一下，"嘎吱"一声响。

应何从丝毫接收不到她的愤怒，兴致勃勃地说道："透骨青三个月之内必能将人冻成一具干尸，瞧他这样子，应该是两个多月以前中的毒？对了，廉贞不是死三年了吗，谁还能下这样的毒？"

两个多月……

周翡一愣——两个多月以前，谢允还整天跟她混在一起，正是从邵阳回四十八寨的路上。当时有条件下毒的，大概也就一个马吉利。

可是周翡又想起谢允突然出手截住谷天璇的时候，谷天璇那不似作伪的惊诧。如果连"巨门"都不知道谢允的身份，马吉利更不可能那么消息灵通，那他实在没有理由单单挑着谢允这个看似不相干的外人下手。

就在她百思不得其解的时候，应何从已经给谢允把了好一会儿的脉，又一惊一乍地"咦"了一声。

周翡激灵一下，目光又投向他。

便听应何从喃喃道："这个人内力这么深厚，怎么练的？"

周翡："……"

她的拇指用力抠了一下望春山刀鞘上的纹路，有点想把应何从扔出去。却见应何从不用她扔，便自己"腾"一下站了起来，拉磨驴一样在屋里走了好几圈，越走越快，衣袖间几乎带出风声来，然后他陡然定住脚步，大叫道："我知道了！"

周翡已经不期望从他嘴里听出什么高论了，木然地看着他。

"我知道了！"应何从抢上几步，一把撸起谢允的袖子，只见他胳膊上有几个明显的淤血痕迹，好似针刚刚扎出来的，青紫青紫的，乍一看有点像死人身上的尸斑。

"这有点像'搜魂针'。"应何从一句话便将周翡楔在了原地。

她脑子里"嗡"一声。

"……银针本身不会留下什么痕迹，即便是生手不小心扎出血，一两天也早该好了，只不过身中透骨青之毒的人体质特殊，一旦有磕碰，皮下的血就会被自己冻住，这才数月不散。"应何从飞快地说道，"我明白了，这个人的毒肯定是早就有的，只是当时有人以极深厚的内力灌注于他身上，压制住毒发，再以秘法封住他的经脉……"

应何从唯恐周翡不明白似的，比画道："就是等同于建一座牢房，透骨青是贼，强横的内力是看守，只要看守不擅离职守，就能一直压住透骨青——只是不知道他吃错了什么药，竟然自己使了一种类似'搜魂针'的法子逼出了内力……喂，你听懂了吗？"

周翡其实很久之前就有类似的猜测，否则她也不会任性地追谢允追这么久，然而真真切切地听见应何从这么从头道来，她还是有种被人打了一记闷棍的感觉。她直恨不能掐住谢允的脖子，将他晃悠醒，再冲他大吼一番。

哪个要你救？

哪个要你多管闲事？

四十八寨灾也好，劫也好，跟你有半个铜子儿的关系吗？

管了闲事掉头就走，然后悄无声息地死在某个别人不知道的犄角旮旯里，是不是觉得自己特别伟大？特为自己感动？

应何从见周翡没反应，莫名其妙地问道："还不明白，那么复杂吗？"

周翡猛地抬头："如果找到当年大药谷的归阳丹，就能解毒对不对？"

"嗯。"应何从点头，然而周翡还没来得及振奋，应何从便又给她泼了一盆冷水，他说道，"若是刚刚中了透骨青的人，吃上一颗归阳丹，只要下半辈子不离开水汽丰沛的地方，活到七老八十也没什么问题，不过他嘛……"

应何从看了谢允一眼，漠然地说道："他跟透骨青一起过了不知道多少年了，那玩意要是棵苗，早已经长进他血肉里了，别说是归阳丹，就算是雷火弹也炸不开啦！"

应何从自以为说了句颇为机智的俏皮话，然后就"机智"地被周翡连人带蛇一起扔出去了。

一条小"竹叶青"从背篓里漏了出去，没头没脑地一通狂奔，吓得几个路人"吱哇"一通乱叫，应何从急忙连滚带爬地追了出去。

第四章·

风云际会

木小乔、霓裳夫人、丁魁、猿猴双煞与白先生的
人一人站了一个角，谁跟谁都是敌非友，中间一
只惊恐的猴抱着慎独印，就这样僵持住了。

　　行脚帮的蒙汗药果真经过了无数黑店的"千锤百炼"，名不虚传，
谢允醒归醒，眼皮却沉得好似夹了一层糨糊，迷迷瞪瞪地弄不清自己在
哪儿，耳边一阵"嘎吱嘎吱"的动静，他心道："怎么还闹耗子了？"

　　好半晌，他才吃力地睁开眼，四下看了看，只见太阳已经开始往
下沉，斜晖夕照不再往屋里钻，一个细长的人坐在窗边，正提着一把长
得不成比例的刀削什么东西。

　　等等……

　　谢允蓦地回过味来，腾一下弹了起来，却没能坐住，有什么东西"扯"
了他一把，谢允本来就有些头重脚轻，险些一头栽下去，低头一看，这

才哭笑不得地发现周翡干的好事——她把他的右手锁在了左脚上。

周翡听见动静，漠然地抬头看了他一眼，又低头吹去手上沾的碎屑，继续做自己的事。

谢允定睛望去，见她手里拿着一截已经祸害得看不出是什么的小棍子，那"棍子"尾巴上还拴着一截十分眼熟的穗子。谢允将被拴住的左腿弯折起来，平放在床沿上，伸手往怀里一摸，果然，他的笛子没了。

谢允干咳一声，有些心慌气短地问道："你在干什么？"

周翡没吭声，将手一摊，把自己的"杰作"展示给他看。只见那笛子上可热闹了，被望春山以极其巧妙的刀工和极其拙劣的画技，镂空雕满了憨态可掬的小王八，众小王八形态各异，将笛子表面弄得坑坑洼洼的，看来这辈子都别想吹出动静来了。

谢允："……"

周翡面无表情地道："改天赔你一个。"

谢允别的优点没有，胜在识相，闻言忙道："不……不……不必客气，女侠的神龟没在我脸上落户，在下已经感激涕零了。"

周翡将刀身上的碎屑抖干净，将望春山往鞘里一收，这动静谢允听过没有一万次也有八千次，却无端被她这一声吓出了一个冷战。他厮得兀自肝颤片刻，半天没敢吭声，好一会儿，才小心翼翼地轻轻晃悠了一下自己"身陷囹圄"的右手："美人，请问这个全新的姿势你是怎么想出来的？怎么说我也是个玉树临风的美男子，这一出门不猫腰就得蹩脚，你不觉得这……"

他有心想说"撒个尿都要金鸡独立的姿势"，在话到嘴边的时候，勉强咽下去了，一脸扭曲地想了想，换了一个十分少女的说法："……'踢毽子'的动作很猥琐吗？"

"怪我哥。"周翡毫不犹豫地说道，"我一会儿没注意，他就把一边的锁扣给你扣在手腕上了。"

谢允总觉得她下一句未必是好话。

果然，周翡接着道："要不然我就给你拴在脖子上了，你也不必踢毽子，啃脚就可以了。"

谢允闻言低头研究了一下自己身上这把锁头，一看就知道不是凡品，不是一根铁丝能撬开的。他便干脆"既来之，则安之"，跷着脚往床板上一倒，也不跟周翡讨论眼下的情况——他把能说的话都在心里过了一遍，感觉除了废话就是讨打的，都不用说。

周翡等着他质问，等半天没等到，却听这不能以常理忖度的谢公子大大咧咧地说道："你长进真大，为师老怀甚慰啊——话说有吃的吗？让你追了一整天，水米未进呢。"

周翡"哦"了一声，也没问他要吃什么，转身就出去了。

她刚一关门，谢允便翻身起来，抱着一条腿蹦了两下，将那把被周翡雕了一身"花纹"的笛子拿过来，仔细一数，发现这不过比巴掌长一点的小笛子上被周翡刻了二十八只王八，开头几只长相尤其狰狞，望春山那点血气都浸到了刻痕中，简直恨不能刀刀见血。

谢允看得头皮发麻，不太想知道周翡这是把竹笛当成什么刻的。

反倒是最后几只刻痕轻了不少，王八壳子也圆润了，显得有头有脸的，她甚至记得给这几位"爷"加上了尾巴，显然是不知为什么，又平静下来了。谢允若有所思地伸手摩挲了一下上面的刻痕。

没过多长时间，周翡便回来了，拎来了一个食盒。

谢允唉声叹气地蹦过去："幸好我左手也会拿筷子……嗯？"

他掀开食盒，发现里面的饭菜与汤居然都是凉的。

周翡若无其事地道："我问过，人说你这种情况，最好吃冷食，否则热汤一激，反而容易加速毒发。"

谢允一看这一丝热乎气都没有的饭菜，胃里顿时好像沉了一块铅，没胃口了。他叹道："哪个不懂装懂的告诉你的？"

周翡道："毒郎中应何从。"

谢允："……"

天下擅毒者，如果廉贞算头一号，那这个"毒郎中"应何从便应该能算个老二，只不过不知是不是应何从不经常在中原武林走动的缘故，人人都知道他厉害，但厉害在什么地方，反而很少有人能说清楚，显得越发神秘莫测。

一个草帽就能让他看出方才抬过去的人中的是"透骨青"来，怎么会在这种细枝末节上胡说八道？周翡说完，还故意问道："怎么，他说得不对？"

谢允无言以对。

他何其敏锐，稍一转念便知道了周翡刻意提起应何从是什么意思——倘若那应何从不是徒有虚名，必能看出他身上透骨青的来龙去脉，周翡现在肯定已经知道他的毒是如何压下去，又是因为什么发作的。他倏地抬起头，一看周翡的脸色，便知道自己所料不错。一时间，堵在他胃里的那块铅摇身一变，成了一块又冷又硬的寒冰，更难受了。他足足有一刻的光景，才找回自己的声音，问道："他还说什么了？"

周翡想了想，说道："还说大药谷的'归阳丹'对你……"

"没什么用。"谢允神色自然地接上了她的话音。

周翡一怔。

"怎么，你以为我追查'海天一色'，是为了'归阳丹'吗？"谢允短暂地失神后，很快便又镇定自若了。

他为了方便，便将那只被锁起来的脚跷起来，搭了个没型没款的二郎腿，随意地踏在旁边的小凳上，这动作本来有点像流氓，叫他做来，却仿佛只有不羁和落拓。不等周翡追问，他便熟练地用左手拈起筷子，又说道："我找'海天一色'，只是奉先人遗命，心里又有些疑惑未解，追查一些旧事而已——你也不想想，大药谷覆灭多少年了？当年鱼老他们吃的也不过是剩下的几颗流传在外的药，鱼老服归阳丹的时候还没有你呢，现在都多少年了，你都长这么大了，什么药能不长毛不发霉？又不是长生不老丹。"

周翡："……"

好像是这么个道理。

谢允将冰凉的饭菜端过来，他倒也不挑食，给什么吃什么，只是吃了几口，他又放下筷子对周翡说道："以后有热的还是给我口热的吃吧，这东西比华容城外那荒村里的杂粮饼好不到哪儿去。"

周翡问道："你想死得快点……吗？"

"不想。"既然周翡都知道了，谢允便也不再隐瞒，坦然对她说道，"但是每天让我吃这个，我恐怕就想死了。阿翡，倘若一个人为了活得长一点而加重自己的痛苦，那多活的几天也不过是这辈子多出来的额外痛苦而已，有什么意义吗？"

接着，他不待周翡说话，便一抬手堵住她道："我现如今这个结局，是心甘情愿的，而且跟你也没什么关系——你不奇怪为什么我内力那么深厚吗？"

周翡当然不是全然没有疑问，谢允的年纪毕竟摆在那里，内功之高却是她平生仅见，上一个让她觉得深不可测的，可还是独步天下的枯荣手段九娘。

"因为这身内功不是我自己练的，"谢允说道，"是我师叔强行以真气打通我周身经脉，将毕生功力分毫不剩地全给了我的缘故。"

周翡吃了一惊。

她出身世家，自然明白，一个内功深厚如斯的人耗尽毕生修为会有什么下场——直接废去武功，或许还能苟延残喘，可要是用了什么方法传功，必然只有油尽灯枯的下场。这相当于一命换一命。

谢允接着道："这条命来之不孝。而我多活一天，我小叔的江山便不那么名正言顺，他要改革也好，要征北也罢，凡是被他触及利益的，都会时时以我掣肘于他，我就是个内斗的筏子——你看衡阳惨不惨？蜀中的难民惨不惨？自毁容貌的歌女惨不惨？赵氏内斗一天不休，南北一日难大统，仗还得打，流离失所的还得在泥水里打滚，因此我这又是祸害天下的不忠之命。既然不忠不孝，多活一日已是多余，对不对？"

他说了一串大义，周翡却不留情面地嗤笑道："扯淡。"

谢允不理会她的出言不逊，摇头笑了起来："再者，那日在木小乔的山谷中，你若不是刚好前来，将我们放出去，我也是打算动用自己的武功。因为你的缘故，我才阴错阳差地多活了一年，四十八寨的事不过还你一个人情而已，不必太过介怀。"

周翡没吭声，这会儿她已经听出来了，谢允扯了这半天的淡，原来只是怕她介怀而已。她有些啼笑皆非，恨不能将谢允的脑袋按进汤碗里，好好治治他的自作多情。

她冷冷淡淡地说道："就算你不是为我而毒发，难不成我就能不管你了吗？"

谢允一呆，愣愣地看着她。

周翡被他看得脸上冒起一层薄薄的煞气，懊恼于方才那句口无遮拦的话，怒道："看什么看，你再废话就不用吃了，饿着吧！"

说完，她起身便走，好像连一眼都不想再看这叽叽歪歪的病秧子。谢允一直盯着她的背影，在周翡背对他的时候，他清澈的目光中居然露出几分小小的贪婪来。

周翡走到门口，突然又回头，谢允吓了一跳，匆忙收回视线，低头认真地给手里的碗筷"相起面"来。

"我相信天无绝人之路。"周翡一字一顿地说道，"没有'归阳丹'，指不定还有'归阴丹'。如果我是你，大药谷也好，'海天一色'也好，我都会一直追查，查到死。就算最终功败垂成，我也能闭上眼，二十年后还能顶天立地。"

谢允狠狠地一震。

周翡用望春山点了点他："以后再有那种话，你最好憋着，别逼我揍你。"

大概是知道自己跑不了，之后的几天，谢允居然消停了不少。周翡懒得搭理他，他便百无聊赖地跟李晟借了几本"游记"，预备留着催眠用，结果翻开一看，发现此游记"超凡脱俗"，与等闲游记不可同日而语，乃当代龌龊版的《山海经》，上面记载了笔者游历山川时与无数妖魔鬼怪发生的桃色传奇故事，非常之猎奇。

谢允当即大喜，如获至宝，老老实实地闭门拜读起来。

他老实了，周翡反而有些不习惯，总觉得他还有什么么蛾子没搞出来。谢允听说这种想法，为了不负"她"望，翌日便用小木块刻了一只栩栩如生的蛾子送给她，翅膀上还风骚地刻了个"么"。

然后他抱着自己被锁上的左脚，在房顶上躲了一天没敢下来。

三天后，霍连涛的"征北英雄大会"如期举行。

满城风雨了这么长时间，霍连涛再弄不清水波纹的来龙去脉，那他脖子上顶的恐怕只配叫夜壶了。可是后知后觉，毕竟为时已晚，说出去的话如泼出去的水。他的英雄帖已经发得到处都是，再要让所有人当成没看见，那是不可能的，霍连涛这会儿想必正骑虎难下。

这位霍家家主逃离岳阳的时候，就把老弱病残和做事不灵光的都给痛快甩下了，这会儿跟在他身边的都是当年霍家堡的得用之人，他在城外弄了个足能容纳上万人的大庄子，家丁们穿梭有序，来往宾客与不速之客虽人数众多，但居然井井有条。庄子门口拓出一条大道，几个须发皆白的老人带着一帮龙精虎猛的后生分两侧而立，都是刀剑配齐，凛凛生威。

门口有一群不知从哪儿找来的大姑娘负责引路，个个都是桃红的衫子水蛇腰，两腮若有霞光，来人是粗鲁腌臜的莽撞人也好，是流着哈喇子的老色鬼也好，一概巧笑倩兮软语相迎，乍一看，活似一个娘生出来的。

姑娘们看到有人进门便先问："敢问这位英雄可有英雄帖？"

问完，不管来人答的是"有"还是"没有"，她们下一句全是"您往里请"，然后派个姑娘出来引路，好像只会说这么两句话。

李妍本以为能在门口看见几场事端，谁知这么和平，她一边跟着引路女往里走，一边忍不住凑到周翡耳边叽咕道："这不是有没有都让进吗，那还瞎问什么？"

周翡"嘘"了她一声，谨慎地往四下打量。

原来进得这庄子大门后，还得穿过一片石林，石头高的足有一丈许，倒下来砸死个把人没问题，矮的不足膝盖高，摆放得错落有致。外人一走进来，便有种阴冷难受的感觉，盯着那些石头看得时间长了还会头晕，逼得人只好将目光放在前面石头中间的羊肠小道上。

那小路却又不是直的，蜘蛛网一样四通八达，一不留神便没入石海里，寻常人走两步就得转迷糊，只能靠前面的女人带路。

谢允笑着插话道："自然不是，这石林中的阵法相当精妙，进了这里面，便只能依着人家的安排走，你不妨问问这位带路的姑娘，有帖的人和没帖的，安排的地方，想必不是一处吧？"

领路的姑娘捂住嘴，回头冲他轻轻笑了一下，因觉得他模样俊俏，便不免多看了两眼，看归看，她却没吭声——这些女人除了在门口的那两句询问之后，便好似变成了一帮哑巴，无论别人怎么逼问，都只是笑而不语。那笑容活似长在了脸上，看得久了，周翡居然觉得她们都有点不像活人，怪瘆人的。

谢允见试探未果，便用扇子挡着脸，低头在周翡耳边说道："完了，看来美人计不管用。"

周翡从来都觉得戏文里那些个一边勾引别人，一边还问别人自己美不美的桥段显得特别不要脸，人人都是俩眼一个鼻子，最多分顺眼和不顺眼的，还能美到哪儿去？因此总是不由得替那些故事里的大小精怪尴尬，此时听闻谢允张嘴便将"美人"名号不问自取，不由得再次对他的厚颜无耻佩服得五体投地。

因为得以出来放风，谢允难得不用将一只脚吊起来了，天门锁的另一端短暂地扣在了周翡手上，谢允不知从哪儿弄了一件宽袍大袖的袍子，往下一垂，能将锁扣结结实实地遮住，不扒开袖子仔细查看，看不出什么异状来。

就是谢公子这宽袍大袖的装扮有点奇怪，别人参加英雄会，大多是方便的短打，为打架做准备，只有他一身鸡零狗碎，像是要来赋诗一篇——讴歌英雄们的群架。

周翡没搭理谢允的胡言乱语，眼见石林到了头，她回头看了一眼来路，皱眉道："来的人都那么好脾气，老老实实跟着她们走吗？"

朱晨见他俩交头接耳，脸颊绷了绷，随即面无表情地移开了目光。就在他心不在焉的时候，突然，一条赤色的影子从他脚下钻了过去，朱晨吓了一跳，不由得"啊"了一声。周翡反应极快，一脚踢了出去，脚尖在那东西身上一挑，便将此物横着踢得飞了出去。那东西落地盘成了一团，显然是受到了惊吓，三角的小脑袋高高扬起，故作凶狠地冲她张开了长着毒牙的嘴。

朱晨往后错了半步，差点仰倒，这才看清那只是一条拇指粗的小蛇，不由得窘得面红耳赤，几乎不敢抬头。

好在他不是最怂的——旁边杨瑾一见那蛇，当即便面色大变，连退了三四步，如临大敌地将断雁刀也拎出来挡在身前，连周翡当年都没有得到过这样郑重的对敌态度。

李妍道："呀，这么红的蛇以前没见过！"

她说着，十分稀罕地上前一步，捡起一根小木棍。旁边的吴楚楚此时才感觉到李妍真是周翡她妹，起码这能包天的胆子便是一脉相承，忙道："当心，这蛇有毒……"

话音没落，李妍已经出手如电，用那小木棍削向了蛇身。蛇也是凶悍，见木棍来袭，掉头便咬。它这一掉头的瞬间，李妍便趁机一把扣住了这小孽畜的七寸，"哈哈"一声拎了起来，得意扬扬地说道："我抓到啦！"

兴南镖局的人都同时后退了两步，远离了李妍这怪胎。

李晟额角的青筋都跟着蹦了起来。

这时，不远处有人开口说道："放开，那是我的蛇。"

李妍一愣，回过头去，见毒郎中应何从不知什么时候来到了近前。

应何从身边既没有同伴，也没有引路的，他就一个人，背着一筐蛇，闲庭信步似的走进这古怪的石头阵。

方才看李妍抓蛇都面不改色的领路女子终于变了脸色，上前问道："你是什么人？怎么进来的？"

"在你身上弹了药粉，"应何从面无表情地说道，"三里之内，你走到哪儿，我的蛇就能跟到哪儿。"

领路女子顿时觉得身上生满了脓疮一般，垂在身侧的手不由自主地哆嗦了一下，看上去似乎想把自己整张皮都揭下来抖一抖。

应何从又道："倘若霍堡主真那么大方，谁都让进，做什么要先问有没有帖？你们是想分别派人将我们引到不同的地方落座，万一有什么事便一网打尽吧？"

他说话间，四周草丛里"窸窸窣窣"响个不停，分明只是清风吹过草地的动静，却因为这突然冒出来的毒郎中，每个人都不由得风声鹤唳地怀疑草地里有蛇。领路女子修长的脖颈上起了一层肉眼可见的鸡皮疙瘩，勉强笑道："公子说笑了。"

应何从的脸上露出一个僵硬又"肾虚"的笑容，一伸手道："那就请自便吧，不必管我。"

领路女子神色微微一变，狭长的眼睛眯了眯，桃红长袖遮住的手上闪过乌青色的光芒。就在这时，谢允忽然上前，半侧身挡住应何从，伸出扇子冲那女人做了个"请"的手势，十分温文尔雅地说道："姑娘，想必后面还有很多客人，咱们便不要耽搁了吧？"

领路女子当时便觉一股虽柔和却冰冷的力量隔空涌了过来，不轻不重地撞在了她的手指关节上，她手一颤，险些没捏住那掌中之物，当即骇然变色，睁大眼睛瞪向谢允。

谢允将手上的扇子摇了摇，笑容可掬道："在下不才，也不吃美人计。"

领路人倒是十分识时务，眼见实力悬殊，便也不再负隅顽抗，面无表情地一转身，便像个人形傀儡似的，默不作声地将他们带到落座之处。

霍连涛财力超群，这庄子中不知是原本就有还是后来人工挖掘，有一个很宽的湖，中间是大片的水榭，上面不伦不类地戳了一面霍家堡的旗。那湖将人群东西向一分为二，周翡眼力好，老远一看，便瞧见了对岸的一口大棺材——看来不速之客都被安排在了对岸。

应何从自己闯进来，没有人招呼他，他便也不坐，只是背着箩筐跟李妍扯皮，跟她要蛇。此人名声可怖，人却没那么凶神恶煞，反而意外地温和，除了刚开始跟领路的女人略呛了几句，便没怎么显露出攻击性。李晟一开始颇为担心，结果发现这毒郎中翻来覆去就会说一句："那是我的蛇，把蛇还给我。"

李晟听得耳根要起茧，忍不住悄声问谢允道："谢公子方才为什么给他解围？"

谢允目光四下扫了一眼，在水榭后面高高的阁楼上停留了片刻，那小楼上挂着帘子，里面不知坐了何方神圣，戒备十分森严，底下有一圈侍卫。

"别人的地盘，"谢允喃喃道，"带上这么个人，省得无声无息地被毒死……那可太冤了。"

李晟吃了一惊："这到底是英雄会还是鸿门宴？"

谢允嘴角弯了弯，眼角却没什么笑模样，微微露出一丝冷意。

就在这时，水榭中传来一阵急促的鼓声，打鼓的人想必有些功力，"咚咚"的声音清晰地传遍了整个庄子。随即，几个霍家堡打扮的人分两队冲了出来，在那猎猎作响的大旗旁边站定，同时大吼一声。

整个庄子在这震天动地的吼声中安静下来，随即，一个中年人应声大步而出。

"霍连涛。"谢允低声道。

"霍连涛"的大名，周翡听了足足有一年多了，却还是头一次见到真人。只见这人身高八尺有余，器宇轩昂，虽然有些上了年纪，却不见一丝佝偻，国字脸，五官端正，鬓角有些零星的白，往那里一站，居然颇有些渊渟岳峙之气，怎么看都是一条好汉。见到他的人，恐怕想破头也难以将此人同"仓皇逃窜""弑兄谋取霍家堡"等一干龌龊事联系在一起。

霍连涛往前一步，伸出双手往下一压，示意自己有话要说，待因他露面而产生的窃窃私语声渐渐消失，他才十分沉稳地冲四面八方一抱拳，朗声道："诸位今日赏脸前来，乃霍某大幸，感激不尽。"

谢允用胳膊肘戳了周翡一下，小声道："看到没有？这就是'振臂一呼天下应'的底气和风度，你学到一零半星，往后就能靠这个招摇撞骗了。"

周翡觉得他话好多，头也不抬地踩了他一脚。

霍连涛又有条有理地讲了不少场面话，从自己兄长为"北斗奸人"所害，以小见大，层层展开，一直从小家说到了大家——讲到半壁江山沦陷，又讲到百姓民生多艰，悲恨相续，非常有真情实感，饶是周翡等人也不由得被他说得心绪浮动。

"……时人常有说法，如今中原武林式微，万马齐喑、群龙无首，放眼四海九州，竟再无一英杰。"霍连涛内力深厚，声音一字一顿地传出，便如洪钟似的飘在水面上，功夫低微的能被他震得耳朵生疼，只听他怒喝道，"一派胡言！

"霍某无才无德，文不成武不就，所有不过祖宗传下来的一点家业，如今浓云压城，岂敢不毁家纾难？今日将诸位英杰齐聚于此，便是想促成诸位放下门派之见，拧成一股绳，倘有真英雄出世统领如今武林，我霍家愿追随到底，并将传家之宝奉上！"

他说着，另有人扯开一面大旗，上面硕大的水波纹倏地在水榭上展开，冷冷地俯视众生。

众人都没料到他便这样直接将水波纹亮了出来，还声称这是霍家的家传之物，毫不藏私，这态度与其他或多或少知道那么一点的人大相径庭。

吴楚楚不由得低声道："他到底要干什么？"

周翡摇摇头，心里隐约还有点期待——因为直到现在，除了寇丹在围困四十八寨的时候说了两句，还没人光明正大地告诉过她"海天一色"究竟是什么。但她不大相信寇丹的说法，曹宁那小子心机太深了，干什么都似是而非，忽悠了两大北斗，北斗又忽悠了寇丹，这一层一层地骗下来，离真相说不定有几万里远了。

那绣着水波纹的旗子随风抖得厉害，上面的水波便层层叠叠地跟着动，竟然颇为逼真。霍连涛往头顶一指，接着说道："此物是刻在我霍家的'慎独印'上的，这尊方印乃霍家堡堡主的信物，几年前，家兄突然中风，一病不起，没来得及与我交代清楚，便将霍家堡与堡主方印一同托付到了我手上。说来惭愧，霍某浑浑噩噩许多年，居然是直到最近，方才从仇人口中得知这道'水波纹'的不凡之处。"

除了老堡主到底是怎么傻的这事尚且存疑之外，其他的部分，仅就周翡听来，感觉都像真的，她有一点诧异，因为实在没料到霍连涛这么诚实。谢允瞥了她一眼就知道她在想什么，便挤对她道："撒谎的最高境界是真假掺着说，像你那样全盘自己编，一听就是假的，只能骗一骗大傻子。"

周翡不由得看了一眼旁边的大傻子杨瑾，杨瑾被她看得十分茫然。

谢允一边将石桌上的花生挨个捏开，放在周翡面前，一边嘴贱道："看来你还有的学。"

周翡懒得跟他斗嘴，便只是抖了抖自己手上的天门锁，谢允立刻面有菜色地闭了嘴。

这时，底下有人按捺不住，问道："霍堡主，你家的堡主信物有什么用？"

霍连涛在水榭上说道："这道水波纹，名为'海天一色'，近来北斗群狗动作频频，先是贪狼围困我霍家堡，随即又有巨门与破军挑拨北朝伪帝之子围攻蜀中之事，究其原因，都与此物脱不开关系。"

又有人问道："那么请教霍堡主，此中有什么玄机，值得北狗觊觎呢？"

霍连涛便娓娓道来："以这位兄弟的年纪大约是不知道的，当年曹氏篡位，武林中人人自危，不为别的，只因他手段下作，残害忠良。彼时义士豪杰，但凡稍有血性，无不痛斥曹氏倒行逆施，曹仲昆早早在各大门派中埋下棋子，又命人使奸计挑拨离间，驱使手下七条恶犬四处行凶。一年之内，仅就咱们叫得出名号的，便有六十三个大小门派分崩离析，就此断了香火。"

年轻一辈的人大抵只是听传说，这会儿听见霍连涛居然报得出具体数字，便觉十分可信。

"儒以文乱法，侠以武犯禁"，历朝历代当权者对此都心知肚明，不必说曹仲昆，便是南朝的建元皇帝也得赞同。只不过曹仲昆以强权篡位，鸠占鹊巢，因名不正言不顺，被鹊巢扎了二十多年的屁股，特别怕人刺杀，也比其他皇帝更忌惮江湖势力，所作所为也更加丧心病狂，乃至周翡看见座中不少上了年纪的人都满面戚戚，显然与曹氏结怨不浅。

"六十三个大小门派，"霍连涛缓缓道，"少则数十年，多则上千年，累世积淀，多少英雄遗迹、宗师心血？眼看都要在那场浩劫中付之一炬。便有山川剑殿大侠、南刀李大侠、齐门前辈与家兄等人挺身而出，牵头缔结了一个盟约，叫作'海天一色'，起先是为了抢救收留各派遗孤，保全遗物……"

他刚说到这里，对岸便又有动静，只见那丁魁好似个白日活鬼一般爬出了棺材，坐在黑洞洞的棺材沿上，阴阳怪气地问道："咿呀，这可是件大大的功德，怎么这好些年竟然没人提起呢？若是早知道，咱们少不得也得跟着出把力不是？"

谢允几不可闻地叹道："'是非不分'果然名不虚传，是个保质保量的蠢货。"

丁魁为了给霍连涛添堵，驱使着手下的狗腿子不知祸害了多少依附于霍连涛手下的小门派。他不开口还好，一开口，顿时便有水榭另一边的人跳起来叫道："霍堡主，今日乃'征北英雄会'，竟有这样的邪魔外道公然登堂入室，你也不管管吗？"

这些人祖上或许显赫过，然而后辈儿孙譬如黄鼠狼下耗子——一窝不如一窝，如今败落了，只好仰人鼻息，落单在外的时候，被谁欺负了都得打掉门牙和血吞，好不容易齐聚一堂，倒是也有了与活人死人山叫板的勇气。

有第一个人出声，亲朋好友遭过活人死人山毒手的便群情激愤起来。算起来，中原武林也和一分为二的朝廷差不多，缺一个大一统的权力和规则，又总有野心勃勃之人在其中搅浑水企图牟利，弱肉强食、生灵涂炭也在所难免。凡夫俗子恰如水滴，片刻便消失不见，不值一提，唯有汇于一起成了势，方才会有可怕的力量。仅就这方面来说，无论使了什么手段，霍连涛今日能将这些散沙归拢到一处，叫他们胆敢冲着丁魁开口叫嚣，便是有功的。

丁魁只是坐在棺材沿上冷笑，一副大爷还有后招的样子，倘若霍连涛不是将自己的人隔到了湖这边，大概这会儿已经有人要扑上去咬他了。

霍连涛刚开始没制止，任凭众人发泄了片刻，这才一摆手，朗声道："既然有不速之客远道而来，我霍家堡没有不敢放人进来的道理，倘若连门都不敢开，还谈什么其他？诸位放心，今日霍某既然敢来者不拒，自然会为诸位讨回公道！"

这段时间霍连涛缩头不作为，也让好多依附他的人心怀不满，然而闻听他在大庭广众之下这样慷慨陈词，不说别人，就朱家兄妹的脸色都好看了不少。霍连涛这两句话的光景，便摇身一变，重新成了众人的主心骨，周翡不由得心生佩服，觉得他收买起人心来好像比买二斤烧饼还容易。

紧接着，那霍连涛气都不喘一口，便趁热打铁地说道："至于这位丁先生问的问题，既然这'海天一色'本是义举，为何当年那几位前辈要秘而不宣？我不妨告诉你，那便是因为，就算没落门派，但凡能将门户留下来的，也必然会有压箱底的东西，或为神兵利器之宝，或为已经绝迹江湖的单方药方，或为祖上流传下来的武功典籍——六十三个门派，是当年中原武林半壁江山的家底，其中多少让人为之疯狂之物？那时本就战火连连、人心惶惶，为防有丁先生这样的人觊觎，结盟之人才被迫隐瞒'海天一色'之秘！"

周翡本来在看热闹，吃花生吃得口渴了，正单手端着碗茶在旁边慢慢啜饮，听到这里，忍不住"噗"一口喷了出来，咳了个死去活来。这霍堡主居然跟她"英雄杜撰略同"，虽然他这样层层铺垫的慷慨陈词听起来比她随口糊弄杨瑾的那一套高明了不知多少，但核心内容却是八九不离十的！

谢允腾出一只自由的手，用十分别扭的半姿侧过身来，拍着她的后背道："这么大个人，喝口水能把自己呛成这样，唉，真有你的。"

周翡没工夫跟谢某人一般见识，心里飞快地开始琢磨——对了，霍连涛知道水波纹的真正意义的时候，回撤请柬已经来不及了。他固然想要功成名就，然而不想以"怀璧其罪"的方式出名，那么在事越闹越大的时候，他别无选择，只能在大庭广众之下将"海天一色"以昭告天下的高声大嗓捅出来。

霍连涛将来龙去脉讲得如此分明，那么"海天一色"便和今日这场"征北英雄会"捆绑在了一起，除了丁魁这样的资深魔头，其他人不敢说公义当头，但也还是要脸的，既然人人都知道有这么一笔当年前辈们以性命保下的东西，自然不可能亲身上阵巧取豪夺。

何况方才霍连涛也隐晦地提到了，这个盟约发起者除了霍家之外，还有山川剑、四十八寨与行踪成谜的齐门等等，既然是盟约，必然是每人只持有一部分，除非能将这些势力一网打尽，否则仅仅拿到霍连涛手里这部分水波纹，未见得有多大的意义。他这开诚布公的态度显得非常大方，再加上当众发难犯了众怒的活人死人山，本来因为霍家堡仓皇撤出岳阳的事受损的威望此时不降反升。

要达到这种效果，丁魁这搅屎棍子是功不可没，那豁牙俨然成了今日霍家堡第一吉祥物！

周翡下意识地瞥了随同众人给霍连涛叫好的朱家兄妹一眼，心里十分阴谋论地琢磨道："丁魁闲得没事四处追杀这些小鱼小虾，到底是他吃饱了撑的，还是有人在背后诱导？"

她目光瞟过去，朱晨正好无意中抬了一下眼，当时一张清秀的脸好像烤透的炭，"轰"一下就红炸了。周翡便小声对谢允说道："他怎么激动成这样，霍连涛这三寸不烂之舌有那么厉害吗？怪不得当年连朱雀主都能被他收买。"

谢允哭笑不得，但他在这方面一点也不想点拨周翡，便义正词严地说道："是，你说得太对了。"

周翡：“……”

她总觉得自己又遭到了嘲讽。

李晟颇有些看不下去，硬生生地岔开话题道：“我看丁魁来得有恃无恐，为什么？”

水榭中，霍连涛已经将自家的慎独印请出来了，焚起香，正在举行一个不知是什么的仪式，比拜堂成亲还复杂。周翡他们没兴趣看一个半大老头子搔首弄姿，便凑在一起你一言我一语地悄声说话。

周翡道：“我总觉得霍连涛仓皇上台，其实也没能查出来'海天一色'到底是什么，所以编出了这么一套说辞。”

杨瑾奇道：“这你是怎么知道的？”

周翡达到了利用杨瑾抓谢允的目的，便也懒得再圆谎，于是直白地告知他道：“因为听起来和我编的套路差不多。”

杨瑾：“……”

这黑炭原地呆了片刻，终于，他发现自己其实是被周翡糊弄了。杨瑾当即怒不可遏，几乎生出一种中原人无有可信任者的孤愤，眼睛瞪成了一对铜铃，手指攥得“咯吱咯吱”直响，青筋暴跳地指着周翡道：“你……你……”

李妍被他这动静吓了一跳，凑过来观察了一下杨瑾，问道：“黑炭，你又怎么了？”

杨瑾愤怒地一扭头，差点跟李妍手里捏的小红蛇来个肌肤相亲，一肚子怒火都吓回去了，当场面无表情地从椅子上一个后空翻翻了出去，脸色竟一下子白了三分。李妍这时才意识到什么，震惊又幸灾乐祸道：“我的娘，一个南疆人，竟然怕蛇？”

应何从忙小声道：“你别使那么大劲捏我的蛇，你对它好一点！”

李晟实在是受够了这群脑子少长了一半的人，眼不见心不烦地背过身去，黑着脸与尚且正常的周翡说话："如果真像霍连涛说的那样，姑姑至少应该知道内情，爷爷当年连四十八寨都交到了她手里，不可能独独瞒着这件事。"

"还有楚楚她爹吴将军，他又不是江湖人，还是个身陷敌营的内应，本就如履薄冰了，不可能再节外生枝地掺和到这些江湖门派中来。"周翡瞥了一眼热闹的水榭，接着道，"太奇怪了，到现在为止，'海天一色'是什么就真没有人知道吗？"

李晟想了想，一摆手道："先不提'海天一色'，我总有种不祥的预感。"

周翡因为谢允的缘故，这会儿心思全在"海天一色"上，闻言一愣。

便听吴楚楚在旁边说道："我有句话不知当讲不当讲……倘若是我想给这英雄会捣乱，应该会偷偷来，突然站出来吓人一跳，肯定不会让人用棺材抬着我闯进来，生怕别人不知道。除非……"

除非丁魁有恃无恐。

那么他在等什么？

吴楚楚一句话说得几个人都沉默了。

活人死人山固然厉害，然而霍家堡与这一大帮宾客也都不是吃素的。丁魁身边此时不过几十个狗腿子，除非这二三十人都会飞天遁地，否则无论如何也冲不破这将近数万人的围追堵截。

李晟低声道："小心了，我觉得……"

他这话陡然被一声长啸打断，随即"轰"一声，飞沙走石四溅，众人齐齐回过头去，只见他们来时那精巧至极的石林居然被人从外面以暴力强行破开，大石乱飞，砸伤了不少躲闪不及的人。

一个周身红衣的人披头散发，怀抱一把琵琶，一言不发地站在门口。

水面上的风轻轻扫在他身上，他衣袂与长袍都轻盈得不可思议，然而因为气质太过阴郁，不像是行将羽化登仙的世外高人，倒像个前来索命的厉鬼。

正是久违了的朱雀主，木小乔。

周翡虽然知道木小乔没那么容易死在沈天枢手上，却还是为他这别具一格的露面方式吃了一惊。她忙戳了谢允一下："木小乔不是专门替霍连涛办事背黑锅的吗，怎么今天这态度有点不对？"

谢允没回答，轻轻攥住了她的手指。

周翡下意识地一抽，没抽出来，谢允借着长袖的遮掩，将她的手当成了暖炉，偏偏还要摆出一副正人君子的样子不看她，嘴角却带了点使坏的微笑。周翡便一抬手，肩膀微动，好似拉琴似的用手背一磕长刀柄，望春山便十分隐蔽地往旁边一撞，正好戳在了谢允肋骨上。

谢允一口气差点喷出来，终于被殴打出了一句正经话，他艰难地说道："不……不知道。"

李晟没看见底下的小动作，刚开始见谢允笑得那么"高深莫测"，只当他有什么真知灼见，不料专心聆听半晌，就听见了这么个结论。李公子顿时觉得谢允这厮与那帮不靠谱的东西都是一丘之貉，只好眼不见心不烦地去观察霍连涛——霍连涛好似也没料到这出。

北斗突袭岳阳时，木小乔便失踪了，都说是死在沈天枢手上了，可是这会儿他突然冒出来不说，眼看着还是来者不善。

霍连涛心里不由得打了个突，他一直看不透木小乔。无论是武功、性情还是那股子疯劲，朱雀主都断然不是那种肯依附于谁、供谁驱使的人。木小乔不是活人死人山"四象"之首，却绝对是武功最高的一个，别说区区一个霍连涛，就是当年腿法独步天下的霍老堡主，约莫也就跟他是伯仲之间的水平。

可是偏偏，就这么个摆在那儿就能辟邪的大人物，竟然毫无怨言地守了霍家堡那么多年。

木小乔好像一尊镇宅的邪神，霍连涛曾经对他多有倚仗，又因为无法控制此人而惧怕于他。

此时，霍连涛勉强维持着自己主持大局的风度，一怔之后，立刻强行挤出一个惊喜的表情："木兄！哎呀，当日一别久不见你踪迹，霍某着实……"

"客套就不必了，我本来是想趁着大家伙都在，过来凑个热闹，顺便请教堡主几件事，不留神早晨起来晚了，"木小乔漫不经心地打了个哈欠，懒洋洋地打断了霍连涛的寒暄，这回，他倒是没有刻意拿女腔，但捏惯了嗓子，声音还是比寻常男子的轻柔很多，丝丝缕缕地漫过人耳，像经过了一条悄然无声的蛇，"门口那石林阵还怪复杂的，我来晚了又没人领路，只好动了点粗，多有打扰，回头赔你钱。"

霍连涛心里又打了个突。

那木小乔一边说，一边冲自己身后招招手——上回在山谷中，木小乔手下的人先被北斗杀了一批，又被他自己炸死一批，基本便不剩什么了，不过"人手"这东西，旧的不去新的不来，显然，他眼下重新招了一批。

活人死人山是个魔头窝，教众里头流传各种诡异的信仰，有信仰蚯蚓的、信仰黄鱼的、信仰爬山虎的……各路妖魔鬼怪大展神通，仅就战斗力而言，还是很唬人的。青龙教有翻山倒海大阵，玄武派人士沿途打劫起来，实力也颇不俗，白虎主有自己的一方势力，唯有这木小乔活得十分随意，手下都是随便征召来的，跟闹着玩似的。

他不收弟子，也不培养心腹，打劫个把山匪窝点，就能给自己凑出一帮班底，完全就是武力胁迫或者花钱弄来的，给他装门面跑腿用。

此时，这帮全新的手下很快帮他架上来一个狼狈的男人。

来人脚步虚浮，瘦骨嶙峋，被人架上来的时候，两股战战，似乎随时准备尿裤子。架着他的人一松手，他便"扑通"一声扑倒在地，以头抢地，根本站不起来。

丁魁龇着豁牙大笑道："木戏子，你这相好的又是打哪儿绑来的，咋站都站不起来？怵不中用了。"

木小乔闻言，抬起头看了他一眼，风马牛不相及地问道："丁魁，你还剩几颗牙？"

丁魁丝毫不以为忤，居然还真回答了："老子还剩十四颗，人送绰号十四爷爷便是我，哈哈哈！"

木小乔侧着脸，斜眼瞥了他一眼，抿嘴轻笑道："十四听着不怎么吉利，丁兄，你莫要急，等我同霍堡主说完话，马上便叫你变成丁八，保证今年发大财。"

人群中传来几声"扑哧"，不过很快就没了声音，显然那憋不住笑的叫亲友及时制止了。

丁魁脸一僵，有心想同木小乔分辩一二，又想起自己打不过这不男不女的妖怪，只好闭嘴，小心翼翼地护住自己仅存的十四颗大牙。

木小乔走上前，用脚尖钩起那伏在地上的男子的下巴，指着霍连涛的方向问道："认得他不？"

地上的人脸上烟熏火燎，五官糊成了一团，亲娘老子都不见得认得，霍连涛自然不知道木小乔找来了何方神圣，然而他心里还是升起一股不祥的预感："这位……"

那匍匐在木小乔脚下的叫花子看清了霍连涛，眼睛里陡然透出惊人的光亮，四肢并用，野狗似的往前扑去，却被木小乔一脚踩在脊梁骨上，只好无助地趴在地上，双手拼命地往前够，口中大声叫道："堡主！堡主！老爷！救我！我是给您当花匠的老六啊！您亲口夸过我的花种得好……救命！"

霍连涛为人八面玲珑，见了什么都会随口夸一声好，自然不会记得一个过眼烟云似的花匠，当即一愣。

"堡主贵人多忘事，"木小乔笑道，"此人名叫钱小六，是岳阳霍家堡的花匠，花种得确实极好，堡中几个园子与后院的花草都是他在照顾。"

"后院"两个字一出口，别人云里雾里，霍连涛的心却狂跳了几下——那是他兄长霍老堡主的居处。

霍家堡先前能屹立不倒，很大程度上是靠老堡主的人脉，霍连涛知道这一点，自然不愿意落下苛待兄长的名声。尽管老堡主已经不认识他了，他却还是专门开辟了一个清静又优美的小院给老堡主住，派了仆从仔细照顾老堡主的日常起居，自己也是每日晨昏定省，再忙也会去探望……

直到他攀上更高的树，老堡主才彻底沦为了累赘。

霍连涛不便亲身上阵破口大骂，便回头冲自己的一帮手下递了个眼色，霍家堡的人都机灵，立刻有人说道："朱雀主，霍堡主敬你是客，你也好自为之。今日各位英雄都在这儿，你将一个不相干的叫花子扔在这儿，张口闭口种花种树的，吃饱了撑的吗？"

木小乔用力盯了说话那人一眼，脸颊嘴唇上的胭脂颜色红得诡异，目光在那人的胃肠上下略做停留，仿佛思考此人这副"吃饱了不撑"的肚肠该怎么掏出来。随后他不温不火地说道："这钱小六是岳阳霍家堡的旧人，怎么算不相干呢？因北狗施压，岳阳霍家南撤，走得仓促，仍有不少人留了下来，一些烧死了，还有一些为沈天枢所俘，也没能多活几天。钱小六便是被沈天枢留下的几个活口之一……因为他道破了一个秘密。"

霍连涛手心开始冒汗。

木小乔笑盈盈地欣赏他强自隐忍的脸色，说道："他说他亲眼看见，霍家堡的大火是自己人放的，霍堡主早早开始将霍家堡的家底往南送，单留一个老堡主在岳阳当诱饵，给北斗来了个金蝉脱壳，再一把火烧死老堡主——"

霍连涛不用开口，便立刻有他的人替他叫道："血口喷人！木小乔，霍家待你不薄，你却和丁魁这种人渣沆瀣一气，污蔑堡主……"

霍连涛一抬手，身后的声音陡然被他压了下去。这男人好似脾气很好地问道："那么请问朱雀主，这个人既然在沈天枢手里，又是怎么到了你手里呢？家兄在世时，霍某每日早晚都要前去请安，必然路过后院，却对这位钱……钱兄弟一点印象都没有。"

丁魁憋了半天，这会儿终于忍不住了，大笑道："木戏子，霍堡主问你话呢，你究竟是跟北朝鹰犬勾结，构陷于他呢，还是自己从路边捡了个傻子就跑到这儿来大放厥词呢？"

李晟叹了口气，小声道："朱雀主说的其实是真的，只可惜……"

只可惜木小乔素日太不是东西，名声太臭，别说他只是逮了这么一个无关紧要的人证，就是人证物证俱在，从他嘴里说出来，也不像真的。

木小乔不搭话，他目光不躲不闪地盯着霍连涛，只是突然说了一个词："浇愁。"

霍连涛登时色变。

周翡茫然道："什么？"

这一回，连好似听遍了天下墙脚的谢允都皱着眉摇摇头，示意自己没听说过。

李晟忙问道："他说的是哪两个字？'焦愁'？'浇愁'？还是'脚臭'什么的……"

应何从幽幽地说道："'浇愁'，'举杯浇愁愁更愁'的那个'浇愁'，是一种毒。"

周翡他们几个人虽然跟着兴南镖局的人进场，却为了说话方便，单独占了一张桌子，应何从话音一开口，这桌子旁的一帮人都直眉愣眼地瞪向他，等着他接着往下说。应何从却结结实实地闭上了嘴。

李晟问道："然后呢？浇愁是什么毒？"

应何从道："叫令妹把'红玉'还给我，我就告诉你们。"

周翡："……"

都是谢允那孙子给她起的狗屁花名，烂大街到了跟一条蛇重名的地步，岂有此理！

李晟没好气道："李大状，你快把那长虫还给人家。"

小蛇"红玉"大概已经吓破了蛇胆，一回到主人怀里，立刻头也不回地钻回了应何从身后的箩筐，连尾巴尖都不敢冒了。应何从这才不紧不慢地解释道："说是毒，其实也不尽然，要是将此物用水泡开一点，人服下，便会像喝了酒一样进入微醺状态，又能避免弄一身酒味，气味不雅，过去的达官贵人们常拿来助兴，得名'浇愁'。但倘若大量放入烈酒中，人喝了，就会产生中风的症状，就算当年大药谷的神医也诊断不出，长期饮用则会致人痴傻。"

应何从说话也不知道压着声音，这般长篇大论地广而告之，跟私塾先生讲课似的，周围一帮人都听见了，各种意味不明的目光同时投了过来，连木小乔都往这边看了一眼。

应何从却安之若素，好似浑不在意。

朱晨问道："那是什么意思？你的意思是，霍老堡主的病是人为的吗？"

"我说的是浇愁，谁提霍老堡主了？"应何从莫名其妙地看了他一眼，"霍老堡主既然已经烧死了，那是天谴还是人为，谁知道呢？"

他们坐的这边人人手里都有木请柬，都是跟霍家堡有交情的人，李晟忙打断应何从继续找揍，问道："那怎么能看出一个人是病了，还是中毒呢？"

应何从道："这个容易，痴傻之人记不住事，真正老糊涂的，都是从最近的事开始忘，隔着三五十年的陈芝麻烂谷子反而忘得慢一些，中毒的人却是从以前的事开始忘，好似有生以来的记忆被从前往后抹去了似的，因此傻得格外迅疾，但即使连自己都忘了，你要有耐性把他当婴儿重新教，他也还能重新学。"

李晟听完，头皮一阵发麻，他本意是想岔开话题，不料反而将话题引得更深——当年老堡主突然中风，不少人前去探望过，被应何从这么一点，都不由自主地回忆起当时探病的细节，有些心志不坚定的竟然将信将疑起来。

周翡因为应何从那句口无遮拦的"时日无多"，一直挺烦他，便翻了个白眼道："狗舔门帘露尖嘴，显得他知道得多有钱赚吗？"

她话音还没落，旁边便有个面色阴冷的中年人说道："怎么，连毒郎中都臣服于活人死人山的势力之下，当众给木小乔抬起棺材来了？"

应何从淡定地回道："我不认识他。"

那中年人冷笑道："认识不认识，不过你上嘴唇一碰下嘴唇，谁知道？那魔头刚编出一条罪名，你就赶着上前解释……我等纵横江湖几十年，从未听说过什么'浇愁'，莫不是都孤陋寡闻？"

"哪里，术业有专攻而已，"应何从有理有据道，"阁下也未必是孤陋寡闻，只不过是把所有跟你们说得不一样的人都打成'北斗走狗''给魔头抬棺材的人'，倒是省下了不少争辩，真的很会省事。"

应何从该犀利的时候不温不火，不该犀利的时候老瞎犀利。他不说话还好，这一出声，更像是木小乔的人了。

偏偏那木小乔还大笑道："这话说得在理！"

那中年人蓦地拍案而起，招呼都不打，便直接向应何从发难，蓦地抽出一把长剑刺了过来，喝道："诸位，今天是什么日子？难道这武林中便真的没有王法道义，凭这些魔头颠倒是非吗？"

只因谢允一瞬间多心，为防饮食中有毒，将这应何从领了进来，谁也没想到事态会发展到这种局面——正主还没动手，他们这边却成了全场第一个亮兵器的！

李晟当时后悔得肠子都青了，心道：我为什么要多嘴问这一句？

应何从皱着眉闪身躲过对方一剑："说了我不认识！"

然而江湖上的乌合之众就是这样，有一个人领路，其他人便不辨东西地跟着山呼海啸而去。那中年人动了兵器，身后的人呼啦啦站起一大帮，全都叫嚣着要将应何从拿下。

一时间，三四把剑同时攻向应何从，应何从不知是硬功不行还是不爱动手，连连后退，并不接招，转眼已经退到周翡身边。

应何从口中道："你们讲不讲道理，我不认识木……"

李晟道："怎么让他们住手，天哪，还不够乱吗？应公子，你也少说两句！"

周翡闻言，坐着没起来，望春山从左手折了个跟头，换到右手，随后长刀陡然出鞘，势不可当地将三把逼近的剑一刀掀开。

然后她在一片惊呼中说道："木小乔就在那儿呢，没有二十步远，斩妖除魔你们倒是去啊，随便从人群里拉个软柿子捏算什么意思？"

李妍立刻旗帜鲜明地站在她姐这边，跳起来道："不错！"

李晟："……"

又来一个火上浇油的，他简直要疯！

那领头的中年人不知是霍连涛手下哪一路走狗，运气也是背，刚想提剑仗势欺人，宝剑便被望春山崩掉了一个齿，不由得又惊又怒，瞪着周翡道："你是何人？"

周翡眼都不眨，说道："擎云沟的，小门小户出身，说话没你们那么大的底气，但也知道讲理。"

杨瑾："……"

又惊又怒的转瞬换了一位。

李妍叉着腰道："就是啊，大魔头在那边都站好一排了，你怎么还不去打？"

吴楚楚直觉这毒郎中不简单，然而又拉不住周翡，只好改道去拉李妍，试图控制这匹脱缰的野马。

就在这时，人群中骤然发出如临大敌的喧哗。

李晟一扭头，只见木小乔突然飞身而起，他像一团飘在空中的大火，直接飞掠过水面，朝那水榭中的霍连涛扑了过去。琵琶弦"铮"一声响，大片的涟漪在水面上昙花似的绽开，木小乔朗声笑道："不必有劳，我等魔头自己过去便是！"

这里毕竟是江湖，纵有千重机心，有时候也要刀剑说了算。

霍连涛瞳孔骤缩，可他毕竟是一方霸主，此时此刻又怎能当众临阵退缩？他大喝一声，将一双铁臂拢在身前，强行架住木小乔一掌，肢体相接处，霍连涛只觉得脑子里"嗡"一声，手臂短暂地失去了感觉，气海翻涌不休。

霍连涛惊怒交加，方知木小乔竟一照面就下了狠手。情急之下，只有将数十年修为倾于此役，霍连涛忍着喉头腥甜，再次强提一口气，原地拔起，错开数步，而后借力旋身，一脚横扫而出——这是名动天下的霍家腿法，能将合抱的立柱一脚踢折。

木小乔却不躲不避，他一手倒提琵琶，只余一只手，手腕好似全然不着力，轻飘飘地落在了拦腰撞过来的一条腿上，继而整个人便如一张不着力的红纸，"贴"上了霍连涛扫过去的腿，轻飘飘地随着飞了起来。

霍连涛腿上压力骤增，一抬头，正撞上木小乔的目光，心里没来由地蹿起凉意——这木小乔的眼睛太古怪了，那双眼睛绝不难看，也并不混浊，甚至没有多余的血丝。可不知为什么，看着就是不像活人的眼，好似装着一对逼真的假眼珠，样子足能以假乱真，仔细一看，却又说不出哪儿不对劲。

这时，木小乔突然翘起嘴角，对他露出了一个诡异的冷笑。霍连涛暴喝一声，死命地将黏在他腿上的木小乔往地上一掼，随即惊险之至地侧身，堪堪避开那抓向他胸口的爪子。木小乔的指甲是利刃，人被霍连涛甩开，却在霍连涛胸口留下了三道爪印，从外衣撕到里衣，立时见了血。他脚下轻点地，走莲步，摇摇摆摆地在原地走转腾挪几下，水榭中登时一阵哭爹喊娘——木小乔一掌将一个挡路的推进了湖里，探手抓向后面那一直往边上躲的男人，倘若有人在这样的混乱下神志还清明，便会发现，木小乔抓住的这人正是方才说他"吃饱了撑的"的那位。

木小乔回头冲霍连涛意味深长地笑了一下，然后一把探入那人怀中。一股难以言喻的热气在寒冷的水榭旁边升腾起来，这朱雀主仿佛探囊取物，撕开了这人的衣衫与皮肉，众目睽睽下，生生将这人的肠子掏了出来。

那人不知是疼得说不出话，还是单纯只是太过震惊，险些将眼珠瞪出眼眶，一脸难以置信，浑身痉挛，剧烈喘息，叫人想起山野顽童手里那些惨遭开膛破肚的大肚子蝈蝈。木小乔衣衫是红的，胭脂是红的，嘴唇是红的，染血的双手更是烈烈如火，冲着霍连涛露出一个嫣红嫣红的笑容。

李妍被他这能止住小儿夜啼的笑容吓得跟跄着后退一步，后背差点撞在吴楚楚脸上，她胡乱背过手去推吴楚楚："你别……别……

别……别看。"

周翡是亲眼见过木小乔动手的，那次在山谷中，他被沈天枢和童开阳两人围攻，不敌，于是炸了山谷。那一次，除了最后一步"炸山谷"之外，木小乔和沈天枢等人基本还是保持了高手过招的风度，没有特别凶残的表现。反正跟眼前这番修罗场似的情景比起来，木小乔上次对沈天枢的态度已经堪称"礼遇"。

大魔头一出手，这边的小打小闹便进行不下去了，有那么一时半刻，挤满了人的庄园里鸦雀无声。那木小乔漠然地将手里已经不动了的人扔进水里，舐了一下指甲上的血迹，对霍连涛说道："我只问你一件事，你手上的'浇愁'是哪里来的？"

霍连涛的眼角玩命地跳，看得别人都觉得他肯定腮帮子疼，他脸色苍白，显然方才一交手已经受了内伤。然而霍家堡堡主毕竟见惯了大风大浪，哪怕他后背已经布满了冷汗，面上却依然十分镇定，说道："欲加之罪，何患无辞？木兄，你我相识也有些年头了，你竟不知我为人。"

木小乔神色淡淡的。

霍连涛便摇摇头，又道："这十多年来，你与家兄时常往来，我待他如何是你亲眼所见，现在你拿着一个子虚乌有的谣言来质问我，搅我的场子杀我的人，我是不服的。你问我'浇愁'是哪里来的？我从不知什么浇愁，倒要问你，这谣言是何人告知于你的？"

木小乔软硬不吃，讲交情没用，讲理他不听，唯有叫他产生怀疑。霍连涛这句话说到了点子上，木小乔的目光微微一闪。霍连涛顿时明白他有所动摇，当即上前一步，径直来到水榭中间的小石桌旁，抬手在上面连拍了三掌。那石桌"嘎吱嘎吱"一阵乱响，里头居然另有乾坤，随着霍连涛的动作，中间裂开个口，一个石托盘缓缓转了出来，上面摆着一个方盒子。

霍连涛看了木小乔一眼，随即转过身，对整个庄子里抻长了脖子的人举起了那盒子："我霍连涛比不上兄长，霍家堡在我手中没落了，不行了！连几代人的故居老宅都让人一把火烧了，我与这些个丧家之犬背着血海深仇，来到了南朝的地界，却还是有人不肯放过我，不肯放过霍家！在背后挑拨离间，说我暗杀兄长，你们为了什么？不就是这个吗！"

他说着，一把将盒子里的东西拽了出来，高高地举在手上。那盒子里藏的竟是霍家堡的慎独印！周翡他们站在岸边，一时也看不清那慎独印上有没有水波纹。只听霍连涛咆哮道："因为这个，北斗害得我兄长身亡，连只言片语都没留给我；因为这个，过去十多年的旧友见疑于我，不去找北斗讨说法，反而来指责我污蔑我！那些已故的前辈为何谁都不再提起'海天一色'？因为这分明就是个祸——根——"

那一瞬间，周翡觉得谢允捏着她的手陡然一紧。接着，不待她反应，霍连涛竟狠狠地将那方印往地面砸去。

眼看这神秘又让人趋之若鹜的"海天一色"行将分崩离析，四道人影同时冲了上去。

霓裳夫人在霍连涛说起最后一句话的时候便觉得不对，她旋身而起，裙裾仿佛盛开的桃花，飘然涉水，伸手要去接那尊方印。丁魁反应慢了一点，一看完蛋，要赶不上抢，当即一伸手扒拉出了一把棺材钉，朝着霓裳夫人的背后扔出去。

漫天的棺材钉扑向霓裳夫人的后背，霓裳轻叱一声，长袖抖出，将一大把棺材钉拢入袖中。这一耽搁，那猿猴二人却已经飞快地越过她去，猿老三养的猴子哑着嗓子叫了一声，一把捞过慎独印。

霓裳夫人怒道："畜生！"

丁魁气得大叫，猴五娘却笑道："承让！"

霓裳夫人吼道："木小乔，你是死的吗！"

方才不过有人说一句"吃饱了撑的"就被开膛破肚,周翡倒抽一口凉气,不由得替霓裳夫人捏了把汗。只见那木小乔脸上戾气一闪而过,然而他瞥了霓裳夫人一眼,不知怎的又把火气忍回去了,居然很听话地纵身去追猿猴双煞。就在这时,水里突然蹿出了三四道黑影,猝不及防地挡住猿老三的去路。

那猴儿一声尖叫,猿老三当即提掌推出,岂料来人竟不躲不闪,与他战在一处。两人你来我往间过了七八招,周翡"咦"了一声,认出了那埋伏在水里的黑衣人:"白先生?"

她倏地扭过头,看向谢允:"白先生为什么在这儿?难道你堂弟也……"

谢允将食指竖在自己嘴边:"嘘——"

周翡怔怔地想道:原来他来永州是为了这个。原来他真的放弃了追查"海天一色",无论是为了自己的小命,还是为了先人遗愿。

此时,因为白先生等人插手,小小的水榭上顿时热闹了起来,木小乔、霓裳夫人、丁魁、猿猴双煞与白先生的人一人站了一个角,谁跟谁都是敌非友,中间一只惊恐的猴抱着慎独印,就这样僵持住了。

场中形势变化快得简直让人目不暇接。

可是站在这样混乱的人潮中,周翡却只觉得手上的天门锁冰凉凉的,她忽然忍不住问谢允道:"你叔叔待你好吗?"

谢允一愣,片刻后,笑道:"好。"

周翡不信,又追问:"你身上的透骨青是怎么来的?"

谢允眉眼弯弯,脸色冻得发青,可是看他的神色,又仿如沐浴在江南阳春中,带着一种发自肺腑的愉悦,他轻描淡写地说道:"不小心。"

周翡蓦地扭过头去,突然不想再看见谢允的笑容。

就在这时,水榭上有人开了口,霓裳夫人说道:"二十几年了,我要是知道还有今天，当年万万不会答应当这个见证人。"

木小乔嘴角牵扯了一下。

"殷大哥、李大哥，还有老霍……这些人都没了，如今只剩下一个冲云牛鼻子，又不知躲到了哪个旮旯儿，"霓裳夫人道，"我这个见证人没接到一个字遗愿，木小乔，你呢？"

木小乔看了霍连涛一眼，轻柔地说道："他但凡跟我说过一句话，有些杂碎也不至于活到今天。"

这两句话里头藏的秘密太多了，霓裳夫人是"见证人"，周翡还隐约有过推测，可难道木小乔也是吗？

水榭中，连霍连涛在内的一帮人已经惊呆了。

丁魁"啊"一声，叫唤道："木戏子，她说的这是几个意思？这里面又有你什么事？"

木小乔负手而立，并不答话。霓裳夫人垂着目光，看向抱着慎独印的猴儿，猴儿有些畏惧她，梗着脖子尖叫个不停。

"海天一色，"霓裳夫人道，"不是你们想的那样，没有异宝，什么中原武林大半个家底更是无稽之谈。"

霍连涛的脸色红一阵白一阵的。

"它只是个约定，约定双方互不信任，所以找了我、朱雀主、鸣风楼主和黑判官做了见证而已。"霓裳夫人道，"见证人报酬丰厚，我们都无法拒绝。"

白先生恭恭敬敬地问道："敢问夫人，约定的双方是谁？又约定了什么？"

霓裳夫人冷笑道："既然是见证，自然不会掺和到他们的约定里，这些事你都不知道，我怎会知道呢——你家主子既然来了，何不出来一见？"

第五章·
黄雀

这一照面，双方都愣住了，他们居然被同一路人按着头逼到了一起，生动地演绎了什么叫作冤家路窄！

白先生滑不溜手，根本不接霓裳夫人的招，只客气道："夫人客气了，我家主上年纪尚幼，不过是个跟着霍堡主出来长见识的晚辈，没什么好见的。"

他先是轻描淡写地将话题带走，又转向猿老三道："猿先生也是成名高手之一，何必与有些人一样，对别人家的东西巧取豪夺呢？"

猿老三奸猾地笑道："霍堡主既然将这印摔了，那便是不要了，谁捡到就该归谁，怎会有巧取豪夺一说？"

白先生虽然面不改色，却仍是隐晦地看了霍连涛一眼——霍连涛摔慎独印这事实在是自作主张。

霍连涛其人，武功未必高、心智未必顶尖，但"壮士断腕"和"祸水东引"两招用得实在是炉火纯青。这回赵明琛为了召集整个南朝武林，将霍连涛当成诱饵抛出去，霍连涛反应过来，自然心存怨愤，可请柬上带了水波纹，已是昭告天下、覆水难收。所以他方才来了这么一出摔印，一半是为了从木小乔手下脱身，另一半恐怕也是为了恶心赵明琛。

霓裳夫人不知看没看出这台前幕后的暗潮，面带讥诮地笑了一声，对猿老三道："你还真是个捡破烂的。"

猿老三转向她："霓裳妹子，你也不必上嘴唇一碰下嘴唇便给'海天一色'下定论，倘若此物真像你说的一样无关紧要，那你方才急着抢什么呢？"

霓裳夫人道："我只说不像你们想的那么无价，并没有说它不重要，好比阁下这样的人间废物，确乎没什么价值，说不定在令堂眼里也是个大宝贝呢。"

猴五娘尖声道："贱人，眼下慎独印可是在我们手里，你得意什么？"

白先生低声劝道："请诸位少安毋躁……"

他们这边谁都不敢轻举妄动，只好各展神通地斗起嘴，丁魁却在旁边转起了心思。

丁魁之所以敢大大咧咧地找霍连涛的麻烦，一方面是听说了"海天一色"这么个东西，起了贪心。再者，也是听说霍连涛到了南边后四处高调招揽人手，大有要当武林盟主的意思。武林盟主不可能只号召大家开会，也得办正事才能服众，首先就得选出一些"武林公敌"来做筏子立威。丁魁十分有自知之明，感觉"武林公敌"这一名号，他是当仁不让，因此很想先下手为强。

可巧，当时白虎主冯飞花给他传信，添油加醋地说自己拐弯抹角地得知霍连涛想对付活人死人山，又巧言令色地撺掇丁魁打头阵，到时候好与自己"里应外合"，搅了那霍家老儿的"英雄会"。可是如今丁魁依约来了，"意料之外"的木小乔也来了，"意料之中"的冯飞花却依然不见踪影。

这会儿，丁魁再一听白先生话里话外的意思，便咂摸出了点味来，心道：姥姥的，中了霍连涛这孙子的计了，这老小子不但找好了靠山，还联合了冯飞花那吃里爬外的东西，要挖个坑给老子跳，拿老子扬名立万。呸，做你娘的春秋大梦，我可不白担罪名！

丁魁起了"非得占点便宜"的贼心，能动手便不废话，他趁着猿老三同白先生等人唇枪舌剑，猝不及防地骤然发难，五短身材如能缩地，闪电似的一步上前。水榭中立刻响起猴子的惨叫，只见丁魁堂堂玄武主，竟冲着一只猴子使了十成的功力，眨眼便将那猴脑打成了一锅粥，而后他一把捞起慎独印，"哈哈"大笑一声，转身便跑："诸位继续分说，便宜我了！"

几大高手齐刷刷地挤在这小小的水榭中，原本是个谁都不敢轻举妄动的平衡，谁知尚未商讨出个所以然来，先有人不讲规矩，来了一场卷包会！

白先生喝道："拦住他！"

他话音刚落，湖里骤然掀起一张大网，劈头网向丁魁。

丁魁成名多年，哪儿是这等雕虫小技拦得住的？他顺势借力，擦着网边掠过，直落到了周翡他们这一边的岸上，毫不在意地冲向了人群。

方才趁着人多势众、气势汹汹要诛杀邪魔外道的一帮人乍一见他杀过来，都蒙了。前面的往后退，后面还有喊着"报仇"往前冲的，两拨人马撞在了一起，不等丁魁出手，便自己先乱作一团，当真是乌合之众——不过话说回来，倘或真有本领，除了木小乔这种别有隐情的，谁会留下供霍连涛驱使？

丁魁好似利刃插入豆腐里，自人群中长驱直入，转眼已经到了兴南镖局这边，林伯等人根本还没来得及近他的身，已经飞了出去。朱莹只好轻叱一声，甩出峨眉刺，硬着头皮迎上。周翡作为管闲事的先锋，提刀便站了起来，谁知这回谢允跟她心有灵犀了，两人都要站起来往前走，那天门锁的锁链一下绕着圆桌被拉往两个方向，"咔"一下卡在了桌腿上。

周翡："……"

她只好自己先撤一步，想迁就谢允，绕到他那边，不料谢允又跟她谦让到了一处，两人同时一退，又撞在了一起。

周翡快疯了，怒道："你怎么这么会碍事！"

李晟忍无可忍，撂下一句："你俩就别跟着添乱了！"

他话音没落，人已经纵身掠出，接连踩过一堆肩膀，堪堪拦在丁魁掌下。这一交手，方才察觉功夫用时方恨少，李晟只觉短剑仿佛撞在了硬邦邦的山石上，险些被震得脱手飞出，忙撤力旋身，用肩膀将朱莹撞到一边，冲她吼道："还不走！"

丁魁尖声笑道："哪里走？"

李晟狠狠一咬牙，正要硬着头皮再接玄武主一招，便听耳边一阵铁环相撞声，杨瑾一招"断雁叫西风"，陡然自旁边插了过来，眨眼间已经挥出三刀，一刀快似一刀。丁魁被他的快刀逼得连退几步，将慎独印往袖口一塞，而后倏地弹出一根手指，"哗啦"一下打在了杨瑾的刀背上，杨瑾的刀锋不免偏了两分。

丁魁一侧身："小子，你敢在我这儿逞强？"

说着，他伸手做爪，去抓杨瑾的肩膀。方才退后的李晟立刻上前，手中双剑平平削出，正好将剑递到了丁魁手里。丁魁"啧"了一声，一把捏住他的剑，不妨身后又有劲风袭来，杨瑾长刀又至！

丁魁一往无前的脚步被他们两个后生硬是绊了下来，李晟和杨瑾这两人虽然头一次同时出手，却居然还算颇有默契——起码比那俩互相绊脚的强。

丁魁发皱山芋似的脸上阴鸷之气尽显，他忽然仰面吹出一声长哨，远处顿时有长哨声应和，随后，至少有百十来个戴着毒手套的玄武教徒，从方才木小乔强行破开的石林阵后面跑进来。同时，他们身后的湖水中响起"扑通"声，那大棺材分崩离析，成了一堆规整的木板，抬棺材的人纷纷踩着棺材板涉水而来。而与此同时，霓裳夫人与猿猴双煞一同追了过来，水榭中，木小乔却又不知为什么，同白先生与霍连涛等人动起了手，他以一敌众，竟还能丝毫不露败象。场面一时乱得无以复加，周翡抽出望春山，却不敢离开原位——李晟、杨瑾都上前逞英雄去了，吴楚楚和李妍身边不能没人，这是他们一路走过来自成的默契，譬如在客栈那次，周翡和李晟动了手，杨瑾再好战，也只能踏踏实实地留在座位上。

谢允却十分镇定，他想了想，伸手一按周翡的肩，说道："不急，这只是个开头，至少还有两拨人没出手，等着'黄雀在后'，你的刀先不要忙着出鞘。"

周翡掰着手指头已经数不清此时有几拨人掺和其中了，闻听此言，顿时一个头变成了两个大。她不由得伸手摸了摸怀里那九把钥匙，心道：要不我先把锁打开？

反正以谢允的为人，就算他有天大的理由趁机溜走，也应该不会丢下吴楚楚和李妍不管。

就在这时，李晟突然趁着丁魁被霓裳夫人他们缠住的时候退出了战圈，皱眉凝神思量片刻，他开口朗声道："不能让玄武门下的人会合，他们要把咱们包饺子！"

乱哄哄的乌合之众正缺个领头的，闻言纷纷望向他。李晟在众目曔曔之下深吸一口气，冲云子教了他数月的阵法在他心里盘旋而上，他伸手一指岸边，对兴南镖局的几个人说道："林伯，劳驾您带人守住那里，杨兄，三步以外旵位做接应，其他人跟我来！"

他两次出手救过兴南镖局的人，林伯等人自然没有二话，立刻依言行事。其他人却不知道此间内情，情急之中，自己又没有主意时，见有人听了指挥，立刻便会有跟从的，李晟这一句话落下，不多时，便有三四成的人跟着他跑了。

李晟也不去管别人，一马当先地迎上了玄武派从石林中闯进来的人。要是让他跟丁魁单打独斗，那是万万不成的，然而对上玄武派的狗腿子，李公子却可算游刃有余。他毫不留情，三两剑便能逼退一人，然后也不追击，留下三四个人盯着阵眼，自己带着剩下的人在玄武派的包围圈中四处乱窜，进退都不慌乱。不过片刻，便用人结了个简单的阵法出来。

原本有些犹疑的人见了，也纷纷加入其中，方才被丁魁一个人便冲得七零八落的岸边居然被李晟理出了头绪来。

同是跟齐门有一段露水似的师徒缘分，周翡学会了怎么打群架，李晟则好像学会了怎么指挥别人打群架。谢允见此，不由得对周翡赞叹道："你哥有大将之风，你就不行，大概只能当个女土匪。"

吴楚楚在旁边凝神想了片刻，说道："那位朱雀主为什么会怀疑霍老堡主的死因和霍先生有关？这里头肯定有北边的手笔，端……谢公子方才说的'黄雀在后'有他们吗？"

谢允点头道："不错。"

吴楚楚又皱皱眉："你方才说还有两拨人，如果北边算一拨，那么另一拨还能是谁？"

中原武林中正邪两道、朝廷鹰犬，暗藏的北朝内奸……都在了，还能有谁？

谢允没吭声，只是在一片混乱之中，遥遥地望向那小楼的方向，仿佛在与什么人对视一样。

有李晟这么横插一杠，丁魁别提多难受了，他手下的人都被缠住了，只剩自己一根光杆，面对昔日两大刺客头子，那个左支右绌与狼狈不堪就不用提了。情急之下，丁魁耍了个贱招，他突然吹了一声长哨："玄武卫——"

外面正在跟李晟等人缠斗的一个玄武门下的男子应声抬头，丁魁拼着大喝一声，强提真气，用后背接了猴五娘一掌，一口血喷出来，同时将慎独印抛给了那玄武卫！玄武卫都是丁魁的死忠，丁魁不担心他们拿着东西跑——何况眼下这情况也跑不了。

在玄武主眼里，手下人的性命便好似自己手里的兵刃与盔甲，都是可以随时报废的。这一招祸水东引，猿猴双煞立刻顾不上再跟他纠缠，纵身扑向那接了慎独印的倒霉蛋。

霓裳夫人却皱起了眉。

猿老三脸上贪婪的神色近乎狰狞，一把将李晟推开，口中道："小子别碍事！"

随后，他和猴五娘分至左右两边，一人抓住那玄武卫的一条胳膊，眼看要将人活活撕成两半。李晟方才还在跟那玄武卫大打出手，此时又简直恨不能上前帮着玄武卫挣脱那对大马猴。

李晟独自布下一个大阵，成功把玄武派的人都拦截在了外面，然而这会儿瞧着霍连涛、猿猴双煞之流，却突然不知道自己在为什么奔忙，方才热起来的少年意气瞬间冷了下去。

"这都是一群什么东西，"他有几分茫然地想道，"我干吗要跟他们掺和？"

就在这时，异变陡生。

杨瑾突然大喝道："小心！"

李晟倏地一惊，下意识地往后一弯腰，闪过了某个迎面砸过来的东西——那竟是一条胳膊！

猿老三的胳膊！

李晟的瞳孔收成了一点——方才还仿佛跟他不分高下的玄武卫端端正正地站在原地，突然低低地笑了起来，抓住他的猿猴双煞竟在顷刻间便一死一伤。

猴五娘显然是在毫无防备的时候挨了一掌，胸口被砸得凹了进去，骨头从后背穿透出来，没来得及躺下便死透了。猿老三一条胳膊齐根断开，血似潮水一般往外淌，而他太过震惊，竟一时忘了封住自己的穴道！

周围一圈人倏地退开，那"玄武卫"捻了捻手上的血迹，摸出那枚慎独印，将它对着光仔细看了看，看清了浮雕在上面的水波纹，便笑了起来，说道："多谢玄武主，得来全不费工夫。"

丁魁也惊呆了。

只见那"玄武卫"缓缓地抓住自己的头发，往后一扯，竟将头皮连同脸皮一起扯了下去，露出一个陌生男子的面孔——此人五十岁上下，头顶没毛，面白无须，脸蛋下面两坨疙瘩肉自腮边垂下，逼出深如刀刻的法令纹，看着居然有点像阴森森的老太婆。

李晟喃喃道："你是谁？"

"后生仔，有些门道，就是见识少了点。"这陌生男子冲李晟笑了一下，随即他一挥手，身后玄武派的人骤然自相残杀起来，一部分人暴起，将兵器捅向旁边的同伴，不多时便将毫无防备的玄武教众杀了个乱七八糟，随后这些人整整齐齐地在那"玄武卫"身后站好，纷纷扯下脸上的人皮面具。

"咱家姓楚，小字天权。"那假冒玄武卫的秃顶人说着，将慎独印收入怀中，团团一抱拳，笑道，"南面的诸位英雄，久违了呀。"

吴楚楚"啊"了一声。

谢允低低叹了口气："竟然是北斗文曲。"

北斗文曲——一个传奇的宦官。

一直作壁上观的应何从这时却突然动了，但他一步才迈出，周翡手中的望春山便好似长了眼睛，横在毒郎中面前，拦住了他的去路。

应何从低喝一声，双掌交叠，硬是要推开望春山，可他手掌尚未触及刀鞘，望春山便突然往上一挑，削上了他的手指。紧跟着，长刀脱鞘而出，凛冽的刀光扑面而来，刀鞘重重地打在了他掌心。应何从难当其锐，被迫退避，便觉后颈一凉——刀已经架在了他的脖子上。

周翡低声道："话还没说清呢，你最好别动，你的蛇也是。"

谢允偏头看了应何从一眼，背着手缓缓地说道："楚天权兔起鹘落间连败猿猴双煞，你打算靠什么与此人相斗？"

应何从面色铁青，双拳紧握，整个人不由自主地哆嗦着。他身上一直有种不食人间烟火的二百五气质，活似养蛇养傻了，周翡还是第一次在他脸上看到这么浓重的七情六欲，应何从的目光笔直地射向那白面团子一般的老太监，活似要用视线在他身上戳出个三刀六洞。

周翡长眉一挑，转手将望春山收回来，又用脚尖将落在地上的刀鞘挑起，还刀入鞘："有仇？"

应何从说不出话来，牙咬得"咯咯"作响，好似披着与世无争的皮太久，俨然已经不会发散仇恨与怒气了，它们通通徘徊在他胸口，怒号哀叫，随时准备炸开。

谢允又将声音压得更低，说道："应公子，你若死了，大药谷的香火可就彻底断了。"

他声音平和温润，叫人听在耳朵里，哪怕周围乱成了一锅粥，心也不由得随着他的话音安静下来。

应何从："我……我……"

周翡愣了一下，问谢允道："大药谷？你以前认识他？"

"不认得，只是能一眼看出透骨青，还熟知归阳丹药性的，如今还活着的人可是不多了。"谢允低低地叹了口气，又道，"应公子，刀片固然难吃，可也得往下咽啊。"

周翡听闻妙手回春的大药谷居然还有后人活着，心里先是一喜，随后想起应何从那句斩钉截铁的"时日无多"，便又是一惊。

要是连大药谷的人都没有办法，那谢允岂不是没救了？

就在她为自己那点烦恼颠来倒去的时候，石林阵前的气氛越发紧绷了起来。

楚天权的突然出现，叫场中众人一片静谧，李晟好不容易建起来的阵法，被这老太监以一己之力给吓散了，他身边一丈之内，竟没人敢站着。一个北斗黑衣人上前一步，捧着一条丝绢给楚天权擦手。

楚天权将手上的血迹一丝不剩地抹在了那丝绢上，笑道："既然霍堡主自愿放弃慎独印，相赠我等，那咱家便却之不恭了。"

众人一听便是哗然——这可叫"征北英雄会"，北斗大大咧咧地在这里拿走了举办者霍家的家印，那中原武林得有多大乐子？

倘若让这老太监来去自如，往后这"英雄"俩字非得跟"狗熊"变成一个意思，成为地痞骂街的经典称谓不可。

不少人忙往水榭中望去，巴望着此间主人霍连涛能像个爷们儿，站出来说句人话。不看还好，这一眼望去，才知道彻底要完——这边北斗露头，都已经快要水漫金山了，那头居然还打得难舍难分。

水榭中，木小乔这个浑人才不管来人是"南斗"还是"北斗"，心无旁骛地对霍连涛步步紧逼。白先生情急之下连叫了三声"朱雀主，且停一停，大局为重"，木小乔却充耳不闻。

什么大局小局，此时南朝北朝加在一起，在他眼里都还不如个屁，除了"取霍连涛狗命"一件，别的都是闲事，他一概不管。

白先生与霍连涛等人被他逼得实在没办法，只好发了狠围攻木小乔。木小乔整个人好似化成了一团红莲，所到之处必有业火丛生。不过片刻，白先生手下三大高手都落入了水中，霍连涛横飞了出去，瘫在地上不知死活。

白先生大喝一声，一剑斩向木小乔，木小乔却不躲不避，打算同归于尽似的，一掌抓向他胸口，白先生头皮直发麻，倘若不是他退得快，心都要让这疯子掏出来了。饶是这样，他胸口衣襟也已经碎成了破布条，他接连踉跄五六步，后背撞在旁边的木柱上，面如金纸，显然受伤不轻。

木小乔嘴角的胭脂和血迹混成了一团，晕染得整个尖削的下巴都是，他前胸挂着一条从肩头斜到腰间的伤口，看也不看白先生，径自走到重伤的霍连涛面前，一把抓住他的领口，将死狗似的霍连涛拖了起来，阴恻恻地说道："我再问一遍，浇愁——到底是谁给你的？"

霍连涛胸骨已碎，一张嘴，口中先涌出一堆血沫，他双目几乎对不准焦距，散乱地看向木小乔，断断续续地说道："我……大哥……倘若还在世，见你……这样……我……他……他……他……定会……"

木小乔冷笑道："木某这辈子开的买卖里没有面子这一条，别说那老东西尸骨都寒了，就是他就站在这儿，我要杀你，他管得着吗？"

霍连涛喉中发出"嗬嗬"的气流声。

他虽不是什么好东西，但胜在心志坚定狡诈，知道在木小乔这种人面前，摇尾乞怜是断然没用的，一旦叫他问出他想知道的事，自己立刻就得毙命。因此霍连涛才不肯服软，他眼前发黑，却依然勉力露出一个冷笑，酝酿着下一句戳木小乔心窝子的话。

然而或许是他那凄惨万分的样子不像是能守住秘密的，又或许是有人实在心虚沉不住气，就在霍连涛尚未开口的时候，一支箭突然从水里冒出来，电光石火间便直奔霍连涛后脑，距离太近了，杀红了眼的木小乔竟没能反应过来。

只听"噗"一声，霍连涛浑身一震，那铁箭结结实实地楔入了他的后脑，他连个表情都来不及变，当场便死透了。

木小乔呆住了，白先生呆住了，山庄中的一干人全呆住了。

不知谁大叫了一声："霍堡主……霍堡主死了！"

水榭两岸原本还能端坐的人这下也不能忍了，全都站了起来，连楚天权都好似有些意外。随即，楚天权笑了，说道："有意思，真行，看这么一场戏，多活十年，多谢，咱们走了！"

说着，他手一挥，便要带着自己的黑衣人大摇大摆地走。

就在这时，有人喝道："慢！"

谢允本已经站了起来，听见这声音，又坐了回去——只见水榭后面的小楼前，一个少年越众而出，身边跟着个一身玄衣的中年男子，面貌与白先生十分相像，想必就是那传说中的"玄先生"。少年身后一大批训练有素的高手追随，直将那半大孩子衬得器宇轩昂，分外与众不同——他正是赵明琛。

赵明琛小小年纪，却并不怵大场面，旁若无人地走进一地尸体的水榭，端起双手，冲着众人团团一拜，朗声道："诸位，霍堡主身死，我等尚且苟延残喘，今日叫这阉人北狗从此地走出去，往后我等有何颜面？私仇私怨难道便在此一时吗？"

他一个半大孩子，哪怕身后跟着一大帮高手，也着实难以服众，然而就在这时，白先生撑着自己站了起来，冲明琛见礼道："康王殿下。"

楚天权瞳孔一缩。

下面立刻有不关心国事的小声打听："康王？康王是个什么王？"

"康王乃贵妃所出，当今的皇长子……"

不少江湖老粗都分不清"妃"和"后"，更不知皇帝老儿下了几个崽，一听是皇上家的老大，顿时哗然——那不就是下一个皇帝吗？这么一想，那半大少年身上便仿佛罩上了一层金身。

赵明琛倏地一摆手，指着楚天权道："还不将他拿下！"

他一声令下，身后那些个武功不俗的侍卫立刻动了，大内高手，个个都是轻功卓绝，掠过水面，直扑北斗。这一帮利剑一般令行禁止的大内高手好似一面令旗，甫一出手，立刻有人追随，那些个因为南北战争而颠沛流离的、与北斗有仇的、被人煽动热血上头的，全都叫着"拿下北狗"，纷纷上前，转眼便将楚天权跟一干北斗围在中间。

赵明琛一露面便三下五除二地控制了局面，出现时机凑巧得很，这"黄雀"当得可谓尽职尽责，谢允却依然皱着眉。吴楚楚察言观色，紧张地问道："怎么？连康王殿下的人都拦不住文曲？"

"文曲楚天权宦官出身，北斗的其他人都看不起他。二十年前，此人武功在七大北斗中不过排在末流，都说他是仗着背叛先帝和拍曹仲昆的马屁上位的，我却不这么认为。"谢允娓娓说道，"北斗中的其他人在投靠曹氏之前，都已经在江湖上有了名头，唯有楚天权，据说是个苦出身。父母双亡，只带着个兄弟艰难度日，实在活不下去了才净身入了宫，因聪明伶俐，入了东宫伺候。懿德太子年少时，读书习武常将此人带在身边。"

周翡听到"懿德太子"四个字的时候，倏地一震。

谢允却没什么表情，十分淡然地低头整了整自己的袍袖，说道："结果正主的文治武功十分稀松，反倒是伺候的偷师了不少。当年，楚天权靠年少在大内偷师与自己勤学苦练那点底子位列北斗，自他兄弟死在'枯荣手'手上之后，他便越发阴毒，发狠练功，如今二十多年过去……若不是他久居宫禁，'北斗第一人'还未必轮得到沈天枢。"

"阿翡，"谢允正色道，"不闹着玩，打开天门锁，我不跑。"

周翡锁他虽然也不是闹着玩，但也知道谢允虽然平时看着吊儿郎当，关键时刻绝对靠谱，于是二话没说，便将身上的九把钥匙掏了出来。

只见那楚天权好似掸灰似的丢开一个大内高手的尸身，大笑起来——他少时便净身，平常说话还是普通男声，一旦抬高声音，那嗓子便好似一个又薄又锈的铁片，尖锐得刺人耳朵，简直令人难以忍受。

楚天权笑道："你们霍堡主办事不力，要吐露人家的秘密，被自己的大靠山灭口，如今杀人凶手出来主持大局，还有人听他的，哈哈！"

木小乔倏地抬头，冰冷的目光射在赵明琛身上。谢允的手难以自抑地颤动了一下，倘若不是天门锁还拴在手上，他大概立刻便会赶到那边。周翡之前一直觉得天门锁是个神物，直到急着开锁的时候才意识到，快速把这九把长得极像的钥匙分出个先后来是怎么焦头烂额，一不留神便对错了口，忙道："你别乱动！"

就在这时，杨瑾倏地飞掠回来，大叫道："别磨蹭了，快走！"

他一边说一边没轻没重地撞了周翡一下，周翡手上一个没拿稳，钥匙竟脱手掉了！

周翡："……"

杨瑾丝毫没注意到自己添了乱，飞快地说道："方才黄色蝠的兄弟们说，外面有不少黑衣人在往此处赶，那老太监有备而来。你们中原人太无耻了，这到底是比武还是比人多？"

周翡钻到桌子底下才把钥匙捡回来，没心情听他攻击中原人，瞥一眼，见水榭中木小乔已经和玄白二人动了手，便当机立断对杨瑾道：

"带她俩走,城外会合!"

说完,她一拎望春山,对谢允道:"我跟你去救你那倒霉亲戚。"

水榭中,赵明琛被几个大内侍卫护着,眼见身边这几个人未必是木小乔那疯子的对手,却也不肯功亏一篑地将前去围剿楚天权的人叫回来,便开口辩解道:"朱雀主,霍老堡主他不理霍家堡的事多少年了你自己知道,本王那时是否出生了还是未知,你要找的仇人和我有什么关系?我为什么要杀自己的人?"

木小乔才不听他辩解——方才白先生等人就是埋伏在水下的,射死霍连涛的那支箭难道不是从水中出来的?再者说,赵明琛固然年纪小,可他代表的南朝正统年纪可不小,稚子纵然无辜,王位难道也无辜吗?木小乔一把扼住玄先生的手腕,玄先生顺势出掌,推在木小乔身上,却被一股强横又阴冷的真气反噬,当场闷哼一声,险些跪下。

而就在这节骨眼上,数不清的北斗黑衣人从庄子外围包抄进来。

赵明琛再算无遗策,毕竟才十五岁,他太过自作聪明,总觉得自己能将天下人玩弄于股掌之中。白先生一看,冷汗都下来了,忙道:"殿下,将人撤回来,护着您先走!"

可是都到了这一步,赵明琛怎么甘心功败垂成?他阴沉着脸不吭声,玄先生再次在木小乔手下吃了亏,险些一脚踩进水里。

这时,远处突然传来一道哨声,赵明琛倏地回头,只见庄子后面的山上不知什么时候站满了人,随着令旗一摆,蜂拥而下。同时,水中也有不少不知埋伏了多久的人"哗啦啦"地出了水,大声道:"拿下北狗!"

楚天权脸色骤变,没料到对方到了这时候还有后手。

一帮武林人士欢欣雀跃,以为是援军到了,纷纷附和道:"拿下北狗!"

唯有赵明琛呆立水榭中，一股凉意顺着后脊蹿了起来——这不是他的人。

木小乔哪里会给赵明琛发呆的时间，他甩开玄先生，冲着赵明琛的后心抓了过去。

白先生大惊："殿下！"

他勉力上前一步，拼命将赵明琛往身后一拖。

与此同时，水中一个箭尖再次险恶地冒出头来，看似是射向木小乔给赵明琛解围，但随着白先生这么一拉一护，赵明琛刚好挡在了箭尖与木小乔中间。

"咻"一声——

白先生听见响动，再要回头应对，已经来不及了。前面是穷凶极恶的木小乔，身后是不知姓甚名谁的暗算。

赵明琛虽然整日在江湖上混，可走到哪里都有人护持，所学的一点武功全无施展的机会，久而久之，比花拳绣腿也强不到哪儿去，哪里经历过这个？他知道自己应该躲开，可整个人被笼罩在尖锐的杀机之下，一时竟有些手脚麻痹，动弹不得，冷汗顺着他那好似刀裁的鬓角流了下来。

那汗珠尚未掉落在赵明琛肩头，一阵清脆的铁链碰撞声便撞进了他耳畔，他没来得及抬头看仔细，腰间便陡然被拉直的铁链撞上了。

长刀在离他咫尺之处出鞘，掀起的刀风传来淡淡的、泡过鲜血的冷铁特有的咸味，利索地将背后偷袭的铁箭在空中一分为二。

与此同时，一个长衫落拓的背影挡在他身前，单手架住了木小乔那致命的一爪。

赵明琛往旁边踉跄了几步，被勒在他腰间的铁链撞了个屁股蹲。一瞬光景中，他在生死边缘打了个转，赵明琛忘了自己的仪态，呆呆地坐在地上，注视着眼前的人，喃喃道："三……三哥？"

谢允不应，将扣着天门锁的右手垂在一边，在一臂长的距离之内给周翡自由挪动的空间，运功于掌，带着森冷气息的推云掌汹涌地裹向木小乔。木小乔手上的血痕立刻冻出了一层细冰碴，他本就身上有伤，一时竟不由得往后退了好几步。

谢允低声道："朱雀主，得罪了。"

这时，水榭周围一圈的水面上露出了好几十支箭头，白先生他们方才也曾潜伏在水底，居然不知道这些人都是什么时候冒出来的！谢允眼角一扫，飞快地对周翡说道："男左女右，这回你可别再假借着撞我占我便宜了。"

周翡道："呸！"

她这声"呸"字方落，水中数十支箭矢同时铺天盖地而来，一根铁链拴住的两人同时出手。

周翡南下数月以来，一直在模仿杨瑾，试着将自己瞬息万变的刀法返璞归真，反复练忽视多年的基本功，日复一日之功极其枯燥，却也让破雪刀快得突破了她以往的极致。

她的刀身与刀风此消彼长、此起彼伏，人眼几乎无法分辨，那长刀快到了一定程度，便真如极北关外之地的暴风雪，叫人什么都看不清，却无端裹来了一种浩瀚暴虐的压迫感，水中冲上来的箭好似雨打芭蕉，与长刀碰撞出"噼里啪啦"的声音，而后纷纷落下。

谢允左手的长袖飘起，像是传说中"霓为衣兮风为马"的云中仙人，他倒是没有什么花哨，只是凌空推出一掌，"推云掌"有隔山打牛之功，整个水面轰然作响，飞到空中的箭矢顷刻如秋风落叶，四散折翼。水中埋伏的刺客一部分竟被他的内力直接打晕，冒一串泡，死鱼一般浮了起来。

一把天门锁，一段锁链，左边是近乎禅意的极静，右边是叫人眼花缭乱的莫测。

小小的水榭中一时鸦雀无声，落针可辨。

不知过了多久，赵明琛才难以置信地说道："三哥，你……"

他们都知道懿德太子的遗孤端王是个怪胎，文不成武不就，一天到晚浪荡在外，宁可过得穷困潦倒满世界要饭，也不肯回端王府当他的清贵王爷。建元皇帝常年派人追着他跑，就为了逢年过节时偶尔能将他抓回宫中过个年。每每提及这侄儿，赵渊都得先表示自己想要撂挑子还位的"梦想"，再针对这怪胎皇侄一言难尽地痛心疾首一番。

可是……这一招便逼退朱雀主的高手又是谁？

然而谢允此时却并没有他看起来的那么轻松写意，朱雀主毕竟是成名高手，纵然受伤也不容小觑。谢允两次出手，几乎使上了十成功力，只觉自己内息过处，好似有彻骨的西北风从奇经八脉里刮过去，他虽没有表露出痛苦，脸色却又惨白了几分。

"别'你我他'了，"谢允强忍着蜷缩成一团寻找热源的渴望，一把抓住赵明琛的肩膀，将他往白先生怀里一塞，简短地说道，"走！"

几步之外的木小乔捂着自己的胸口，神色晦暗不明地望着谢允。

谢允冲他一拱手："朱雀主请了。"

木小乔一照面就知道自己不是谢允的对手，更不用说旁边还有一把未归鞘的望春山。他虽然疯，而且热爱同归于尽，却不怎么喜欢自取其辱，见大势已去，便没再动手。谢允无意为难他，客客气气地冲他一点头，便一拉天门锁，将周翡拽走了。

两人方才走出几步，木小乔突然在身后说道："那个丫头，你用的是李徵的破雪刀吗？"

周翡忍不住回头看了他一眼。

她第一次见木小乔的时候，那时她和他隔了一个山谷那么远，见他与沈天枢和童开阳等人动手，认为这个传说中的朱雀主已经可以位列"妖魔鬼怪"范畴，非人也。而今，她终于看清了这活人死人山的大魔头，发现他身形不过与谢允相仿，只是个略显清瘦的普通男子，他靠在水榭中溅满了血的柱子上，面色苍白，沾染了一身说不出的倦色。

周翡与这凶名在外的大魔头没什么话好说，只一点头，便随着谢允快步离去。

赵明琛被一群如临大敌的侍卫簇拥着走在前头，谢允却与他相隔了几丈远，不肯并肩而行。他兀自出了会儿神，低声对周翡解释道："我在我们这一辈人里排老三，十三岁那年，被我小叔接回金陵，离开旧都之后，我便一直在师门中，与宫墙中雕栏玉砌格格不入。明琛那会儿正是好奇黏人的年纪，不知怎的特别黏我，唤我'三哥'，白天到处跟着，晚上也赖着不走。我一个半大孩子，还得哄着这么个赶不走的小东西，刚开始很烦他，可是宫中太寂寞，一来二去，居然也习惯了。现如今他大了，心思多了，有点……我见了他有难，却还是忍不住多操心一二。"

谢允极少谈起赵家的事，这一番话已经是罕见的长篇大论——因为周翡非但不傻，还聪明得很，又听见他和吴楚楚的对话，自然已经明白赵明琛就是眼下这番乱局的始作俑者。

这小子聪明反被聪明误，一不小心将自己也卷了进来，实在是死了也活该。周翡这会儿却被他牵连进来，冒着未知的风险，出手保护这个罪魁祸首，于情于理，谢允都得多说几句。

周翡却没给他什么反应，只是一点头示意自己听见了，应道："嗯。"

谢允愣了愣，没明白她这个"嗯"是个什么意思。

"他是个什么东西不关我的事，"周翡说道，"你愿意救他，我愿意帮你而已——你怎么这么多废话？”

　　谢允转过头去看她，喉咙微动，很想说一句“多谢”，又觉得此二字自口中说出太假，便只好又原封不动地任它落回了心里，在凛冽的透骨青中冻成了一盒精雕细琢的冰花，高高地供奉了起来。

　　两人飞快地追上了赵明琛等人。

　　赵明琛此时已经回过神来了，楚天权气势汹汹而来，是他明里的敌人，倒还好打发，可那暗中坐收渔利、还要置他于死地的又是谁？

　　此番他费了好大的布置、好多的心机，不但为他人做了嫁衣，还险些将自己也搭进去。他心里窝了好大一把火，烧得他已经无暇去考虑谢允这个著名的废物到底是被什么“夺舍”了。

　　赵明琛语气很冲地问道：“到底是谁这么大胆子，这是要连本王也一起清理了吗？”

　　侍卫们都不敢吭声，只有白先生低低地劝解几句“君子不立危墙之下，殿下这回也是个教训”之类的废话。可是十五六岁刚愎自用的男孩，哪里听得进劝？别人越劝，他反而越生气，当即放狠话道：“叫本王知道了这幕后黑手，我定要将他千……”

　　“明琛，慎言。”谢允突然出声打断了这句“千刀万剐”，随后，谢允顿了顿，又面无表情地说道：“楚天权是曹仲昆宫中近侍，与其他北斗身份地位不同，他是曹仲昆的心腹，为何他会千里迢迢地涉险来永州，大费周章地谋夺霍连涛的慎独印？”

　　赵明琛听了他这句风马牛不相及的话，不由得皱起眉：“三哥，你说这些……”

　　谢允不理他，又道：“还有年前，曹宁为何要突然发兵蜀中，你都没看出什么端倪吗？曹仲昆怕是真要不行了，才会放任儿子们争权夺势，还派自己身边最得用的人去追寻‘海天一色’这种虚无缥缈的传说，企图给自己谋个长命百岁。这些日子周先生坐镇前线，但双方短兵相接基本没有，战局始终是雷声大雨点小，为什么？因为蜀中严格来说是北朝的地盘，闻将军这次发兵归根到底是师出无名，现如今曹宁一边拖着大军按兵不动，在军中经营自己的势力，他不撤军，也不出兵。他不动，周先生和闻将军也动不了，你可知这又是为何？"

赵明琛哑口无言。

"因为北朝眼下一边是曹宁拥兵自重，一边是太子频频向我朝求和，曹仲昆倘若有什么三长两短，北朝便得动荡，对他们的太子来说，动兵大不祥，是我们的大好时机。可偏偏我朝新政推得坎坎坷坷，皇上与周先生拔了无数盘根错节的旧势力，他们仍然是百足之虫，死而不僵。眼下皇上看似说一不二，其实要真想干点什么，可谓举步维艰，那些人为削减军费，必会百般阻挠这一战，处处掣肘，这么扯皮下去，我朝恐怕会错过北伐的时机。"谢允神色不复往日柔和，一口气说到这里，他目光如锥，狠狠地剜了赵明琛一眼，"除非给皇上一个不得不动兵的理由，现在你明白了吗？"

他把话说到这里，有些人已经反应过来了，白先生陡然变色，赵明琛脸上的血色潮水似的退去，他睁大了眼睛，竟显得有几分茫然的可怜相，嘴唇动了动，没说出话来。

谢允丝毫不给他喘息的余地，一字一顿地说道："北斗楚天权竟敢私跨边境，谋害皇长子于永州——这就是出兵的理由。"

黄雀在后——今天真正的黄雀就是赵明琛的亲爹，当今天子。

赵明琛惊惶道："不可能！我父皇……不……不可能！"

周翡被迫听了一耳朵赵家这点狗屁倒灶的糟心事，只好把嘴闭得紧紧的，假装自己不存在，同时胸口泛起一点说不出地悲凉，心道：我爹离家千里，就整天跟这帮人混在一起，他图什么？

这时，好似专门为了验证谢允所言不虚，赵明琛等人刚撤到后山，那催命似的哨声便紧随而至，一队人马凭空拦在眼前，再一看，这伙人虽然个个以黑纱蒙面，一副江湖人打扮，行动间却是整齐有素、令行禁止，分明是军中做派。

白先生喝道："你们好大的胆子，可知……"

来人却根本不给他自报家门的机会，上来就动手，一句话也不说，传令全用哨子，尖锐的哨声到处都在响，近攻者车轮似的拥上来，远处还埋伏了弓箭手，大有将此间所有人一锅端了的意思。周翡横刀斩断一支射向赵明琛的箭，侧头看了那好似经历了一番天崩地裂的少年一眼，问道："你一点武功也不会？"

赵明琛满心愤懑无从宣泄，迁怒地瞪着她。

这种听不懂人话又欠揍的小崽子周翡见得多了，李晟小时候便是个中翘楚，她才不在意几个瞪视。周翡侧身移动几步，天门锁的长链倏地往赵明琛身上一抻，将他往旁边拽了几步，她说道："会还傻站着，你找死？"

赵明琛何曾受过这种噎，当即七窍生烟，瞪大眼睛怒视周翡。

这时，只听一声惊天动地的巨响，整个地面都跟着震了几震，小山上的石块尘土扑簌簌地下落，不少受了伤的侍卫险些站不稳，浓烟自那山庄处升起，转眼便火光冲天。他们居然还事先埋了火药与火油！

周翡心里一跳，心道：幸亏让杨瑾他们早走了，不然岂不是要陷在这里？

这时，明琛的侍卫们奋力撕开了一条通道，领头的朗声道："殿下，这边！"

这一行人虽然有谢允这样的顶尖高手护卫，周翡、白玄二人与赵明琛身边的侍卫也个个武功不俗，但毕竟人少，面对千军万马，即便是高手也只有自保的余地，当下便不恋战，飞快地从包围圈外撕开的口子里鱼贯而出。

沿途跑出足有数里，突然，谢允倏地刹住脚步，回头一摆手，只见林中寒鸦受惊似的高叫着飞起，不远处传来了脚步声，正向着他们这方前来。

谢允面无表情道："我有种不祥的预感。"

谢公子给自己取字"霉霉"，写个小曲还叫《寒鸦声》，可见与乌鸦一物有不解之缘，一张嘴与那倒霉的黑雀儿颇有异曲同工之妙，周翡来不及发问，便见密林中一帮黑衣人冲了出来，其后一人居然是那老太监楚天权！

这一照面，双方都愣住了，他们居然被同一路人按着头逼到了一起，生动地演绎了什么叫作冤家路窄！

第六章·

诛文曲

暗算者，终因暗算而死。

　　周翡彻底服了，但凡谢允嘴里说出来的事，好事从未应验过，坏事就从未不准过。她扯了一下手中的天门锁，抬头看了看暗下来的天色，问道："是你这扫把星厉害，还是他们北斗厉害？"

　　谢允只有苦笑。

　　楚天权一开始见大队人马杀出，还以为是赵明琛那小崽子的伏兵，吃了好大一惊。谁知下一刻便被水榭中谢允和周翡联手横扫水中伏兵的动静惊动。

　　楚天权何等机敏，立刻反应过来，赵明琛也是被人坑的，连康王都敢坑，那在南边得是什么背景？

楚天权心知里头水深，自己恐怕也是中了别人的圈套，他当机立断，狠心甩下自己的大队人马，壮士断腕一般只带了一小撮精锐，仗着武功高，硬是从那山庄中杀出了一条血路，直奔山中突围而出。此时意外兜头遭遇比自己还狼狈的赵明琛，这老成精的楚天权心里明镜似的——眼下这情况，多半是南边内部的事，有人想除掉这碍事的小康王，还要顺势将这屎盆子扣在自己头上，制造一个北斗谋害康王的假象。他看着赵明琛那张尚未长开的小脸，笑成了个白皮大瓢："哎呀，见过康王殿下，别来无恙否？真是人生何处不相逢啊。"

赵明琛心乱如麻，却依然直起腰，勉力撑起赵氏皇族的尊严，分开侍卫迈步上前，冷冷地对楚天权说道："三年前南北划边境而治，便约定互不进犯，楚公公今日却公然入永州，巧取豪夺、杀我百姓，你是想开战吗？"

楚天权一团和气地笑道："哪里，康王殿下言重，二十多年前九州还是一家呢，小人祖籍便在永州，承蒙圣上体恤，准我南归探亲，恰好见此地热闹，不过路过时来看一看而已。若早知道会牵扯出诸位英雄这许多恩怨情仇，嘿嘿，就算给座金山，我也是不肯来的。"

赵明琛最不缺的就是小聪明，颇有几分察言观色、听话听音的本事，立刻便从楚天权的油嘴滑舌里明白，有人借北斗之刀杀人的事，这老太监心里分明已经有数了。赵明琛的小心思一瞬间又活络起来，他眼珠一转，试探道："那……"

谢允却在旁边截口打断道："既然如此，请楚公公自便吧，尽早离开这是非之地，省得引火烧身，令主上失了你这得力干将。"

楚天权近年来常在北帝宫里，鲜少离开旧都，一时没看出谢允与周翡身份，虽然这会儿是冲着赵明琛说话，余光却始终在注意着谢允这未知的高手。听谢允不客气地打断赵明琛说话，楚天权心里对他的考量不由得又慎重了一层。他意味深长地看了谢允一眼，说道："江湖人闹起事来，着实不像话。看来康王殿下眼下的处境也不怎么安全，小殿下金枝玉叶，叫这些浑人磕了碰了就不好了。相逢是缘，我看不如这样，咱们姑且结伴而行，等到了安全之处，小人再派几个稳妥人，送您回金陵去？"

周翡用一种惊奇的目光打量着这楚天权，感觉这文曲真真是个人才，武能手撕猿猴双煞，文能讨价还价、拍花拐卖——他拿了霍家慎独印不算，还打算买一个顺一个，再搭个康王回去！

不过数月，北朝便从来势汹汹退化为首鼠两端，在这么个敏感的时候，赵明琛死了甚好，但活着被抓到北边去，却是大大地不妥——建元皇帝南渡时才只是个十岁出头的冲龄幼子，家国沦陷，远近无依，不得不在南朝旧势力中左右逢源，将朝中几大家族娶了个遍，艰难地在夹缝中保持平衡，这才将赵氏王朝扎根金陵。到如今，二十年过去，建元皇帝翅膀渐硬，重拾先帝之政，冲着旧时扶植过他的人露出獠牙，他不肯立任何一个儿子当太子，君臣之间也越发暗潮汹涌。赵明琛死在北斗手上，自然能激起南朝北伐之心。可他若是被掳，皇长子母族必定要以其性命为先，就算本想打，此时也会变成主和派。

这样一来，赵明琛这小小少年的处境便相当微妙了。

可谁知人算不如天算，谁会想到中途杀出个谢允，叫赵明琛在那种情况下也能脱困而出呢？而他跑便跑了，偏偏运气不好，又遇上了楚天权这煞星。

谢允隐晦地冲白先生递了个眼色，白先生立刻会意，代替赵明琛上前与楚天权等人周旋："这就不必劳烦楚公公了，我等虽然没什么本事，护送小殿下回金陵还是可以的。"

楚天权笑道："不算劳烦，诸位身上多多少少都带伤，倘若真遇上硬茬，岂不要吃亏？"

白先生目光瞥见楚太监身后那一堆黑衣人，眼神微微发黯。

趁着两个中老年男子明枪暗箭地周旋，周翡悄悄退后半步，借着谢允挡住了自己，从袖中摸出那九把钥匙，不动声色地开始对锁孔——楚天权不是强弩之末的木小乔，虽然只是惊鸿一瞥，但周翡看得出，他武功还在谷天璇与陆摇光等人之上，不是谢允一只手应付得来的。

周翡全神贯注地摸索着九把钥匙齿上细微的差别，飞快地将锁扣一一对上，直到七把钥匙都已经卡入锁扣，楚天权不知察觉到了什么，话才说了一半，突然飞身而起，猝不及防地向谢允发难。

周翡只觉手中天门锁狠狠一震，整个人被扯了个跟跄，要不是七把钥匙已经牢牢地卡入锁扣，险些就脱手了。

而谢允和楚天权已经短兵相接。

这两人掌风交接处威力非同小可，几乎叫人喘不上气来，楚天权给人的压力居然比当日华容的沈天枢还大得多。他那手白嫩如少女，连一丝褶子都看不见，手背上的血管仿佛画上去的，指甲泛着冷冷的金属光泽，圆润地划了半圈，抓向一侧的周翡。

周翡周身汗毛都竖了起来，回手便要去拉别在腰间的望春山，谢允却倏地横过一掌，当空卡住楚天权虎口，往下一压，脚下错了半步，一推一侧身，便将周翡往身后拽去。两人出招全都既不快又不花哨，乍一看，简直像两个书生晨练推手，搭的都是架子，而且彼此一触即放，几乎没有烟火气。可你来我往才不过四五招，却生生让周翡看出了一身冷汗。

她见过寇丹诡谲、郑罗生狡诈、沈天枢强悍——却都不及眼前这白白胖胖的老太监。

楚天权和谢允过招时就好像在下一盘步步充满杀机的棋，所有的较量都好似无声无息，又于幽微处无所不在，只要谁稍微松懈一点，连周围划过的微风都能要命，相比起来，她那日于四十八寨中自以为领悟的无常不周风，简直粗陋得像是孩子的玩意。

当人尚未入山，望向远方春山脉脉，只会觉得山峰绵延，温柔如美人脊背，道虽长，却并不阻，前路俱在脚下，轻易便能抵达。可是只有在漫长的跋涉后，先经历过"望山跑死马"的煎熬，再抵达山脚下的人，才得以窥见高峰千仞入云的真容。

有些人会绝望，甚至会生出此生至此、再难一步的颓丧。

有那么一瞬间，在周翡心里，她分明已经自成体系的破雪刀九式忽然分崩离析，退化成了干巴巴的把式。她只好逼迫自己从这场前所未见的较量中回过神来，全副精神集中在天门锁上。只剩两把钥匙，可每每她刚把钥匙对准锁扣，楚天权便会卑鄙无耻地故意卖破绽给谢允，同时冲她的方向来个"围魏救赵"，谢允不可能豁出周翡去，只能回护，又必然会被天门锁掣肘，而且打断周翡开锁的动作，三个人就此局面，诡异地僵持住了。

皇历上大约说了，今日不宜动锁，动了就要打不开。

楚天权脸上露出了然的神色："我道是何方神圣，原来是推云掌。"

谢允这有史以来最贫嘴的王爷此时已经无暇开口，他手上稀里哗啦乱响的锁链声越来越脆，因为寒气已经难以压抑地外放，寒铁都被冻得脆了一些，简直不知他这肉体凡胎是怎么撑下来的。

楚天权再一次打断想要开锁的周翡，他也并不轻松，气息略显粗重，却依然勉强提气对谢允说道："都说推云掌风华绝代，我看却是蠢人的功夫，殿下，你的老师误了你，教了你一身妇人之仁。你用这种柔弱的功夫和借来的内力与我斗吗？"

"不劳……"谢允一把隔开他拍向周翡头顶的一掌，手心中飞快地凝聚出寒霜来，他一咬牙，将剩下两个字挤了出来，"费心。"

楚天权笑道："哎呀，还是个痴情种子。"

说话间，楚天权倏地运力于臂，往下一别，谢允的手腕竟响了一声。随着透骨青发作得越来越厉害，他着实难以耐住久战，额角露出冷汗，又飞快地凝成一层细霜。

周翡花了两炷香的时间没打开一把锁，反而要叫谢允束手束脚地保护她，有生以来，几时这样窝囊过？她心里窝的火越来越大，居然将方才短暂的迷茫和混乱烧成了一把灰，忽然将天门锁扔下，喝道："闪开！"

谢允和楚天权正无暇他顾，谢允再要阻止已经来不及了，破雪刀劈山撼海一般地从他身后冒出来，直接递到了楚天权面前，那刀光极烈，隐约有些李瑾容的"无匹"之意。天门锁的铁链绷直，谢允不得已侧身半步，他顺势滑出一步，借着楚天权一时松懈时脱身而出。

那楚天权倏地伸出两指，极其刁钻地夹向望春山刀身。

谁知周翡的刀竟在一瞬间突然加速，凭空变招，擦过楚天权的指尖，刀尖如吐芯的毒蛇逼近楚天权双目之间——这是纪云沉的缠丝。

楚天权倏地偏头一避："破雪刀？有点意思。"

周翡的刀是破雪刀的魂魄，但她见什么学什么，久而久之，皮肉里掺杂了好多别人的东西，除非她偶尔正经八百地使出标准的破雪九式，否则时常叫人颇为疑惑，看不出她的路数。然而尽管她方才所用，都不是标准的破雪刀法，却还是刚一动手便被楚天权一口道破来路，可见这老太监功夫之深堪称大家，着实令人骇然。如果他不是臭名昭著的北斗，说不定已经摸到了宗师的门槛。

不过大概是周翡方才已经天崩地裂似的动摇过了，听了楚天权这句话，她神色居然分毫不动，干脆利落地回归破雪九式，一招"斩"字诀直逼楚天权。老太监大笑一声，仿佛是觉得这女孩有点初生牛犊不怕虎的意思，双掌泛起紫气，数十年积淀的深厚内力决堤似的倾吐而出，撞上周翡的刀背，继而绞上了望春山的刀身。

望春山在两方角力之下碎成了几段，而周翡好像早料到了这局面，刀碎了也处变不惊，刀锋竟不散，锋利的碎片被孤独的刀柄绞了起来，好似散入飓风中，她竟用断刀使出一招"风"。

楚天权没料到世上还有人摸索出了"断刀术"，鬓角竟被削去了一点，连出三掌方才将刀片打落，而此时，只听"咔"一声，周翡已经趁隙将剩下两把钥匙送入天门锁中，将绑着两人的锁链打开了。

楚天权眼角跳了几下，他眯起眼，对周翡道："没听过阁下的名号。"

周翡把断刀一扔："无名小卒，不足挂齿。"

她说完，冲赵明琛伸出手，说道："借几把兵刃。"

赵明琛傻愣愣地把自己的佩剑摘下来递了过去。

谢允在旁边低低地咳嗽了几声，活动了一下好不容易解放的右手，往手心哈了一口冰冷的气，说道："一柄剑不够她祸害，多给她留下几柄，然后你们便走吧。"

赵明琛讷讷道："三哥。"

"回去就把我方才跟你说的话都忘了吧，无谓的记恨不能改变什么，"谢允看着楚天权，头也不回地对明琛道，"好好读些正经的经史策论，不必再弄这些乱七八糟的邪魔外道讨你父皇欢心——你也讨不来，更不必整日里听你母妃他们危言耸听，你是皇子，不是他们争权夺势的工具，给自己留点尊严。"

赵明琛的眼眶倏地红了，说不出话来。

谢允背对着他："走，别碍事。"

赵明琛还要再说些什么，却被白先生和一个侍卫左右架住，强行拉开。有先懿德太子遗孤在此，楚天权便对赵明琛失去了兴趣，竟也未曾阻拦。赵明琛突然回头嘶声叫道："三哥，我回什么金陵——你们放开我！同你一样浪迹江湖有什么不好，我……"

那囚笼一样华美的亭台楼阁、六朝秦淮的金陵河畔，全都叫他不寒而栗，每一阵杨柳风与杏花雨中都带着重重杀机与诸多野望，将每一个人都颠倒性情、困死其中。赵明琛突然觉得那是个难以忍受的地方，奋力挣扎，一身三脚猫的功夫却又怎么挣得出白先生等人的手？

谢允笑了一下，只当没听见。

楚天权饶有兴致地看了看他，又看了看谢允，说道："端王殿下好气魄，怎么不叫这姑娘也一起走呢？"

"她不归我管。"谢允道，"她也不会走，楚公公，既然你执意不肯离开，那便留下吧。"

周翡本来正在挨个掂量着白先生他们给她留下的刀剑，想在"矮子里拔将军"，挑一把最顺手的，却猝不及防地听了谢允这话，她呆了呆，突然无端一阵鼻酸。

少女心里有一条细细的暗河，据说有的人，心地是柔软的森林与草场，细流涓涓而过时，清脆悦耳，花香弥漫，自己和别人都听得见。而有些人，心里却是终年不开化的塞北之地，常伴寒风与暴雪，那些强横又脆弱的冰川碰撞时，随时便能地动山摇一番，因此地下即便藏着温泉，也是全然不动声色。

周翡忙一低头，握紧了手中一把半旧的苗刀。

楚天权端详着谢允的脸色，哼笑道："好啊，那么咱家陪殿下试试。"

他话音未落，身后的黑衣人便训练有素地一拥而上。

楚天权武功造诣高到了这种地步，依然没有一点想要逞英雄单打独斗的意思，上来便命人群殴，实在没什么高手的自尊心。不过这大概也就是山川剑与南北刀都不在人世，而他依然颇为滋润地活到今天的缘故。

幸而周翡专精拎砍刀和打群架。

白先生给她留下的苗刀比望春山还长，周翡纵身越过谢允，长刀一挥便是一式"海"，刀风利索地扫出了一个巨大的扇面，她驾轻就熟地直闯黑衣人中间，好似一块人形的磁石，轻易便将这一群黑衣人的注意力都引到自己身上。看来四十八寨一役中，将周翡的蜉蝣阵磨砺得炉火纯青了。

谢允脸上露出一点微不可察的笑容。

谢允没有天门锁掣肘，楚天权也不必分心到周翡那里，两人再次交手，不约而同地放弃了方才那种暗潮汹涌的打法，叫人目不暇接起来。倘若不论立场、不辨善恶，那么这一战能算是近二十年来最有看头的一场较量了。

推云掌缥缈深邃，楚天权则堪称旷世奇才。

懿德太子遗孤在两朝夹缝与国仇家恨中艰难地长大，受千重罪、锻千足金，而出身穷苦以致卖身入宫的北斗文曲，则从一个名不见经传的小小蝼蚁，以不可思议的心性、狠毒无双的手腕叛主投敌，一步一步在尸山血海中走到如今。

两人一时间竟难分高下，可惜……

可惜谢允身上还多了一重透骨青。

当日永州城中客栈里，应何从一眼便看出谢允中毒已深，"时日无多"，只是谢允惯是疼了自己忍，从没表露过什么。他一直认为嗷嗷叫唤得天下皆知也没什么用，只是闹得大家一起不痛快而已，仅就缓解症状来看，远不如李晟慷慨借给他的游记话本有用。

这日，他先硬接木小乔一掌，随后又护着赵明琛一路逃亡，毒性随着他几次三番毫无顾忌地动用全力而越发来势汹汹。谢允几乎能感觉到那无处不在的凉意渐渐渗入他的心脉。

他心口处好似一个漏底的杯子，里面的热气如指缝中的沙砾，源源不断地往外流，随着这一点温度也开始流失，他觉得周身关节开始发僵，再深厚的内功也无法阻止。他的身体渐渐有些跟不上反应，而高手过招，失之毫厘，谬以千里，谢允一下躲闪不及，手心被楚天权"落叶可割头"的内息划了一条狭长的血口子，而他竟一时没感觉到疼！

谢允瞥见那血迹，心微微一沉——这不是说明他已经刀枪不入了，而是皮肉逐渐失去感觉，他知道，失去痛觉，紧随其后的便是关节凝滞、经脉堵塞，然后……

谢允忽然飞身而起，风过无痕的轻功飞掠出两尺，随手拍出一掌，扫开一个北斗黑衣人，借着山间树丛掩映，蝴蝶似的绕着古木盘旋一周，倏地绕到另一边，自上而下拍向楚天权头顶，楚天权低喝一声，双手去接，不料谢允却只是虚晃一招，人影一闪便落到了他身后，点向楚天权后心。

楚天权往后一折，五指做爪，正好抓向谢允的手指，千钧一发间，谢允脚下行云流水一般地移动几步，楚天权则倏地收回手掌，两人险险地擦身而过，谢允退后两步站定，楚天权双掌拢在胸前。

楚天权低低地笑了起来，说道："真是要多谢廉贞兄，否则今日楚某在殿下手上讨不到好呢。"

谢允苍白的嘴角血色一闪，他轻轻一抿嘴，又将那细细的血丝抿回去了，嘴唇几乎不动地说道："小心。"

楚天权一愣，下一刻，他蓦地听见身后有利刃劈开风的声音。他猛一提气，回身劈手一掌荡开身后偷袭的一刀。

周翡方才断了一把望春山，这一回她好像吸取了教训，一点也不硬扛，顺着楚天权的掌风，干脆借力飞了出去，她刀重，人却轻，借一点"东风"便能扶摇而上，看也不看楚天权一眼，直接扑向几个追着她的北斗黑衣人，刀比往常还快三分，将近前的几个北斗黑衣人穿成了串。

楚天权无暇分身去追她，因为她前脚刚走，推云掌后脚便到了眼前。他趁谢允透骨青发作，好不容易控制住了节奏，还没来得及得意，便被周翡那浑丫头打乱，心里好不冒火。然而他很快发现，叫他冒火的还在后头。

楚天权带出来的黑衣人都是他手下的"得力之人"——废物点心们都被他遗弃在山庄里了。

他本以为这些"得力人"就算打不赢破雪刀，只要仗着人多势众，一拥而上，也够那不知天高地厚的小丫头喝一壶的，谁知一上阵全然不是那么回事！这些"人多势众"的"得力人"太不争气，居然跟狗似的被周翡遛着跑。

等她遛两圈心情好了，便会从各种匪夷所思的地方钻出来偷袭自己一下，偏偏楚天权拿她没办法，因为周翡那边只有一帮呼哧带喘的"哈巴狗"，他面前却有谢允这么个劲敌，片刻马虎不得。她跑得，楚天权却跑不得。

楚天权这才知道谢允方才为什么突然将他引入林子里！

周翡将整个树林当成了一个巨大的蜉蝣阵，以石、树和楚太监为基，一边走自己的位，一边将楚天权的黑衣人分而杀之，她跟谢允连个眼神交流都没有，这回居然颇有默契。

楚天权醉心正统武学，奇门遁甲之类在他眼中一概是旁门左道，谁知今日竟然在两个小辈手里吃了"旁门左道"的亏。他看得出周翡步法中别有玄机，却看不出玄机在何处，几次被两人联手弄得左支右绌，余光一扫，见自己带出来的人竟少了一半多。

楚天权心道：这些废物要是都死干净了，一会儿这丫头没人牵制，岂不更麻烦？

他一转念，又看了谢允一眼，见他方才受伤的手心竟已经连一滴血都流不出来，又寻思道：看他也活不了几日了，我不急着回北边，只要今日脱身，且耗上三五天，还拿不住这个丫头吗？到时候将她灭口，回头只说南边的端王落到了我手里，看那整天将'还政'挂在嘴边的赵渊怎么办。

楚天权打定了主意，突然长啸一声，凌空一旋身躲过周翡的一刀，随后顺势拽过自己手下一个黑衣人，丝毫不顾念手下人性命，往谢允掌下推了过去，自己则趁机一步跨出，直奔周翡追去。谢允眉头一皱，再次强提真气，忍着剧痛冲开已经开始有些不畅的经脉，追上楚天权，挡在老太监和周翡之间，一伸手截住楚天权去路。

楚天权本就是假意追击周翡，口中吹了声长哨，根本不与谢允纠缠，推云掌一掌递过来，他便顺势往后一退，几步之内已经退至林边，这时，林中仅存的北斗黑衣人们闻声立刻聚拢而来，送死似的将谢允团团围住，不知他们是身家性命还是什么东西在姓楚的手里，此时全然是不要命的打法，竟是宁可死也要拖住谢允，给那老太监断后。

楚天权轻功极高，看也不看这些替他送死的手下，头也不回地便飞掠而去，转眼已在数丈之外。

永州山间道路曲折，密林繁复，一旦叫他遁入深林，那真是哮天犬也追不到他的踪迹了。

周翡毫不犹豫地提刀追去，谢允怎能让她一个人去追穷寇？他心里一急，一把夺过一个北斗手中的长剑。

推云掌不知是何人所创，那位前辈必然性情宽厚、心慈和善，因其虽精妙非常，出手时却总留着三分余地，因此才被楚天权斥为"妇人之仁"。此时谢允手持长剑，却全无半分留手，那剑法分明不成套路，极其古朴，乃至简陋，却非常有效，戾气极重，好似是战场上拼杀的路数。

谢允三下五除二便将缠在身边的黑衣人尽数除去，再一看，周翡那光棍竟抄了一条林间小路，眼看追上了楚天权，她此时傍身的刀剑足有一打，因此相当大方，直接将赵明琛的那把佩剑从后腰抽出，当成暗器冲着楚天权掷了出去。

楚天权虽没自尊心，却有脾气，当下怒道："好大的胆子，既然你执意找死……"

他话音至此，却戛然而止，周翡莫名其妙地看着他整个人一僵，就那么直挺挺地站在了原地。

周翡方才追得悍然无畏，但这场景实在太过诡异，她后知后觉地想起了应有的谨慎，止步在楚天权三步之外，与楚天权大眼瞪小眼。只见那楚天权面上突然泛起乌青气，两条法令纹将嘴角压下来，剧烈地起伏，两颊的肥肉开始抖动——接着，他全身都开始筛糠似的颤。

周翡握紧了苗刀，正要往前一步，突然听见一个声音道："别动。"

她忙抬头望去，见那林中缓步走出一个背着箩筐的人，正是毒郎中应何从。这时，谢允从她身后赶来，伸手抓住周翡的胳膊，将她往身后一带："别过去。"

应何从手腕上缠着那条鲜红的小蛇，他亲昵地摸了摸蛇头，在楚天权三尺之外站定，轻声说道："这叫作'凝露'，是一种蛇毒，制成药粉，沾上水汽，便可化为无色无味的毒雾，早晚山林间雾气重，正是凝露之时，越是内力深厚的，发作就越快——看来楚公公功夫造诣之深，果真是名不虚传。"

楚天权脸上被一层可怖的黑气笼罩，几乎没了人样，看上去分外可怖。

"呀，听不见了。"应何从端详了他片刻，叹了口气，"见血封喉的毒就这点不好，想跟仇人一诉旧怨都来不及，不痛快。"

暗算者，终因暗算而死。

周翡愣愣的，仍不敢相信楚天权居然会在转眼间死于蛇毒……这太荒谬了！

突然，她肩头一重。周翡倏地回头，谢允按着她的肩膀："扶……扶我一把……"

周翡吓了一跳，正要伸手，却听谢允的胳膊好似冻坏的门轴，"嘎吱"一声响，他便直挺挺地倒了下去。

第七章·

伤别离（上）

"阿翡。"他又在心里叫了她一声，总觉得她能听见。
而后渐渐看不清来路与去路，渐渐不再困于尘世纷扰。

    苗刀"当啷"一下落了地，周翡仓皇之下，只来得及狼狈地接住谢允。

    谢允是冷，冷得皮肉上全然感觉不到痛痒，方才被他强行冲开的经脉却变本加厉地回来讨债，他被困在冰冷的躯壳之中，忍着扒皮抽筋之苦，连出声的力气都没有，只能下意识地抓住周翡的手，窝起来蜷成一团。

    周翡打了个寒噤，好似一头扎进了冰水里，方才遛着北斗黑衣人到处跑的时候出的一层薄汗顷刻间退了下去。谢允捏着她手的力道几乎要攥碎她的骨头，然而不过片刻，他便好像意识到了什么，倏地松了手指，轻拿轻放地将周翡的手往自己手心拢了拢，低声劝慰道："没事……我没事……"

他自以为这么说了，其实根本没能出声，别人只能看见他嘴唇动了几下，而那嘴角竟然还擎着一点好似冻在上面的笑容。周翡不知所措地半跪在地上，她上一次这样不知所措，好像还是周以棠隔着一道山门，头也不回地离开四十八寨时。

应何从慢慢走过来，先是看了谢允一眼，然后从怀中摸出一个小药瓶，倒了一粒药丸递给周翡："哎，给你。"

周翡好似被人递了一根救命稻草，眼睛倏地亮了，猛地抬起头。可那应何从下一句话却打碎了她的希望。

"这是凝露的解药。"他无知又残酷地说道，"你们虽然离得远些，但也得喘气，肯定也吸入了一点。"

那一刻，周翡高高吊起的心好像又从三十三天外摔回到地上，将她胸口砸出了个大窟窿，西北风嚣张肆意地钻进来，将她乱飘的魂魄镇住了。周翡狠狠地在自己舌尖上咬了一下，就着那一点腥甜的血气与疼痛冷静下来，一手搂过谢允，一手捡起方才掉落的苗刀，皮笑肉不笑地说道："毒郎中黄雀在后，好手段。"

应何从手腕上的小红蛇懒洋洋地支起一个三角脑袋，"咝咝"地吐了两下蛇芯，随后好像感觉到了不友好的气息，又尿兮兮地钻回了应何从的袖子。应何从感觉自己再往前走一步，搞不好周翡会直接给他一刀，便识相地从怀中摸出一片树叶，将那颗药丸放在叶片上，自己退后了一点。

人不怕丈八壮汉，却怕鬼魅幽灵，不怕刀剑无情，却怕毒粉无形，因为怕，故而越发要鄙夷，久而久之，江湖中逐渐有了个不成文的规矩——不论你是什么出身，有多大的本事，只要你淬毒，那就先落了下乘。

应何从对别人带着蔑视的忌惮十分习以为常，面不改色地说道："这瓶凝露我做出来三年了，一直没机会用，如果不是你们将楚天权逼到了穷途末路，以我那点微末本领，一走进林间就会被他发现。我感谢你，所以这次不会害你。"

周翡："这次？"

应何从直眉愣眼地一点头，毫不委婉地说道："这次欠你个人情，日后找机会还了，你要是得罪我，我还是不会手下留情的。"

周翡听了这番大言不惭的话，冷声问道："好大口气，你就不怕我拿了解药，现在就杀了你？"

应何从刚刚宰了个劲敌，心里松得太过，一时倒忘了人心险恶，听她这么一说，才想起这样好像也可以，他那好像总缺盐少油的脸上空白了片刻，显得越发肾虚了。周翡看明白了，这家伙那点心机不是日常的，须得有刻骨的仇恨才能撑起来一会儿，便也懒得再试探他，拿起那颗药丸："怎么就一颗？"

应何从没好气地一挑眉："是啊，你吃不饱啊？"

周翡："……"

应何从看了看谢允，又道："他不用，你放心吧，透骨青乃天下奇毒之首，他身上有这尊大佛坐镇，百毒不侵，别说吸一口，就是将凝露盛在海碗里直接喝，也药不死他。"

谢允终于缓过一口气来，在周翡怀里轻声说道："应公子，劳驾，能别老用这么崇敬的语气说透骨青吗？"

周翡手里扣着凝露的解药，却没顾上吃，带着几分急切对应何从说道："你刚才说这次欠我一个人情，那你能解透骨青吗？"

应何从道："要还人情，但也得是我办得到的事，如果叫我解透骨青的毒，那就不成了。我先前便同你说过，他时日无多，今天他又强行以内力疏通阻塞的经脉，毒上加伤，谁也压不住——反正我办不到，距此二里之处有个菩萨庙，我看你去那儿求求说不定有希望。"

"你不是大药谷的传人吗？"周翡一听就炸了，她病急乱投医地说道，"不都说你们大药谷生死肉骨吗？难不成是浪得虚……"

谢允吃力地一捏周翡的手，半合上眼，打断她道："阿翡，冤有头债有主，人人都有苦处，透骨青和人家没关系，你不要因为自己不痛快就随便戳别人的痛处。"

周翡茫然又委屈地闭了嘴。

应何从听了她这番话，本就薄如窄缝的嘴唇退尽了血色，漆黑的眼珠好像已经装不下他漂泊的痛苦。因为周翡字字如鞭，不留情面地抽在他身上，他只能僵硬地挺起脊梁，尽量让自己"挨打"的姿态好看一些，一字一顿地说道："不错，我是大药谷的传人，但我不会治病，连用毒的本领也是稀松，因为我幼时不学无术，总是在师父讲药理的时候溜出去玩，大药谷三千典籍被廉贞与文曲劫掠后付之一炬，只剩下我这么一个不肖弟子。"

那个倍感束缚的家，总有一天再也回不去。那些药方与药理，好像总是听不到头，枯燥又乏味，偷懒的孩子日复一日地耍赖，总想着从明天开始用功，却不知世上最理所当然的"明天"也有失约时。

"我只会报仇。"应何从说道，"不会救人，人称我为'毒郎中'，我也……不是什么药谷传人。你还有别的事吗？"

周翡一时说不出话来。

应何从等了片刻，又道："要是没有，就等你以后想好了再说吧。"

他撂下这一句话，便急不可耐地背着箩筐转身逃走了，脚步居然有一点狼狈。年轻的毒郎中在婆娑树影中孤独地穿梭而过，身后是他仇人的尸体，而他漠不关心，也无法得意。

因为突然，他意识到，无论这仇他报不报得，大药谷都已经没了，它的神与魂早已化成飞灰，被无情岁月抹去，连一点可怜的传承都没剩下。他是不配以"药谷遗孤"自居的，大概只算得上一棵没着没落的坟头草。

关山难越，谁悲失路之人。

萍水相逢，尽是他乡之客。

永州的日头沉入山下，余晖落寞地行将收场，山间白雾越发浓重。

谢允眼皮有些重，他便不睁开，贪恋地靠着少女温暖又柔软的身体，还不知道应何从已经走了，仍在几不可闻地说道："一国一家、一派一人，都有气数，都有尽时，应公子，这没什么。"

周翡忽然听不下去了，她一把拽起谢允，吃力地将他背在身上。

什么楚天权的尸身、慎独印、漏网的北斗黑衣人，她全然不放在心上了。

周翡茫然地想，她非得找一条路走下去不可，既然应何从那个废物指望不上，她便继续找，一直找到一个能救他的地方，那地方在天涯也好，在海角也好，但凡在六合之内，便总有她能抵达的一天。

谢允被她并不宽厚的背硌得胸口发闷，只好无奈地在她耳边说道："阿翡，你说如果你是我，哪怕最终功败垂成，也能闭上眼，二十年后还能顶天立地……我听完可信了，如今不成就是不成了，你那说好的顶天立地呢？真要哭鼻子，那可是食言而肥了。"

周翡背一把百十来斤的刀不算什么，背着个手长脚长的人却不大得劲，十分吃力，咬牙道："闭嘴！"

谢允一只手绕到她身前，在她脸上摸索片刻，果然没有摸到一点湿意，便笑道："好，美人，我就喜欢你这副到死如铁的心肠……你先放我下来，我想跟你说几句话。"

周翡不理他。

谢允便自顾自地搂住她单薄的肩膀，恍惚间，觉得自己嗅到了一点非常浅的花香，同她脖颈间皂角的气息混在一起，混成了一种特别的味道，洁净又素淡。他有一点出神，缓缓地说道："赵家的江山，传到我祖父那一辈……也就是先帝那里，便四面漏风了，很多东西积重难返，偌大一个社稷，就好似个行将就木的老东西，摇摇欲坠。我祖父是个生不逢时的皇帝，做梦都想走出一条中兴之道，他夙夜以继，勤政以致积劳成疾……一意孤行地在朝中强行推行他异想天开的新政，杀了不少挡路的人。

"以致他在位时，先后有两位藩王叛乱，流民泛滥成灾……宗室、权臣，没有一个与他一条心。我爹六岁便受封太子，在东宫住了大半辈子，是个温和懦弱的人，他只知先帝有错，却不知错在何处，想要劝解，又不敢违抗君父、仗义执言，每日来回在先帝和朝臣面前和稀泥，每每回到东宫都是一脸苦闷，弄那些个风花雪月的东西聊以浇愁，文不成武不就，连个跟他身边陪读的小太监都不如……赵家气数尽了。自此舆图换稿，王孙南渡，也是情理之中。

"阿翡……"谢允伏在她肩上，原本搭在一起的手没了知觉，不知不觉地垂了下来，他喃喃道，"我方才说的，凡人也同江山一样，很多事情，譬如生老病死……既然已经注定，便是人力所不能及……"

周翡大声道："不用说了，我才不相信！"

周以棠临走的时候，将强者之道牢牢地钉进了周翡的心里，每每她遇到迈不过的坎，便总觉得是因为自己无能。

这是少年人意气风发时的想法。

而突然，她发现事实不是这样的，哪怕你有飞天遁地之能，也总会有一些东西，注定求之不得，注定束手无策。

　　周翡心里隐隐明白了这一点，却不甘心承认，只好欲盖弥彰地大声反驳。谢允何等聪明，闻弦音知雅意，立刻便从她这"不相信"中听出来——她其实已经信了。

　　任她刀风凛冽、骄狂桀骜，也终有被人世驯服的时候。

　　这岂不就是凡人的一生吗？

　　当谢允四方浪迹，流落在某个不知名的客栈中，独坐于孤灯下时，他曾无数次地幻想过自己会死在何时何地，又该葬在哪里才能魂归故里，总是想着想着，便不由得悲从中来。此时，他终于感觉到了将至的大限，心里却突然很平静。

　　他不再搜肠刮肚地回忆逐渐想不起来的旧都，也不再惦记繁花似锦的金陵，甚至没去想自己从小长大的师门。

　　旧都真的是故乡吗？

　　朱颜已改的雕栏玉砌，除了不甘的怀想，还能算故乡吗？

　　"阿翡，"谢允说道，"以前同你说，要你做端王妃的话，是与你闹着玩的，不当真……"

　　周翡硬邦邦地说道："别做梦了，谁说要给你做……"

　　"因为我也不想做什么'端王'。"谢允兀自轻声道，"跟那曹胖子一个封号，纵然比他英俊潇洒，也没什么光彩的。

　　"我想跟你去四十八寨，去个……随便什么的地方，生成个山野村夫，死成个山鬼林魅，闲了就气你，挨打就跑，跑个十天半个月，等你气消再回来，整日受气也没有怨言……"

　　他的声音越来越低，到最后含混得连自己也听不清，好似化在了自己描绘的梦境里。

　　树林在晚风中哗哗作响，夜色错落而绵长。

　　谢允唤了一声："阿翡……"

天高地迥，南北无边。

到头来，原来吾心安处即家乡。

"阿翡。"他又在心里叫了她一声，总觉得她能听见。

而后渐渐看不清来路与去路，渐渐不再困于尘世纷扰。

第八章·

伤别离（下）

她在万水千山中，独自站在一叶扁舟之上，忽然觉得天地无穷大，两岸静得连猿声都没有，是这样凄清寂寞。

　　周翡听见水声，强一阵弱一阵的，从她耳边潺潺而过，当中裹着一个苍老男人的声音，正和着桨划水声，断断续续地哼唱着什么。唱的似乎是渔歌，不知用的哪一方的土话，周翡听不大懂，只觉颇为悠然。她以为自己尚在梦中，可是随即，几颗冰凉的水珠飞溅到她脸上，周翡蓦地睁开眼，宏大的星河旋转着撞进她眼里，顺着远近山峰，穹庐一般地倾覆落下，盖了她满头满脸。

　　周翡艰难地把自己撑起来，手脚发麻得不听使唤，才一抬头，便涌上一股说不出的头晕恶心，她眼前一黑，又仰面倒了回去，好一会儿，才借着星辉看清周遭。

原来她在一条小船上，小船不紧不慢地在起伏的碧水中缓缓而行，水面澄澈，一把星子倒映其中，随水流时聚时散……

虽然煞是好看，周翡却被晃得更晕了。她趴在船边干呕了几下，可惜肚子里前心贴后背，什么都没吐出来。周翡死狗似的在船边吊了片刻，耳畔轰鸣作响，满脑子空白，记忆好似断了片，莫名其妙地寻思道："我刚才干什么来着？怎么会在这儿？"

这时，有人出声道："小姑娘，你这命是捡来的吧？怎么一点也不知道惜着点呢。"

周翡愕然地眯起眼望过去，见船头有个瘦高的人影，那是个老人，头上戴着斗笠，赤着脚，后背佝偻，一双瘦骨嶙峋的手正不紧不慢地撑着船。老人"嘿"了一声，又冲她说道："你中了蛇毒，手里就攥着解药，偏不吃，想试试自己能活多长时间是不是啊？"

蛇毒？

周翡脑子里"嗡"一声炸开了，好像一道生锈的门轰然炸开，闹剧一样的征北英雄会、活人死人山、楚天权、应何从……诸多种种，纷至沓来地从她眼前闪过，最后落在一个长身玉立的人身上。

对了，谢允呢？！

周翡直挺挺地跳了起来，小船本就不过是一叶扁舟，被她这重重一踩，立刻左摇右晃起来。

老人"哎哟"一声，将手中大船桨轻轻摆了几下，也不见他有多大动作，便将小船稳住了："慢点啦，慢慢来……阿弥陀佛，你们这些慌里慌张的小施主啊。"

周翡这才看清，撑船的老人居然是个和尚。

他身上穿一件打着补丁的破袍子，留了一把花白的小胡子，脖子上挂了一串被虫啃得坑坑洼洼的旧佛珠，一双洗得发白的僧履放在一边。

周翡扶住船篷，指节扣得发白，艰难地问道："老伯，跟……跟我一起的那个人呢？"

老和尚没回答，只是一手夹着船桨，一手提掌竖在胸前，低低地诵了一声佛号："阿弥陀佛。"

周翡呆立原地，整个人僵成了一个石像，然后突然瑟瑟地发起抖来。

漫天的星光好似一下子跌落水中，暗淡成了铁石，周遭的山鸣与水声全都弃她而去。

来时，周翡身边有李晟、李妍，有杨瑾、吴楚楚，她要看着谢允，防着他溜走，要在百忙之中匀出时间捉弄杨瑾，要保护吴楚楚，要和李晟吵架，还要看着李妍不让她闯祸，整天被吵得一个头变成两个大，忙得要命。

而今，她在万水千山中，独自站在一叶扁舟之上，忽然觉得天地无穷大，两岸静得连猿声都没有，是这样凄清寂寞。

周翡手上有刀，心里装着练不完的功夫，连坐在马车上闭目养神的片刻光景，都忙碌得很，她从来不会没事做，有时候觉得整个人世都很吵、很麻烦，可是忽然，她心里繁忙的楼阁倾颓了一半，砸出了一片旷野荒原似的废墟，她茫然四顾，有生以来第一次尝到孤独的滋味。

老和尚却不看她，依旧不紧不慢地划水，问道："姑娘要往何处去？老衲送你一程。"

要往哪里去呢？

周翡说不出。

老和尚见她不答，便不再追问。小船顺着时宽时窄的江流往前走，他操着沙哑的嗓音，悠然地哼起渔歌来。周翡晕得有点站不住，不知是凝露的后遗症还是她天生晕船，便顺着落了帘子的船篷颓然坐在船板上。

她不知道自己应该往什么地方去，也不知道自己要去做什么。

人的一生中，好似总有那种时候，觉得自己过去的若干年都活到了狗肚子里，一瞬间便被打回了原形。

周翡突然觉得，过去那些日子，她从北往南，遇见的无数人与无数事，都如浮光掠影的一场梦，如今夜幕之下，她大梦方醒，独当一面的魄力和千里纵横的勇气都是她的臆想，她浑浑噩噩，还是那个被关在四十八寨山门里的小女孩。

她胸口堵得难受极了，有生以来从未学过大哭大叫，而此时身在这摇摇摆摆的小舟上，更是连挥刀乱砍都做不到，那些痛苦好似暴虐的洪水，盘旋在她浅浅的胸口里，竟是无从倾吐，所幸她自小心志坚定，即便这样，也没想从船上跳下去，泡成一具浮尸。

周翡突然开口道："老伯，你有酒吗？"

老和尚答道："酒乃八戒之一，老衲倒不曾预备，船篷上挂着个水壶，里头煮了些水，姑娘若不嫌弃，可自取饮用。"

周翡便伸长了胳膊，摘下船篷上的水壶，凑在鼻尖闻了闻，闻到水壶里有一股清凉的草药味，她懒得去想里头有些什么，也不在意陌生人给的东西入不入得口，便直接灌了半壶下去，发涩的苦味顺着喉咙下去，一直流入她胸口，药味冲得周翡直皱眉，头晕的症状却似乎缓解了不少，人也终于清醒了一点。

老和尚看了她一眼，见她眼珠终于会转了，便同她说道："咱们已经出了永州城了，再往前走，便彻底离开这地界啦，你想好自己要去何处了吗？"

周翡交代过杨瑾，要和他们在永州城外碰头，本该往回走，可是话到了嘴边，她又懒得说了。

碰了头，然后呢？

大概要继续追查"海天一色"吧，但周翡已经没有兴趣了。她一条腿懒散地伸着，另一条腿蜷缩在身前，一时间，觉得自己对什么都没兴趣，连刀都懒得琢磨了，只想随着这条破船漫无目的地呆坐。

老和尚背对着她，说道："想不出来也不要紧，你记得自己为何而来便是了。"

周翡把玩着铁壶，低着头说道："我为一个人而来。"

可是那个人已经没了。

老和尚道："不对。"

周翡不明所以地看了他一眼。

那老和尚一撑船桨，后背凸起的肩胛骨好像两片快折断的蝶翼，一缩一展地上下移动着。

周翡见他似乎很吃力，便道："我帮你吧。"

老和尚也不推辞，将一人长的大船桨递给她，自己把斗笠摘下来放在一边，一丝不苟地将鞋穿好，又对着水面整了整自己那身袍子，从容不迫，十分讲究，好像他穿的不是补丁摞补丁的破僧袍，而是件大有神通的圣袍法衣。

周翡将船桨在手里掂了掂，发现这东西还怪沉，比她惯常用的刀还要压手，她学着那老和尚的动作，将船桨斜插入水中，往后划水，谁知把式学得挺像，却不知哪里不得法，那小船在原地转了七八圈，然后长了尾巴似的，一寸都不肯往前走。

周翡问道："大师，怎么让这玩意往前走？"

老和尚盘腿坐在一边，不指导也不催促，答非所问道："怎么往前走？你不如再好好想想，何为前？何为后？想通了，你就知道怎么往前走了。"

小船又歪歪扭扭地与她的想法背道而驰，周翡手忙脚乱地摆弄着这根大船桨，怀疑自己碰上了一个疯和尚。

老和尚端坐默诵佛号，一粒一粒地掐着佛珠，笑道："你说你为一人而来，可你所说的那人，也不过是途中一段起落聚散皆无常的缘分，既然是偶遇，怎能说是为他而来呢？"

周翡拎着不得要领的船桨，茫然地在船头上伫立。

一开始，是李瑾容叫她去接晨飞师兄和吴将军家眷，谁知晨飞师兄半路殒命，吴氏三口人也只剩一个孤女，她风餐露宿地被追杀回四十八寨，又遇上浩劫一般的兵祸……

周翡轻声道："大师，你又不认识我，你知道什么？"

老和尚将佛珠绕到四根并拢的手指上，问道："你认得那人之前，整天都在做些什么呢？"

大概是她心里空空如也、无事可做，周翡发现自己的脾气居然变好了，听了老和尚这番故弄玄虚的车轱辘话，竟也没有翻脸，反而饶有兴致地跟着他扯起淡来。她耐心地说道："以前就是在山里随便练练功。"

老和尚便道："在山里练功，那么你练功是为了什么呢？"

周翡不假思索道："不然干什么去？书我肯定是读不下去的。"

老和尚道："那么你要找的人既然已经不在了，回去继续练功岂不理所当然，为何跟我说不知往何处去？"

周翡一时语塞。

"阿弥陀佛，"老和尚又不依不饶地追问了一遍，"姑娘，你练功是为了什么呢？"

练功是为了什么呢？

最开始，只是为了孩童的好胜心，博大当家一点头而已，后来她幻想着总有一天能超越李瑾容……这倒不太执着，因为在当时看来，这目标太过遥远，几乎只是个妄想。再后来，周以棠用"强者之道"给她以当头棒喝，推着她走进步步惊心的牵机丛中。

她终于得以走出那扇山门，离开桃源似的四十八寨，被江湖中险恶的血雨腥风吹打了一圈，见识了恶人横行、公义销声、小丑跳梁、英雄末路……她时常看不惯，时常悲愤交加，却大多只能随波逐流地独善其身、无能为力。

渐渐地，她想要磨出一把真正的破雪刀的意愿一天强似一天。

周翡从未见过她那位生活在传说中的外祖父，李瑾容等人也很少与她提起，但自从流言蜚语将"南刀传人"这不副实的声名强加给她的时候，她却无端感觉到了一种与他一脉相承的联系——并非出于血脉，而是系在刀尖。

周翡愣了良久，喃喃道："为了……为了我先祖的刀吧。"

老和尚眯起皱纹丛生的眼，和蔼地看着她。

"双刀一剑枯荣手的故事都过去了，"周翡说道，"我们这些不肖子孙拿着先人留下来的刀剑，连苟且尚且艰难，也太窝囊了。总觉得不该是这样的。"

老和尚点头道："名门之后。"

周翡摇摇头——至今别人问她是谁，她都态度很差地搪塞过去，不敢说她姓周名翡，出身四十八寨，是李家破雪刀的传人，一方面是出于谨慎，不想给家里找事，一方面也是隐约觉得自己配不上"南刀传人"这个名号，报出来未免太羞耻了。

她长长地舒了口气，觉得心中痛苦并未少一分，魂魄却苏醒过来，便伸手一揉眉心，心想：是了，家里眼下还不知怎么样了，霍连涛闹的这事也不知对战局有什么影响，何况如今霍连涛一死，往后丁魁之流不是更加肆无忌惮？

她得回去，将来龙去脉和李瑾容说清楚，如有必要，说不定还得继续追查这个搅得中原武林天翻地覆的"海天一色"。而四十八寨中人才凋敝，虽有大当家坐镇，万一有事，必然还是捉襟见肘，她无论如何也该接过一些责任了。

这么一想，方才还空空如也的心里顿时被满满当当的事塞了个焦头烂额，周翡叹了口气，对老和尚道："那便……劳烦大师送我回永州城外吧，我这个……这个船实在……"

老和尚看着她笑，接过她手里不听话的船桨，吩咐道："你去船篷里看看。"

周翡以为他支使自己帮什么忙，便小心翼翼地踩着左摇右晃的船板走过去，掀开厚厚的帘子往里一看……

她倏地怔住了，只见船篷中有一个她以为终生难以再见的人，安静地躺在那里。

周翡膝盖一软，险些直接跪下，踉踉跄跄地扑了进去，她的手哆嗦了几次，方才成功放在谢允鼻息之下。虽然依然冰冷，虽然微弱得几乎感觉不到，但居然还有一口气！

她呆愣良久，跪在小小的船篷里，不知不觉，已经泪流满面。

周翡哭的时候，老和尚也不管她，他不再摇桨，小船却好似生出两鳍，自己破开水面往前行去。一只不知从哪儿飞来的水鸟落在了船舷上，歪着头打量了老和尚片刻，竟不怕他，缓缓放下夯起来的羽毛，悠然地伸长了鸟喙，梳起毛来。

不知过了多久，周翡才一掀船篷上的帘子出来，那水鸟见了她，却受了好大一惊，梗着脖子尖叫一声，扑棱棱地飞走了。

老和尚头也不回地叹道："刀锋外露，算是有小成了。"

周翡擦干了眼泪，眼圈却还是红的，怎么看都只是个受尽了委屈的小小少女，不知老和尚和水鸟是怎么心有灵犀地看出她"刀锋外露"的。

她沉了沉自己的心绪，清了一下嗓子，正色道："多谢大师。"

这话听来没头没尾，好似十分莫名其妙，老和尚却是了然地一笑，冲她摆了摆手——人和动物是一样的，有时能感觉到无形无迹的杀机与死亡，亲人临终的时候，旁人看着他的眼睛，往往会下意识地屏住呼吸，奋力想听清他说了什么。等到弥留的人闭了眼、彻底尘缘断绝时，其他人便会开始大放悲声，心里仿佛生出千般万般不切实际的幻想与撕心裂肺的不舍，理智上无论如何也接受不了。

但其实，他们屏住呼吸的那一瞬间，就已经做好了准备。周翡早知她已经无力回天，嘴里虽然战战兢兢地问了，心里却并没觉得自己还能见到活着的谢允，此时见他虽然那副熊样昏迷不醒，但好歹还有一口气在，便知道是这素不相识的老和尚用了什么方法，才留住了他的命。

虽然只有一点气息，却足够将周翡方才一把万念俱灰的心头火重新烧起来了。她觉得自己有点丢人，十分克制有礼地问道："大师，他现在这样，可还有什么办法吗？"

老和尚回道："老衲只能以银针辅以一些药吊住他的小命，究竟怎么驱除透骨青之毒，我们几个老东西好多年前便开始琢磨了，至今也是没什么眉目……唉，老衲听说推云掌重现蜀中时便觉不好，一路找过来，不料还是晚了一步。"

周翡从这句话里听出了好几层意思，有点震惊地问道："大师……那个……敢问前辈法号？"

"可算想起来问啦？"老和尚笑道，"不如你再想想，还忘了什么？"

周翡将戳在船身的苗刀在手里转了一圈，没好意思搭腔——她忘的事多了，什么楚天权的尸体、消失的慎独印，还有谢允几乎舍命救出来的倒霉孩子赵明琛……方才真是五内俱焚，烧出来的黑烟把她都熏迷瞪了。

老和尚道："老衲只是个云游四方的野和尚，法号'同明'，想必你也没听说过。"

周翡："……"

这是谁？还真没听说过。

同明老和尚一指船篷，又说道："那不成器的后生，便是我的弟子。"

周翡差点给他跪下，不知道这会儿补一句"久仰"还来不来得及。

同明笑起来，补充道："不过他虽出自我门下，却是俗家弟子，也不是什么带发修行的，他小时候自作主张地剃过头发，只是我知道他一身尘缘，便没替佛祖收他，没人理他，过了几年他自己怪没意思，又自行还俗了。"

周翡："……"

她总觉得老和尚跟她解释这句话的时候带着点揶揄。

周翡张了张嘴，不知该接什么话，便干脆撑着长刀坐在船篷旁边，道："他……谢大哥同我说过，当年是他一位师叔将毕生功力传给了他，才压制住了透骨青。"

"嗯，"老和尚点头道，"用极浑厚的内力将透骨青封在他经脉中，当时我亲自下的针。唉，我那时便觉得此计不过权宜，不能长久。安之这孩子，天生情深，叫他一直冷眼旁观，是肯定不能的。"

周翡："安之？"

"他一个师叔给取的字。"同明道，"没告诉你吗？"

周翡："……"

告诉她的是"霉霉"。

周翡又追问道："那您这些年也……"

"我一直在琢磨这透骨青。"同明道，"除了以外力压制，也试着寻觅过归阳丹的药方，大药谷陨落得彻底，除了早年间流落出一些药丸，方子是一张也不剩了。但我查过一些旁的记载，知道归阳丹本是大药谷一个剑走偏锋的前辈入了偏门做出来的东西，因其种种坏处，一度被药谷禁止，这也是大药谷一朝覆灭，流落在外的归阳丹极其稀有的缘故。"

周翡奇道："偏门是什么？"

"就是炼丹，"同明道，"那位前辈天资卓绝，一朝遭逢大变之后，便心灰意懒，不再追寻医道，反而迷上了求仙问道，妄想能炼出长生不老丹来，长生不老自然是不能，他倒是弄出了不少十分荒谬的药方，归阳丹便是其中一种。据我考证，所谓'归阳丹'，应该是一种烈性大补之物，服用者内火旺盛，周身血管如江海涨潮，奔腾不息，内功能在短时间内暴长，只是内热越来越烈，直至爆体而亡。"

周翡震惊道："有毒啊？"

"你要那么说，倒也没错。"同明点头道，"归阳丹并不是透骨青的解药，只是两者正好相克，两种毒能搭起一个平衡，这个平衡能管多久，便看命了。"

周翡想起鸣风楼的老掌门，那位前辈确实是在她还不大懂事的年纪就没了，鱼老也只能整日在洗墨江里混日子，就算没有寇丹暗算，他也说不准还能活多久。这些毒啊药的，周翡通通是一头雾水，便直白地问道："那您是怎么打算的？我能做什么？"

同明道："我不日便带他回蓬莱去了。"

周翡听了"蓬莱"二字，倏地睁大了眼睛。

当年"双刀一剑枯荣手"都有名号，唯独"蓬莱散仙"四个字语焉不详，"蓬莱散仙"究竟是男是女、是老是少一概不知，甚至不知道这是一个人还是一群人，更有传言说，世上其实根本没这么个人，"蓬莱"这一说法，完全是随便来凑数的。

"至于姑娘，确实也有些事要劳你相助。"

这一夜，群星闪烁，圆月微缺，周翡做梦似的经历了一番生死，还偶遇了一位传说都传不真切的人，永州城里却远不像水面上那样平静。

早在楚天权的大队人马现身时，李晟便感觉不好，当时场中一片混乱，霍连涛一死，这帮"英雄豪杰"便好似成了没头的苍蝇，只会晕头转向地跟着人跑。楚天权固然危险，但那水榭中小小年纪的赵明琛怕也不是什么善茬，那两拨人钩心斗角，倒要将这些个不明就里的江湖人卷进来当炮灰。

李晟一边在心里将说跑就跑的周翡骂了个狗血淋头，一边叫杨瑾看好吴楚楚和李妍，朗声道："北斗诡计多端，诸位！诸位听我一句，谨慎行事，先保全自己要紧！"

可除了刚开始跟着他布阵阻截丁魁的那一小撮，其他人都被"国仇家恨与江湖大义"冲昏了脑袋，义无反顾地卷进其中拼杀，谁会听一个名不见经传的少年人敲退堂鼓？李晟喊了好几声，嗓子直冒火，依然于事无补。

杨瑾带着李妍和吴楚楚赶过来同他会合，说道："神医救不了找死的，快别管了！"

李晟一咬牙："跟我来！"

李大公子本就心思机巧，同冲云子学了数月的齐门阵法，虽从未拿出来用过，却好似天赋卓绝，一点就透，这会儿眼观六路耳听八方，将一帮跟着他的陌生人指挥得团团转，硬是看准了北斗黑衣人包围圈中的一个薄弱之处，三下五除二带人杀了出去。他们前脚刚冲出去，身后便传来激烈的喊杀声，众人回头望去，刚好见到无数人马从后山中冲出来的那一幕。

李妍莫名其妙道："什么意思，援军？那咱们还跑什么？"

不少人也同她一样疑惑，纷纷驻足观望。杨瑾惯常皱眉不满道："你们中原人……"

李晟远远望去，见那山上冲下来的人分了几路，井然有序，远近配合，甚是厉害，可不知为什么，他心里却隐隐有些不安。突然，好不容易将气喘匀了的吴楚楚忽然道："不，走，快走，那必是军中之人，不知是谁麾下的人马，未必是好意！"

李妍奇道："不是那个康王带来的吗？"

吴楚楚脸上没什么血色，话却仍说得十分清楚："康王天潢贵胄，君子不立危墙，倘若真埋伏了那么多人等着伏击楚天权，方才必然不会自己露面。我从终南一直被朝廷派兵追杀了一路，我熟悉他们，你们相信我！"

李晟看了她一眼，当机立断："走！"

跟着他们跑出来的有七八十人，兴南镖局那一帮是主力，还有一些不知是什么门派的与本就在外围看热闹的行脚帮弟子。跟着李晟的这一帮人是最早逃脱的，他们才刚奔出不过几里，便听身后传来巨响，那山庄中竟然火光冲天。

李晟心里狂跳，来的不知是何方势力，显然是要将他们一锅扣在里头。

这时，朱晨上气不接下气地上前一步，抓住李晟的袖子，问道："等等，周姑娘呢？周姑娘是不是还在里面？"

李晟脸色一白，却听旁边杨瑾嗤笑道："她？到如今七大北斗，除了死得早的，她挨个都交过手，青龙主本人都是折在她手上的，你死了她都死不了，放心吧。"

李妍怒道："杨黑炭，你说的是人话吗？敢情不是你姐！"

李晟虽没像她一样说出声，心里却道：敢情不是你妹。

"你们先走，"李晟想了想，冲杨瑾一抱拳道，"杨兄，劳你费心，暂且代我照看，我回去看看。"

杨瑾皱眉道："周翡说城外碰头，你回去没准会错过她，还容易陷在里面。"

李妍忙道："我也……"

"你滚一边去，别添乱。"李晟对李妍就不那么客气了，不耐烦地扒拉开她，又道，"就我一个人，脱身也容易，随便摆个石头阵就能藏一阵子，要是找不着人，我再回来，城外碰头。"

他说完，便要往回赶，朱晨见了，不知什么毛病，立刻也要跟上去，兴南镖局一帮人见了，全都大惊失色，齐声道："少主！"

"哥！"朱莹忙抓起峨眉刺追了出去。

就在这时，异变陡生。

一个黑影突然冒出来，一把抓起朱莹，李妍惊呼一声，杨瑾断雁刀一横，刀鞘打了出去，来人武功显然一般，眼看躲不开他这雷霆一击，却又有人大笑一声，飞身上前，伸手一抓，竟"笃"一下，将那断雁刀鞘抓在了手里。

杨瑾瞳孔一缩，抓了他刀鞘的人是丁魁！

原来抓了朱莹的，正是那日在客栈找兴南镖局麻烦的玄武派门下之人，被周翡削了一条胳膊，当时见机快，侥幸留了条命，跑回了丁魁身边，这会儿跟着玄武主从那山庄中趁乱撤出来，一眼瞧见了兴南镖局的软柿子，当即便起了歪心思，想起要兴风作浪。

丁魁被楚天权摆了一道，拿到手里的慎独印得而复失，还折损了不少人手，丧家之犬似的仓皇离去，心里别提多晦气了。那独臂的玄武黑衣人正好将朱莹拎到丁魁面前，涎着脸冲他献宝道："主上，咱们这回不算无功而返，这丫头可是个祸害，也害了咱们不少兄弟性命呢。"

朱莹面貌姣好，丁魁知道手下人是什么意思，闻声斜着眼打量了她一眼，感觉形容尚可，便意味深长地笑了。朱晨血气上涌，抽出佩剑，回身便向那独臂人刺去："你敢碰我妹妹！"

不等李晟出言阻止，兴南镖局众人更是群情激愤，一拥而上。

李晟："……"

他娘的，一波未平一波又起，看来他还走不了了！

"住手！"李晟喝道。

随后他一个眼神递过去，几个机灵的行脚帮弟子各自动了起来，占住了几个微妙的点——这一招在山庄里李晟便教他们用过，可惜有头有脸有门派的君子们一个记住的都没有，反倒是整日里在路上讨生活的行脚帮"下九流"机灵，稍微点拨几句，立刻便能举一反三。

可见有些门派没落了也是有原因的。

"在下见过了为了名利头破血流的，没见过没事找事还这么积极的。"李晟缓缓挪动着脚步，同杨瑾站了个直线，两人正好将丁魁夹在中间，随时可以同时出手发难，"玄武主，多行不义必自毙，你想当这个武林公敌吗？"

丁魁闻声大笑道："我的奶奶，武林公敌？我是谁的公敌，就你们这几只小猢狲？我说，这位小哥，你是谁家的小公子呀？怎么，霍连涛刚死，你就想接班当武林盟主啦？"

李晟没跟他耍嘴皮子，他目光往四下一扫，见除了兴南镖局的人真着急外，其他人虽然都在各自戒备，却谁都不肯上前，好似都在准备跑路。

有人说"仗义每在屠狗辈，负心多是读书人"，其实尽是放屁，屠狗辈跟读书人孬起来可谓殊途同归，没什么本质区别，充其量是读过书的无耻的姿势更优雅而已。这些江湖屠狗辈风里来雨里去地混，"道义"二字便如同读书人的"圣人言"，只是块鲜亮的大牌匾，真遇见事，当不得真。

李晟暗自皱眉，兴南镖局的那帮人都是花架子，往日行走江湖还凑合，遇见高手武功就不能看了。他和杨瑾两人，要是论单打独斗，谁都斗不过丁魁，只能一起上。可是丁魁不是光棍一条，他还带了不少打手，要是他们两人都被丁魁牵制住，那吴小姐和李妍那边出点什么事又该怎么办？

考虑别人的妹妹之前，自己的妹妹总是更重要一点。

丁魁仿佛看透了他的诸多顾虑，得意扬扬地冲他露出一口里出外进的龅牙，一摆手道："别给老子磨蹭！"

李晟正进退维谷，玄武派的人却毫无征兆地动了手，四五个玄武教徒分别扑向两边兴南镖局的人，朱晨首当其冲便被人一掌打飞了出去，他先天便不足，哪里受得了这个？趴在地上半天起不来，垂在一侧的腿居然当场抽起筋来。

丁魁见状诧异道："哦哟，这小白脸怎么这么不禁打？"

说完，他一伸手，从脖子上面卡住了朱莹的下巴，好像拖一只小狗，掐着她的脖子拖过来，指着朱晨道："这么个废物点心给你当大哥你也要？要是我，早找机会把他宰了，自己当老大，省得这不能当颗蛋用的东西来分家产。"

朱莹性子烈，受制于人连累家人本已经不堪忍受，听见这等混账话，更是气得浑身发抖，一时不知哪里来的胆子和力气，竟挣脱了丁魁的手，猛地上前一步，用自己的头和肩去撞他。丁魁嗤笑一声，懒得躲开，随意一指点出，正戳在那少女肋下，朱莹只觉得半身都麻了，当即便往前栽去，被那五短身材的丁魁一把抓住腰带，拎了起来，拎到眼前仔细端详，笑道："胆子不小，好……"

"好"什么他没来得及说，朱莹便一口啐向了他的脸。

丁魁自然不会让她啐到，他偏头躲开，再转过脸来，笑容却突然消失了。他嘴角两条耷拉下来的法令纹低垂着，神色有点死气沉沉的狰狞，随后，他面无表情地开口道："这个不好，去给我换一个能解闷的。"

旁人还没听懂他要换个什么，丁魁一只手便拎着朱莹，猛一挥手，像摔猫崽子一样将她往旁边的一块巨石上砸去。

朱晨一条腿拖在地上，整个人已经骇傻了。

李晟终于无暇再计较其他，提剑刺向丁魁后心，杨瑾与他同时动了，一刀斩向丁魁的手臂，趁着他松手错身的时候上前一步，挡在朱莹与巨石中间。朱莹一头撞在他胸口上，腿软得好似面条，直接原地跪倒，一脸涕泪地干呕起来。杨瑾出手救她小命，却没兴趣伸手扶她一把，这扛大刀的一心一意都在丁魁身上，撞开朱莹之后，便叫道："我来！"

说完，那断雁十三刀就好似疾风骤雨冲着丁魁劈头盖脸而来。

丁魁长啸一声，突然从腰间抽出一根锁链，毒蛇吐芯似的缠住了杨瑾的断雁刀，将他凌空卷了起来，同时回身打开李晟的剑，叫道："留下他们！"

玄武教众早在摩拳擦掌，闻声嗷嗷叫着便冲着李晟他们带出来的人扑了上去，除了几个行脚帮的还算靠得住，不少人一听活人死人山便先腿软，方才还在叫嚣要"除魔卫道"的人顷刻溃不成军！

众人都是萍水相逢，哪儿有眼睁睁地看着别人逃走，自己断后的道理？有第一个领头的，后面的人简直要一哄而散。

除了四十八寨被大兵压境，李妍便几乎没跟人动手的机会，此时也被迫拔出刀来，一手紧紧地握着刀柄，一手拉着吴楚楚。她从小什么都爱跟周翡学，长大以后也跟着练窄背的长刀，长刀一亮竟真的颇有名门之风，大开大合地一个劈砍逼退一个玄武教徒，然后将吴楚楚往旁边一拽，长刀满月似的画了个圆，一刀推出去，竟没人能近身。

吴楚楚一直没见过李妍出手，没料到她这样厉害，顿时觉得周翡以往编派这小妹的话都很不公平，便对李妍赞叹道："你武功很厉害啊！"

李妍身量未足，看起来娇娇小小的，提刀而立的样子却十分能唬人，她保持着这颇能唬人的姿势，嘴唇微动，悄悄对吴楚楚说道："我就三招使得熟，刚才用了两招了。"

吴楚楚："……"

李妍沉痛地说道："还有好多看不完的书，我也都能把第一页前三行背下来……不说这个，现在怎么办？"

吴楚楚纵有七窍玲珑心，也不知道仅凭她们两人，该怎么从一帮张牙舞爪的魔头手里杀出去。此时，周遭江湖好汉们跑了大半，不少玄武教徒被李妍那"惊艳"两刀吸引了过来，如临大敌似的将她们两人围在了中间。

"喊救命恐怕不行，"李妍紧张得手指关节攥得惨白，对吴楚楚小声道，"楚楚姐，你看以德服人靠谱吗？"

吴楚楚将手往怀里一摸，突然说道："屏息！"

说完，她猛地从怀中扯出一个布包，天女散花似的抖出了一堆白色的细粉。

玄武教众大惊，慌忙屏住呼吸后退，跑得慢的几个人落了一身白粉，吓得用力拍打，吴楚楚一拉李妍："快跑！"

李妍没想到这位大家闺秀竟还会玩这手，当即五体投地，问道："姐姐，你撒的什么药？"

吴楚楚道："什么药，是面。"

玄武教徒很快反应过来自己被耍了，当即分两路包抄过来，不过片刻便又追上了她们，吴楚楚又道："屏息。"

李妍苦中作乐地品出了一点娱乐："哈哈哈，骗傻小子。"

吴楚楚忙道："这回是真的！"

她说着，从怀中摸出了第二个包，李妍一眼扫过去，立刻敬畏地屏住呼吸，因为那是个灰扑扑的"荷包"，做工和针脚非常精致，口上以皮绳扎紧，上面别提绣花了，彩线也没一根——这一看就是周翡的东西，她就喜欢这种结实又好洗的样式。

吴楚楚倏地一转弯，两人顿时变成了逆风跑，她手指一撑便解开了皮绳口，往身后一抛。

穷追不舍的玄武教徒以为她故技重施，又扔出一袋面，哪儿会再上当？然而很快，他们便发现一股诡异的异香顺着风扑面而来，正是行脚帮拍花子专用的蒙汗药。跑得快的玄武教徒顿时手脚酸软，纷纷保持着向前冲的姿势扑倒在地。

李妍服了："这样也行！我就说练武功没什么用！"

吴楚楚没料到这番险境竟然诱导她得出这么个结论，顿时哭笑不得。

就在她们俩刚甩脱追杀过来的玄武教徒，尚未来得及松一口气的时候，前面林子中突然有野鸟凄厉尖叫着冲天而去，李妍周身一震，止住了脚步，便听见一阵窸窸窣窣的声音，一帮脸上戴着铁面具的人缓缓走出来。

为首一人约莫是个青年，一袭青衫，身量颀长，背着手，闲庭信步似的慢慢走着，可身形却不知怎么的，一晃便到了近前，李妍吃了一惊，不知来人是何方神圣，提刀挡在吴楚楚面前。

那青年看也不看她手中刀，直接开口问道："丁魁在吗？"

李妍蛇都不怕，对上那面具后面射出来的眼神，却不知怎么的一阵恶寒，闻言吭都没吭一声，抬手往身后一指，说道："那边。"

戴面具的青年点点头，也不道谢，又看了吴楚楚一眼，嘴角一勾，露出了一个冷森森的微笑，鬼魅似的与她们两人擦肩而过。

铁面具只能挡住眼周，鼻子、嘴与轮廓一概没有遮挡，倘若是先前认识的人，仔细看看，不至于完全认不出来，那人走过来的时候，吴楚楚便觉得他有些熟悉，及至见了这一笑，她浑身一震，一声"殷公子"差点脱口而出。

原来那戴面具的青年正是当日衡阳一别的殷沛！

不是说他先天不良，习武不行吗？怎么一夜之间成了这样的高手？

吴楚楚虽然震惊，却还记得殷沛讨厌别人提起他的出身与姓氏，当下果断一咬舌尖，硬生生地将"殷"字咽了回去。殷沛似乎对她的识趣颇为满意，没有为难她俩，轻飘飘地往前迈了一步，身形便如鬼魅似的，已在一丈开外！

李晟余光扫过，发现李妍和吴楚楚已经不在视线之内，顿时心急如焚，手上的剑招陡然凌厉，是不要命的打法，与丁魁几下硬碰硬，立刻便带了内伤。

就在这时，身后突然有人说道："让开。"

李晟强忍胸口剧痛，本能地往旁边一侧身，正躲过丁魁迎面一掌，随即，他便觉得一道青影从他身边卷过，一个不知从哪里冒出来的人不由分说，上来便架住了丁魁双掌，电光石火间，他已经与丁魁过了十几招，一股阴冷无比的气息从两人交手处掀起来，直叫旁观者都一阵气血翻涌。

杨瑾抽回断雁刀，与捂着胸口的李晟面面相觑。

丁魁好似认出了青衣人使的功夫，大叫道："冯飞花，你这孙子，还敢来见我！"

他脚下一使劲，地面竟皲裂如蛛网，双拳抵在胸前，猛地推向那

156

青衣人，谁知来人只是轻飘飘地顺势后退几步，笑道："玄武主误会了，白虎主冯前辈恐怕往后见不到你了。"

这声音年轻得很，丁魁听了一愣，再一细看，见眼前人身形与轮廓果然与白虎主冯飞花不同，有些疑惑，便道："你又是什么人？哪里学来冯飞花那老儿的手段？"

青衣人正是被吴楚楚认出来的殷沛，殷沛笑道："区区名字便不报了，我看那活人死人山四派并立，多年纷争未曾一统，觉得十分痛心，不如干脆由我一统，往后你只需记得唤我主上就行了。"

活人死人山欺男霸女，看上什么抢什么，敢怒不敢言者甚众，才有征北英雄会上的群情激愤，还从没听说过有要强抢活人死人山的。丁魁怀疑自己的耳朵出了毛病，目瞪口呆道："你说什么？"

殷沛单薄的嘴角有些刻薄地笑了起来，下一刻，一个黑衣玄武教徒陡然从他身后偷袭，殷沛肩膀不晃，头也不回地一伸手夹住那偷袭者的剑，轻轻一拉，便将那人扯到身前，那偷袭的玄武教徒只觉周身好似被蛇缠住了，冷意顺着他的皮肉一寸一寸地攀了上去，然后他眼睁睁地看着自己被那面具人抓住的手开始变黑，皮肉干瘪下去，并且顺着胳膊至他全身。

那玄武教徒口中发出一声不似人声的惨叫，在众目睽睽之下，竟成了一具人干！

殷沛没有被面具遮住的脸上露出一点微微的红晕来，他扯过一块手帕擦了擦手，在丁魁惊骇的目光下说道："玄武主，你怎么那么迟钝呢？至今还以为是白虎主将你坑到永州的吗？啧……"

丁魁瞳孔骤缩，看了看地上可怕的尸体，又想起眼前的面具人会使冯飞花的武功，头皮一阵阵地发麻。旁边的杨瑾等人也看呆了，李晟伸手用力一扯他，低声道："来者不善，至少非友，趁他们狗咬狗，快走！"

留下的人立刻互相搀扶，趁着那两大魔头对峙的时候飞快地跟着李晟跑了，殷沛余光瞥见，也没阻止，只是目光在朱晨身上停留了一下，朱晨好似被毒蛇盯住的青蛙，后背立刻布满了冷汗，连跟死里逃生的朱莹抱头痛哭的时间都没有。

什么挖心掏肝的木小乔、大变活人的楚天权等等诸多奇人怪事，李晟自以为已经看得不少了，可单就令人毛骨悚然这一点来看，以上诸多妖魔鬼怪，还真没有一个比得上眼前的青衣人。

就连看见什么都想较量一二的"杨斗鸡"都二话没说，提起断雁刀，撒开脚丫子便跟着他们跑了。一行人同先一步退出战圈的吴楚楚和李妍会合，带着一帮老弱病残，一路丝毫不停留地往约好的城外跑去，赶了一天一宿路，方才落脚。

永州城仿佛成了一口煮着沸腾毒水的大锅，稍不注意，便会被飞溅的毒液溅个魂飞魄散，怎么死的都不知道。直到众人逃离了这是非之地，在一家小客栈里落下脚来，朱莹还在不住地哆嗦。

"放心住一晚上吧，"杨瑾同掌柜的说了几句话，转回来将红色五蝠令扔回李妍怀里，说道，"这是行脚帮的客栈。"

李晟闻言回头看了一眼，客栈很小，掌柜的得兼任大厨，厨房的帘子没拉，那掌柜正手持一把大砍刀，在后厨剁排骨，刀光冷森森的。仿佛察觉到了李晟的目光，那掌柜的抬起头来冲他一笑，露出一口惨白的牙。

李晟忙端起他对着外人时世家公子似的温文尔雅，客气地冲那掌柜的拱手致谢，回过头来，却长出了口气，后脊梁的冷汗还是一层一层地往上反——从前听人说"江湖险恶""江湖快意"，险恶的地方他向来只当耳旁风，只记得"快意"二字，倾慕不已。

非得他自己仗着剑、不知天高地厚地走一趟，才能知道深浅。不必提外面那些动辄磨牙吮血的大魔头，便是这边陲处的小小客栈，倘若不是有杨瑾和李妍手上那方五蝠令，晚饭桌上的肉包子馅便指不定是谁身上剁下来的。

原来险恶才是常态，快意不过一时，而且你快意了，便必有人不快意。

李妍不会看人脸色，没注意李晟脸色不好，目光在疲惫的众人身上扫了一圈，她贼头贼脑地伸出爪子扒拉了李晟一下："哎，哥，我跟你说……"

李晟本就心里郁闷，见了她更是心头火起，二话没说，直接扣过李妍的掌心，拿起筷子便打。李妍惊呆了，好不容易忍住了没在大庭广众之下一嗓子叫出来，手心几下便被李晟抽出了一排红印，疼得眼泪都出来了。

李晟将木筷往桌上一拍，冷冷地对李妍道："你还有脸哭？'平时不用功，将来出门在外有你后悔的时候'，这话姑姑说过你没有？我说过你没有？今天算你运气好，可你难道打算这辈子都靠撞大运活着？"

李妍撇撇嘴，她小事上虽然惯常任性，正经事上却不大敢跟大哥呛声，尤其这会儿出门在外，连个给她撑腰的都没有。她哭也不敢使劲哭，自己坐一边抽抽噎噎，把袖子抹得一塌糊涂。

旁边杨瑾没见过这种说哭就哭的动物，颇为受惊，搂着他的雁翅大环刀将屁股底下的凳子挪远了，警惕地瞪着李妍，仿佛哭泣的女孩会咬人一样。

李晟到现在一闭上眼，都能想起自己被丁魁困住，一偏头发现李妍她们不见了时的心情，越发气不打一处来，沉着脸瞪李妍，瞪得她抽噎也不敢了，憋得脸色通红，大气也不敢喘。

杨瑾又将凳子挪了一丈远，心道：她要炸了。

吴楚楚实在过意不去，只好低声道："是我不好，是我拖累……"

李晟一摆手，他脸上好似挂了两个切换自由的面具，对李妍从来没好脸，但一转向别人，态度便又让人如沐春风了。

"不碍吴姑娘的事，"李晟说道，"舍妹不成器，叫诸位看笑话了。"

李妍实在憋不住，急喘了几口气，哭得把自己噎住了。吴楚楚在桌子底下抓住她的手摇了摇，小心地转移着话题，说道："那个戴面具的青衣人，我以前见过的。"

她有心转移话题，三言两语便将殷沛、纪云沉与郑罗生的恩怨交代了一遍，末了又有些疑惑地说道："我虽然不懂，但上一次见他的时候，他好像并没有这么厉害的身手，今日再见，觉得他整个人都有点古怪。"

众人很快被她这一番曲折的故事摄去了心神，训妹的忘了训，委屈的也总算有机会将鼻涕擤干净了。

"山川剑的后人？"杨瑾先是面露向往，随即想起那被吸干的玄武门人，又皱起了眉，"怎么会长成这样？你们中……"

"我们中原人没一天到晚不好好练功走歪门邪道！"李妍带着浓重的鼻音打断他。

"也不能那么说，"李晟想了想，说道，"功夫一道，有几十年如一日练出来的，也不乏剑走偏锋的高手。只是无论哪一种，都得有代价，想攀绝境，必临险峰，你们看着他是一步登天，但背后付出的代价也必然极大，相比起来，花花功夫和心思反而是最稳妥的，也不必非议……只是我没看明白，他是怎么把那人吸干的？"

吴楚楚和李妍都没有亲眼看见，李晟离得稍远，唯有杨瑾迟疑了一下，说道："我倒是看见了一点。"

三个人六只眼睛都落到他身上。

杨瑾平常不拘小节，袖口总是轻轻挽到手腕朝上一点，露出来一小截手臂，他说到这里，手臂上竟起了一层鸡皮疙瘩。

"我不确定看没看错……"杨瑾迟疑道，"但是那个玄武门人死之前，身上好像有什么东西在动，就是皮下似乎有个什么活物，不知是什么东西，正好爬到他脸上的时候，我看了一眼。"

他好像怕自己说不清楚，蘸了一点水，在桌上画了一坨："大约这么大，就是这个形状。"

杨瑾成功地将鸡皮疙瘩传染给了其他人。

半晌，吴楚楚才开腔，她拢了拢外袍，低声道："我好像有点冷。"

李妍："我也……慢着，谁把门打开了？"

李晟探手按住了腰间双剑。

小客栈关上的木门"吱呀"一声开了，跟后厨正好来了个脸对脸的穿堂风，方才还在各自低声说话的客栈大堂里顷刻间鸦雀无声，"叮"一声轻响分外扎耳——那是门帘上的小珠子撞在铁面具上的动静。

李晟心里"咯噔"一下，心道：白天不能说人，晚上不能说鬼，老话还真是诚不我欺。

噩梦似的殷沛出现在门口，慢条斯理地伸手将门帘拢成把，轻轻拂到一边，负手走进客栈中，他目光四下一瞥，十分浮夸地叹了口气："瞧瞧，人生何处不相逢啊。"

殷沛露在铁面具外面的脸比方才更红了，好像抹了劣质的胭脂，脸颊和嘴唇红得妖冶，脖颈和双手却惨白得发青，单看这副尊容，好似已经能直接推到坟头上当纸人烧了。

不知谁不小心失手打翻了杯子，打碎杯子的动静格外刺耳，殷沛转脸看向吴楚楚，杨瑾缓缓将断雁刀推开了一点。

殷沛对着吴楚楚问道："以前跟你一起的那个野丫头呢？"

吴楚楚的声音有些发紧，低声道："她……她和我们分头走了。"

"哦，"殷沛一点头，笑道，"可惜。"

吴楚楚一手心的汗，可惜什么？

周翡与殷沛虽然无仇无怨，但对他可不曾客气过，此人一看便是心性偏激之人，莫不是想将当日受的辱一起报复回来？

殷沛见她后脊梁骨僵成了一条人棍，十分得意地笑道："怎么，怕我？"

吴楚楚点头也不是，摇头也不是，唯恐一个回答不当，给自己和别人找麻烦，后背更僵了，李妍却不管那许多，张口便要说话，被吴楚楚在桌下一把按住。殷沛显然被众人的戒备与畏惧取悦了，愉快地笑出了声，随即宽宏大量地放过了他们这一桌，转向兴南镖局一侧，伸手一指朱晨，说道："你，跟我走。"

兴南镖局大概应该改名叫"倒霉镖局"，众人被这无妄之灾砸了个晕头转向。朱晨脸色陡然白了，强撑着发软的腿站起来，勉强镇定道："这位前辈……不知有何指教？"

"前辈？"殷沛尖声笑起来，"前辈，哈哈哈！"

朱莹哆嗦了一下，下意识地抓紧了兄长的袖子。

"你天生不足，"殷沛道，"注定是个肩不能挑手不能提的废物，走什么镖？瞎凑热闹。本座座下缺几条得用的狗，你过来给我当奴才，我教给你几招保命的招式，日后你只需在我一人面前做狗，宇内四海，随意作威作福，怎么样？"

他每说一句，朱晨的脸色便白一分，最后不知是气的还是畏惧，竟瑟瑟发起抖来。

朱莹显然已经习惯维护柔弱的兄长，跳起来道："我哥是兴南镖局的少当家，你胡说什么！"

殷沛好似听了个天大的笑话，纵声大笑道："兴南镖局？还……

还少当家？哈哈哈哈，好大的名头，可真吓死区区了。"

他话音未落，人已经到了朱家兄妹面前，一把抓住朱晨胸口。朱晨再瘦弱也是个十八九岁的大小伙子，接近成年男子身量，谁知在他手中却好似一片轻飘飘的纸，被殷沛一只手提在手里。

殷沛惨白的手腕上爬过一只面貌狰狞的虫子，约莫有大人的食指长，一直爬到了殷沛指尖，触须抵在朱晨喉咙下，仿佛下一刻便要从那儿钻进去！

朱莹与那虫子看了个对眼，骇得"啊"一声尖叫出声。

吴楚楚大声道："公子，正所谓'己所不欲，勿施于人'，你方才仗义出手，助我们打退那些活人死人山的恶人，我们都很感激，可你如今所作所为，又与那郑罗生有什么不同？"

殷沛闻言，偏头看了她一眼，长眉高高挑起，跃居铁面具之上。

"不错，"他坦然道，"你眼光很好，我正是跟郑罗生学的，郑罗生不好吗？他错就错在本事不够大而已，你放心，我已经吸取了这个教训。"

吴楚楚说不出话来。

殷沛眼睛一亮，笑道："莫非你也想入我门下？也不是不成，你虽然百无一用，勉强还能算聪明。"

他揪着朱晨，在众人惊呼中转身掠至吴楚楚面前，杨瑾的断雁刀"哗啦啦"地响了起来，刀锋如火一般径直斩向殷沛身上那恶心的虫子。

殷沛哼笑道："蝼蚁。"

他身形不动，一抬手抓向雁翅大环刀的刀背，长袖之下，又有一只可怕的虫子露出头来！

就在这时，一道刀光横空而过，好似一阵清风从殷沛与杨瑾之间掠过，"笃"一下将那虫子钉在了地上。

殷沛暴怒:"什么人!"

李妍却大喜:"阿翡!"

周翡一身风尘仆仆,显然是赶路而来,甩手将苗刀上的虫尸抖落,她皱着眉端详了殷沛片刻:"是你?"

殷沛倏地松了手,任朱晨踉跄几步一屁股坐在地上,咧开他那张吃过死孩子一样的嘴:"不错,是我,久违。"

李晟顾不上问她之前死到哪儿去了,起身低声道:"阿翡,小心,此人功力与丁魁不相上下,身上还有种会吸人血肉的虫子……"

"我知道,是涅槃蛊。"周翡接道。

李晟:"……"

他十分震惊,没料到自己这两耳不闻窗外事的妹子竟也有博闻强识的一天。

"我沿原路回去找你们,结果看见一地僵尸,"周翡道,"一个同行的前辈告诉我的——什么鬼东西也往身上种,殷沛,你他娘的是不是疯了?"

吴楚楚方才为了避免激怒殷沛,便是打招呼都只称"公子",没敢提"殷"字,不料周翡毫无避讳,大庭广众之下一语道破他名姓,殷沛登时怒不可遏,爬虫似的脖筋从颈子上根根暴起,大喝一声,猝然出手发难。

周翡不知是无知者无畏还是怎样,横刀便与他杠上了。

杨瑾先是皱眉,随即倏地面露惊异——因为他发现不过相隔两天一宿,周翡的刀又变了!

周翡的破雪刀走"无常道",原本是因为她擅长触类旁通与取长补短,将不少其他门派刀法吸取纳入,刀法时而凌厉,时而诡谲,叫人无迹可寻。可是突然,她好似经历了什么巨大的变故一般,破旧的苗刀在她手中竟好似脱胎换骨，陡然多了某种说不清道不明的东西，只有真正浸淫此道的人方能看出端倪。

所谓"无常"者，有生老病死、乐极生悲，又有绝处逢生、物是人非。

世情恰如沧海，而凡人随波于一叶。

九式破雪，"无常"一式，本就该是开阔而悲怆的。

殷沛内功深厚得诡异，分明没怎么移动，外泄的真气却将一边空出来的桌椅板凳全部震得猎猎作响，大有要摇山撼海、闹鬼叫魂的意思。而他领口、衣袖间不时有诡异的怪虫露出头来，一旦近身，很可能便被那虫子沾上，寻常人看一眼已经觉得胆寒。

周翡却全然不在乎。

可能是因为她见过殷沛以前那被人一抓就走的熊样，也可能是因为她方才经历过自己最恐惧、最无力回天的时刻，这会儿哪怕是天崩地裂都能等闲视之了。

周翡没有练过速成的邪派功法，也没有人传功给她，于内功一道只能慢工出细活，哪怕是枯荣真气，也需要漫长的沉淀。她清楚自己的斤两，因此以往遇见那些武功高过她的对手，都是凭着抖机灵和一点运气周旋，鲜少正面对抗。

可是这一刻，当她提刀面对殷沛的一瞬间，周翡突然有种奇特的领悟——那是一种难以言喻的感觉，是无数个早起晚睡，不厌其烦地反复琢磨、反复困顿之后捅破的窗户纸，好似突如其来的顿悟。

破雪刀从未有过自己的内功心法，如果持刀人有李瑾容那样犀利深厚的积淀，它便是睥睨无双的样子，如果持刀人有杨瑾那样扎实的基本功，它便是迅疾刚正的样子。甚至在周翡这样始终一瓶子不满半瓶子晃的人手里，破雪刀也有独特的呈现。

它只是一套刀法。

刀背不到半寸厚，刀锋唯有一线，却能震慑南半个武林。

破雪刀中有"无锋""无匹"与"无常"，却没有一个篇章叫作"无畏"，因为这是贯穿始终，毋庸赘言的。

此为世间绝顶之利器——

无论她的对手是血肉之躯还是山石巨木，她都有刀锋在手，刀尖在前。

殷沛周身裹挟的真气好似一潭深不见底的水，将他牢牢地护在中间，凡外力深入其中，必受其反噬，周翡的刀锋却好似悠然划过的船桨，悄然无声地斜没入水里，搅动间，水波竟仿佛能跟着她走，半旧的苗刀如有举重若轻之力，轻而易举地避开殷沛的掌风，直取他咽喉。

殷沛吃了一惊，竟不敢当其锋锐——他的功夫毕竟不是自己苦心孤诣练成，危急之下，常有本能之举，殷沛的本能是退避。仅退了这么一步，他方才那神鬼莫测的气场便倏地碎了。

殷沛很快回过神来，怒不可遏，一伸手抽出一条长锁链。

杨瑾一眼认出，这正是丁魁方才用过的那一条，那么玄武主的下场可想而知了。还不待众人毛骨悚然，那长链便飞了出来，三四只大虫子顺着锁链飞向周翡，其中一只不知怎的掉落在地，正好爬到了一个不知名的倒霉蛋脚上，那人愣了片刻，好似被掐住了喉咙，面色先青后紫，继而憋足了劲，杀猪似的号叫起来，情急之下，他竟伸手去抓，怪虫顺势一头钻进他手掌中，顺着他的胳膊爬过那人全身，不过片刻，便将他吸成了一具人干。

与此同时，那殷沛好似嗑了一口大力丸，手中铁链陡然凌厉了三分，他冷冷地一笑道："什么东西都出来混，这点微末功力，食之无味，弃之可惜。"

周翡脚步几乎不动，一手拿刀一手拿鞘，手中好似有一对交替的双刀，她"嘎啦"一下以鞘隔开殷沛的铁链，铁链妖怪舌头似的卷在了长鞘上。两只怪虫正好飞到空中，分左右两侧冲向周翡，周翡往后一躲，后腰撞上了一张木桌。

殷沛尖叫道："看你哪里走！"

周翡将苗刀一换手，面上瞧不出慌乱，整个人沿着木桌往后一仰，擦着桌沿滚了过去，竟没有碰翻那小小的桌子。她手中苗刀成了一阵飓风，刀锋快得叫人看不分明，密密麻麻地在空中织成了一张大网，而后只听"噗"一声，有什么东西落入木桌上的茶杯里，片刻后，两只分别被斩成三段的虫尸轻飘飘地浮了上来。

那碗水泡成了青紫色。

最后一只怪虫此时堪堪落在周翡刀尖，双翅颤动，竟不往前走。这畜生好似也生出了灵智，突然瑟缩了一下，倏地从她刀上落地，在周围众人一阵惊慌失措的"吱哇"乱叫声里闪电似的爬过，一头缩回了殷沛裤脚里。

殷沛呆住了。

"听说涅槃蛊与蛊主连心，"周翡看了他一眼，慢吞吞地回手端起一壶酒，将壶盖打开，用黄酒冲了冲苗刀沾了虫血的刀身，又道，"殷公子，你以一人之力，算计死活人死人山两大魔头，丰功伟绩够刻一个牌坊的，按道理比我厉害，怎么居然会怕我？"

殷沛脸上不正常的红越发浓艳，好似就要滴出血来，喝道："你放屁！"

他说着，便去驱动随身的蛊虫，可那些怪虫好似纷纷失了威风，不管怎么催逼都只是踟蹰着围着殷沛的裤脚绕圈，死活不肯往周翡那边钻。

周翡不过区区一个年轻的小姑娘，比之丁魁、冯飞花等人，硬功自然大大不如，这点殷沛心里明白，可"畏惧"一物，自古无迹可寻，好比幼儿怕黑、孩童怕雷，根本毫无根据，非理智所能克服。

或许是周翡的态度太笃定，或许是她手中的破雪刀又太莫测，也或许是周翡将长刀架在他脖子上，在衡山密道中单枪匹马直面青龙主的那几幕在殷沛心里的烙印太深。

反正此时见满地蛊虫不听调配，殷沛心里本来不怕，这会儿也真的生出隐约的畏惧来。

他脸上的血色蔓延到了眼里，眼白上布满了血丝。

随后，殷沛猛地一甩手，十多只怪虫骤然向他身后冲了出去，只听数声惨叫响起，门口所有人——连同方才跟着殷沛的一堆跟班都反应不及，被蛊虫敌我不辨地吸了个干干净净。殷沛不吝惜外人的性命便罢了，连他的跟班也毫不在意，将他们当成了随时可抛的垃圾，看也不看留下的尸体，整个人好似一团暴起的青影，冲出门外，倏地便没了踪影。

客栈里血气浓重得冲天，熏得人一阵阵作呕，半晌没人吱声。

好一会儿，吴楚楚才喃喃道："他……他这是发疯了吗？"

周翡将苗刀收入鞘中，挂在背后，默默从怀中摸出一个泛着辛辣味的小药包塞给吴楚楚。

吴楚楚："这是什么？难道是驱虫的……阿翡！"

周翡从桌上端起一个空茶杯盖，偏头吐出一口淤血来。殷沛那身功夫太古怪了，其厚重可怖直追楚天权，周翡虽然片了他的蛊虫，却也被那长铁链上暴虐的真气震伤了肺腑。幸亏殷沛以歪门邪道得来的功法十分囫囵吞枣，又被周翡用一包老和尚特产的驱虫药吓跑了，否则今天还不知道谁得躺下。

她送药、拿盏、吐血这一串动作下来，居然堪称井井有条，一滴血都没弄到衣襟上，以至刚开始众人都没看出她背过身是干什么的。

"天啊，姐！"李妍一把拉开她的胳膊，"你……你……你为了少洗一件衣服也是绝了！"

朱晨心里一急，当即便要上前看她，谁知他刚刚往那边走了一步，周翡已经被人围住了。

李晟拉过一条长凳，往周翡身后一塞，暴跳如雷道："让你逞强，就你厉害，你一天不显摆能死是吧？活该！"

"好了好了，少安毋躁。"吴楚楚往四周看了一眼，三步并作两步跑到掌柜处，讨来一杯温水给她漱口。

杨瑾双臂抱在胸前戳在一边，迫不及待地说道："你方才那是什么刀？我要跟你比试一场！"

吴楚楚和李妍听了这话，同时开口抗议。

吴楚楚道："杨公子，劳驾！"

李妍则直白地吼道："滚！"

他们这些人，虽然听起来十句有九句是在七嘴八舌地吵架，却好似自成一国。朱晨敏感地发现，自己这个外人走过去有些格格不入地扎眼，他便茫然地停下脚步，觉得脸侧有些发疼，便伸手一摸，这才意识到方才摔在地上的时候，脸上蹭破皮了。

"你天生不足，注定是个肩不能挑手不能提的废物。"

不知怎的，殷沛那句话在他心里一闪而过，朱晨落寞地低下头，承认殷沛说得千真万确。

"哥。"朱莹小心翼翼地靠过来，拉了他一下，"你没事吧？"

朱晨看了她一眼，勉强提了一下嘴角，摇摇头，心里悲愤地想道：还要妹子护着我，我真是个活着多余的废物。

惊魂甫定的众人谁也不敢收尸，最后还是杨瑾这浑不吝的帮着掌柜一起，用长棍将尸体都挑了出去，一把火烧了。此时还跟在李晟等人身边的本就没剩下几个人，经此一役，又伤亡不少，看着不过小猫两三只，几乎有些可怜。

一行人心神俱疲地随意休息了一宿，第二天一早，便陆陆续续地前来辞行，来时个个踌躇满志，此时却大概只想尽快离开这个是非之地。

朱晨从房中出来的时候，周翡已经将她每日清晨惯例的基本功练完了，生疏客套地冲他点了一下头，便收了刀要走开。

朱晨下意识地叫住她："周姑娘！"

周翡停下脚步，回头看着他。

朱晨手心倏地冒出一层细汗，勉强稳住自己的声音，上前搭话道："周……周姑娘的伤怎么样了？"

周翡道："不碍事，多谢。"

她鬓角被细汗微微沾湿，神色是一如既往地爱搭不理，朱晨却觉得她身上有了好大的变化，那少女清秀的眉眼间原本的一点急躁之色悄然散尽，变得平静而幽深，好像天塌地陷也不能让她色变。她似乎已经站在了更远的地方，让朱晨瞬间生出某种根深蒂固的自惭形秽。

朱晨又问道："那位……那位谢公子呢？"

周翡顿了顿，随后面不改色地说道："他有点事，先回师门了。"

朱晨张了张嘴，似乎还有话说，可又偏偏说不出来，战战兢兢地出了一层虚汗，周翡不知道他这是什么毛病，莫名其妙地抬头看了他一眼，将朱晨看得越发紧张。

这时，急匆匆的脚步声从前面传来，李晟惯常耷拉张讨债的脸，不客气地冲这边喊道："周翡，你昨天不是说要早点走，怎么还磨蹭，吃不吃饭了！"

周翡一皱眉，感觉李晟这腔调活像大当家亲生的，便冲朱晨一点头，转身走了。

春寒料峭，晨间水露微凉，落在他头颈间，朱晨看着周翡匆匆而去的背影，默默将没来得及出口的话在心里说了一遍。

"我们朱家祖籍洞庭，后来随霍堡主南渡，便搬到了湘江一代，背靠青山而居，山间有一条宽宽的水，浅处涉水方才没过脚踝。这些年兴南镖局名声渐衰，家道中落，虽不怎么富裕，但庭中栽满了杏花，这时回去，若是脚程快，刚好能赶上杏花如雪。这一路多亏你们仗义相助，要是肯赏脸到朱家庄一叙，让我聊尽地主之谊……"

他盛着满腔的诗与情，见周翡懒洋洋地走过拐角，冲那边的人骂道："来了，催命吗？"

那些话便终于还是没能说出口。

朱晨有些自嘲地笑了一下，收拾起满心遗憾，想道：算了，下次有机会再说。

然而他终身没能等到下一次机会。

闹剧似的征北英雄会仓皇结束三天后，昏迷的谢允被同明大师带回蓬莱，周翡对此讳莫如深，谁也不敢往深里问，他们与兴南镖局众人分道扬镳，快马加鞭奔蜀中而去。途中，杨瑾接到"小药谷"擎云沟的家书，总算想起自己是家主，只好与周翡约定下次再来比过，南下而去。

第九章·

碎遮

> "天幕如遮，唯我一刀可碎千里华盖，纵横四海而无阻，"周以棠笑道，"我觉得你应该喜欢。"

烟花三月里，前线正在对峙，第一批望风而逃的百姓已经在南方扎下了根，而战火居然还在多方扯皮中没能烧起来。

飞卿将军闻煜将一件加厚了的大氅搭在周以棠身上，周以棠正在看一封折子，头也没抬地道："多谢。"

他说着，自然而然地伸手一拢，突然愣了愣，仔细一摸，问道："李大当家送来的？"

闻煜奇道："这怎么能摸出来？"

周以棠的手指一将，便见那加了棉花的地方线没缝紧，居然被他将下了几根棉线。周以棠低头一笑道："见笑。"

闻煜："……"

欺负别人老婆离得远！

这时，一个亲兵突然急匆匆地跑了进来："将军！周大人，外面有人求见，拿了这个。"

周以棠一抬头，见那亲兵捧着一把断刀。

闻煜诧异道："什么人这么放肆？"

周以棠却站了起来，拿起那把断刀仔细查看，见那是一柄没开过刃的新刀，刀口还发涩，是有人以外力一下震断成几截的。他突然便笑了，骂道："这讨债的混账东西，叫她进来。"

闻煜一愣，周以棠为人喜怒不形于色，对上不卑，对下不亢，乃谦谦君子的做派，哪怕门外是曹仲昆亲临，周以棠也必说"请"，而非"叫"。他正疑惑间，亲兵已经退出去了，片刻后，领来了一个十七八岁的小姑娘。

来人背光而入，长发扎着，身穿劲装，背后斜背着一把古朴的苗刀，进门时自然而然地往闻煜身上瞥了一眼。闻煜也是习武之人，对别人的气息极其敏感，来人进门时，他尚未来得及打量对方相貌，已经先行一凛，下意识地微微侧身，将重心落到左脚上。然后他便见那人毫不见外地冲周以棠一伸手，说道："爹，我的刀呢？"

闻煜吃了一惊，听了这句话，再仔细一端详，才认出来，来人居然是周翡。

他上一次见周翡，还是在衡山那三不管的客栈里，距此时不过一年光景，居然没能一眼认出她来。倒不是这姑娘长到十七八岁的年纪，还能接着十八变，倘若仔细看，她眉眼依然是那副眉眼，身形也并未有什么变化，但整个人好似脱胎换骨过一番。

闻煜记得，衡山三春客栈里那个少女的身手在同龄人中算是出类拔萃，可身上还是带着一点迷迷糊糊的孩子气，又懵懂又青涩，因为无知，对什么都好奇，见了什么都跃跃欲试，至于自己下一步去哪儿、要做什么，她却好像都没什么准主意。

而今再见，却觉得她真真正正地长大了，便如她身后细长的苗刀一样，有种不动声色的凛冽，任谁见了都不会小觑于她。

周翡冲他一拱手，道："闻将军别来无恙。"

"托福。"闻煜忙应了一声，不知怎的又觉得自己好生多余，他摸了摸鼻子，说道，"先前在四十八寨没见到你，周先生惦记了好久，总算回来了……那什么，你们聊，我出去办点事。"

说完，闻煜赶忙腾地方走人了。周以棠站在一边打量着周翡，他依然是内敛的，而且这些年身在朝中，人越发持重了。四年多不见的女儿突然从天上掉下来，他好像一点也不吃惊，一点也不激动，甚至没有开口问她野到哪儿去了。他只是脸上挂着些许笑意，然后伸出苍白瘦削的手，手指一张，比了三寸出头的长短，冲周翡说道："长了这么高。"

周翡鼻子一酸，勉强笑道："我又没灌肥，哪儿长那么多了？"

"怎么没有？那时候你还没我肩膀高呢。"周以棠弯起眼，冲她招招手道，"来，看爹给你带了个什么。"

暌违已久的人，乍一相见，记忆总会被神魂丢下一大截，彼此都不免生疏，须得让那经年的记忆慢慢赶上一阵子路，方才能找回故旧的感觉。可是四年多，千余昼夜，周翡却觉得周以棠好似只是下山赶了趟集，随手带回几个小玩意给她玩，两鬓沉淀的霜色不过是途中遇上风雪沾染，一拂还能落下。

周以棠脚步轻快得全然不像"甘棠先生"，走到他那简易的行军帐中，在整齐的床头取出一个长逾三尺的盒子。他挽起袖子，有些吃力地将这十分有分量的长盒子抱出来："快看看。"

周翡赶紧上前接过来，放在旁边的小案上。

匣子里是一把长刀，刀身纤长而优美，长度与望春山相仿，比那把有些碍手碍脚的苗刀稍短一些，刀鞘许是后来配的，是崭新的硬木所制，两头有包铁和皮革，通体漆黑，却不失光泽，看上去虽不花哨，也绝不寒酸。

若说望春山内敛如草庐中的君子，这把刀便华美如马背上的王侯，它从头到脚无懈可击，便是将它扔在刀山里，也能叫人一眼看见，自长柄至微微回扣的刀尖，无不带着出类拔萃的孤高无朋，看得久了，竟叫人心生敬畏，不忍拉开。

长刀的分量却是十分趁手的，周翡小心地拉开刀鞘，只听一声轻响，那刀身与鞘彼此错开的声音竟然十分清越，露出钢口极讲究的刀锋，与底部的铭文——

"碎遮"。

"我叫人找过不少上古名刀，适合你的却少有，好些已经中看不中用，保存完好的大多资质平庸，不平庸的又往往带着点不祥的传说，"周以棠说道，"直到去年见了这一把——这把碎遮并非出自名家之手，因为它的锻造者只留下了这么一把刀。

"这位前辈名叫吕润，是前朝一位大大有名的人物，平生有三绝，文辞、武功、医理，凡人一辈子学不尽的，他样样精通，二十出头便于天子堂前高中榜眼，一身功夫更是惊艳江湖，还是当年大药谷内定的掌门。"周以棠缓缓说道，"然而当时朝中昏君佞臣林立，乌烟瘴气，南北异族频频觊觎中原，灾荒连年，民不聊生，这位前辈便立下重誓，要救万民于水火，他拒了翰林之职，只背一个药匣行走世间，屡次随军而行，深入疫区，殚精竭虑，救过无数人命，与当年的股肱大将赵毅将军是莫逆之交。"

　　周翡向来不学无术，但"赵毅"其人她是知道的，此人具体有何建树她不十分清楚，只知道是一位前朝的大英雄，后来为昏君自毁长城所害，民间多有惋惜，便给那位大英雄编了许多神话传说，好似关二爷一样塑泥身神像供奉——赵毅将军死后，其子侄自立为王，最终逼迫皇帝禅让皇位，从此改朝换代，才有了如今的赵氏江山。

　　"后来昏君因罹患头风之症，将吕润唤入宫中治病，而就在他身在皇城时，赵将军被奸臣诱杀于西南蛮荒之地。吕前辈知道以后悲愤不已，本想仗剑入宫，杀了一干祸国殃民的肉食者，不料接到赵毅将军遗书，嘱咐他以万千黎民为重，不可置大局于不顾，做出大逆不道之事，令万千无辜陷入战乱，还将自己家眷托付于他。吕前辈只好放下世外高人的架子，为赵家奔走，与昏君虚与委蛇，保下赵氏一门性命，而后心神俱疲，遁入大药谷，再不问世事。谁知八年后，南蛮再入中原，前朝皇帝不得已再次启用赵家军，当年吕前辈费尽心机保下的赵氏兄弟拿回兵权，却是剑指帝都——"

　　周翡睁大了眼睛。

　　这些历史典故，从前周以棠是跟她讲过的，然而周翡小时候全当故事，过耳就忘，如今听他不厌其烦地再次提起，隐约有些印象之余，突然便品得了其中三味，不由得追问道："然后呢？"

　　"然后国姓便改成了'赵'，大昭初年，战火不断，四方动荡。太祖屡次前往大药谷请吕润出山，却见他不知怎的性情大变，沉迷求仙问道，整日与朱砂药鼎为伴，炼些个无事生非的丹药，行事多有颠倒荒谬之举，只得悻悻离去，御赐大药谷以匾额，又封吕润为国师——不过他没领过旨。"

　　周翡隐约觉得这故事好似在哪儿听过。

　　"吕润天纵奇才，精通杂学，至今东海一系的铸剑大师都收录过他编纂的铸造杂记，终年五十挂零，据说死于丹药中毒，终其一生，没能得见四海清平。他死后，大药谷徒子徒孙整理其遗物，见他留下的多是害人不浅的丹方毒药，只好拣个毁去，唯此一物……"周以棠的目光落在那把静默的长刀上，"谁也不知道他是什么时候铸的，当时刀鞘上已经尘埃遍生，不知弃置多久，刀光却好似寒霜，叫人见而生寒。"

周翡低头看着那刀上铭刻的"碎遮"二字，突然好似在这刀身上触碰到了一丝沉痛而绝望的先贤魂灵。

人之一生，何其短、何其憾、何其无能为力、何其为造化所弄。

又何以前仆后继，为孜孜以求者、未可推卸者而百死无悔。

"天幕如遮，唯我一刀可碎千里华盖，纵横四海而无阻，"周以棠笑道，"我觉得你应该喜欢。"

周翡沉默片刻，将碎遮的刀鞘推上，把凑合了一路的苗刀换了下来，对周以棠笑道："爹，你有话就直说，跟我不必啰唆那许多，还绕那么大个圈子，又是托物言志又是以史鉴今，实话说，你走了以后我就没翻过两页书，不见得每次都能听懂你在说什么。"

周以棠："……"

这孩子除了长相，其他地方真不像他亲生的。

周翡想了想，又问道："爹，如果你是那个吕前辈，你会躲在大药谷里炼些'归阴丹''归阳丹'之类的玩意吗？"

周以棠一怔之下，微笑起来。

"我以前不明白你当年为什么要走，现在知道了，以前怪过你，现在不怪了。"周翡顿了顿，又道，"我……路上遇到一个前辈，他知道我姓周之后，叫我代他问你一个问题。"

周以棠问道："嗯？"

周翡道："那人是个老和尚，他问你，'以利刃斩杀妖魔鬼怪，待到胜局伊始，妖魔俯首、神兵卷刃时，当以何祭，才能平息那些俯首之徒心里的怨愤与祸患'？"

周以棠笑容渐收。周翡从身后的包裹中摸出一个布包，递给他道："老和尚说，要是你回答不出，就让我把这个交给你。"

周以棠接过去，没拆开，便道："慎独印？"

周翡吃了一惊："你怎么知道？"

周以棠无奈道："寻常江湖人闹闹也就算了，楚天权和康王居然也公然出现在永州，之后康王殿下那边讳莫如深，北斗文曲又不明不白地死在那儿，我若连这么大的事都没听说过，也不必领着虚职尸位素餐了——和尚告诉你他法号叫'同明'了吗？那大师给我这个干什么？"

慎独印当时在死了的楚天权身上，可当时那大魔头尸体旁边的人——从应何从到周翡，全都神思不属，居然不约而同地把这么个人人争抢的关键物件给忘了。好在四处寻觅谢允踪迹的同明老和尚路过，才算没让这慎独印落在荒郊野外，莫名其妙地被什么野兽叼走做窝。

周以棠拆开布包，端详了一下上面的水波纹，沉吟片刻，好像突然想到了什么，低声道："难道……"

周翡偷偷伸长了耳朵。

周以棠却将方印重新包好，不往下说了，问道："他还说什么了？"

周翡按捺下有些痒的心，说道："哦，还说让你帮忙指个路。"

周以棠微微挑眉。

"他让我问，梁绍葬在何处。"周翡说到这儿，又好似怕周以棠误会老和尚要挖坟掘墓似的，忙又解释道，"是为了一个……朋友，他中了一种奇毒，我们一筹莫展，梁……那个大人曾经与大药谷有些交情，据说很多药谷遗物在他手里，所以……"

"朋友？"周以棠看了她一眼。

周翡低头研究自己的鞋尖，点头道："嗯。"

周以棠脸上笑意一闪而过，却没再追问，只道："同明大师太过拘泥，既然叫你来问，还送什么礼？难道我还会不告诉你？"

周翡："……"

都说周存曾经师从梁绍，大概同明大师也没想到，她爹听说有人要挖他老师的坟还能这么愉快。

"我一会儿把地图画给你。"周以棠随手将慎独印递给周翡，又道，"把这个拿回家交给你娘，就说这是我的'身家性命'，叫她代我保管几年。"

周翡"哦"了一声，接过去没动。

周以棠疑惑道："怎么了？"

周翡顺着慎独印的边缘捏了一圈，却不正面回答，只是顾左右而言他道："呃……那个李晟、李妍他们都在前面等着，派我来请你回家……呃……爹也有些年没回家了，多年不见……"

周以棠一听"李妍"就明白了："是你们几个不敢回家吧？"

周翡："……"

"没胆子回家，怎么有胆子跑呢？"周以棠瞪了她一眼，"等着，我同他们交代几句。"

周翡见他出去，低头笑了一下，随即她笑容渐收，摸了摸身后的碎遮长刀。

同明老和尚托付给她三件事，第一是找到相传落在梁绍手上的大药谷典籍——当年吕润所书的《百毒经》。

第二是搜罗种种珍稀的驱寒圣物。

第三是寻一个精通阴阳二气的内家高手。

《百毒经》或许有些线索，可是究竟什么是驱寒圣物，连老和尚

179

也说不出几种，至于"阴阳二气"，则完全是出自蓬莱所收典籍的只言片语，究竟是什么意思，谁也说不清楚。同明大师让她做好准备，即使踏遍人间，最后依然可能是遍寻不到，结果依然是一场虚妄。

但她总想试一试。

当年周以棠离开四十八寨的时候，她也死死地盯着那扇闭合的山门，曾经觉得他再也不会回来了，可如今，他不是也近乡情怯，在蜀山附近逡巡良久，等着他们这些晚辈给他一个台阶，好让他理直气壮地回去同故人一叙吗？

纵然天欲绝人之路，自己又岂能将自己困于一谷中画地为牢呢？

毕竟，又是一年春暖花开时了。

清晨鼓棹过江去，

千里相思明月楼

第十章·

海天一色

舍生的与苟活的，忍痛的与忍辱的，
恰如秋水共长天一色。

　　有道是"人无千日好，花无百日红"，旦夕祸福之数从来由天说，
凡人岂能一窥究竟？

　　后昭建元二十二年，曹氏流星一般繁盛而不可违逆的运道好似走
到了头。

　　正月里，先是北斗文曲死在永州城，同年夏天，黄河口又决了堤。
北帝病重的消息不胫而走，太子无能，娼妓之子曹宁野心勃勃，桀骜不
肯奉诏，拥兵自重于两军阵前。

　　而蛰伏二十多年的南朝也正天翻地覆。

　　南朝的建元皇帝突然于暮春之际，在太庙祭祖，誓要夺回失地，

一统南北。此后，他一改往日温情脉脉，羽翼丰满的他露出了自己的獠牙。

四月初三，太师范政与其朝中党羽、重臣十三人毫无预兆地被抄家查办，三日后，皇长子康王又因御下不严、纵奴行凶，"府中豢养武士数十人以充门客，刀斧盈库，荒诞不经，纵无谋反之实，岂无僭越之心"云云之罪过，被御史参了个狗血喷头，建元帝大怒，下令褫夺康王王位，将其禁足府中，听候发落。当夜，其母贵妃范氏自尽于宫墙之后。

转瞬之间，南都金陵的风向就变了。

而被朝中盘根错节的权臣们压迫了二十多年的皇帝尤不满足，六部九卿，半月之内竟十去七八，无数往日里不显山不露水的面孔平步青云，月底，太学生请愿御前，建元帝无动于衷，隔日便以"妖言惑众"的罪名，拿下主事者八人，牵连朝中数位大臣。

一番动作，可谓是"探其怀，夺之威，若电若雷"。

满朝上下，群鸦息声。

建元皇帝执意出兵北伐，此事已成定局。

同年九月，战火从蜀中一路烧开，好似倾盆的沸水，一发不可收拾地淹了大半江山，曹宁与周以棠短兵相接，互有胜负，前线十多座城池反复易主。

说来倒也奇怪，当年曹宁突袭四十八寨时，蜀中百姓仿如大祸临头，纷纷出逃，生怕一个不留神便被卷入战火中。待到后来当真打起来，人们惊慌过后，便也好似当年衡山脚下三不管的小镇一般，迅雷不及掩耳似的适应了新的世道。

正是太平时有太平时的活法，战乱时有战乱时的活法。

市井乡野间诸多泼皮无赖手段，恍若天生，那些人便如那悬崖峭壁石块下的野草一般，虽称不上郁郁葱葱，可好歹也总还是活的。南北前线战事陡然紧张，唯有曹宁可以牵制，战事已起，这种时候无论如何不能动他，北朝太子只好眼睁睁地看着曹宁在军中坐大，他手中好似牵着恶犬斗群狼，松手也不是，不松手也不是，别无他法，便挖空心思地命人搜罗民间种种灵丹妙药，只求曹仲昆不要在这个节骨眼上撒手人寰。

北斗陆摇光与谷天璇随军，剩下沈天枢与童开阳两人，奉北朝东宫之命，马不停蹄地辗转于各大江湖门派之间，恨不能挖地三尺，闹得风风雨雨，闻者胆寒。一些小门小派之人四处寻求庇护，有那病急乱投医的，居然脸都不要了，连大魔头也肯投奔。

这"大魔头"值得细说一二——

如今的中原武林第一恶，早就不是活人死人山的那些老皇历了。

建元二十二年那场"征北英雄会"上，丁魁神不知鬼不觉地死在了永州城外，木小乔同冯飞花从此销声匿迹，不知是死是活，活人死人山的时代彻底告一段落。

而一个常年戴着铁面具的人却声名鹊起。

此人从不透露他真实名姓，旁人也不知他师承故旧，倒好似凭空从石头缝里蹦出来的，突然便冒出来大杀四方。他自称"清晖真人"，因武功奇高、手段毒辣，时人又称其为"铁面魔"。

铁面魔爱好清奇，甫一出世，便先出手料理了作恶多端的玄武主丁魁，而后攻占了活人死人山。

这消息还没来得及让四方疾恶如仇者拊掌大快，众人便发现，铁面魔比之前面四位可谓有过之而无不及，兴风作浪的本领全然是"长江后浪推前浪"。

渐渐地，人们不再提及当年腥风血雨一时的四象，茶余饭后时换了个人同仇敌忾。

转眼，又是三年。

到了建元二十五年，刚过了中秋。

济南府这一年不知怎么有那么多雨水，大雨已经没日没夜地下了一天一宿，地面浇透了冷雨，残存的溽暑终于难以为继，溃不成军地沉入了地下，泛了黄的树叶子落了厚厚的一层。

济南府虽属北朝的地界，但眼下还算太平。

这些年有脑子活泛的，打起了国难财的主意，不少懂一点江湖手段的胆大之人便干起了南来北往的行商买卖，什么都卖，粮食布帛、刀枪铁器，乃至私盐药材等物，只要路上平安无事，这么走一圈下来，一些寻常物件也往往能卖出天价，利润高得足以叫人铤而走险。

为避开战火，这些行商通常走东边沿海一线，大多经过济南，当地渐渐因此而形成了集市，在这么个年月里，居然凭空多出几重诡异的繁华。

而出门在外，无外乎与"车船店脚"这些人打交道，所以但凡是混出头脸来的大商户，都与行脚帮有些联系。济南府有一家"鸿运客栈"，本是行脚帮下的一家宰客黑店，不料这几年前来落脚的都是拿着"蝙蝠令"的贵客，闹得他们每日迎来送往，竟比别家正经做生意的还忙碌些，忙晕了头，也就想不起坑人了，久而久之，居然被强行洗白，成了一家做正经生意的去处，还扩建了一层小楼。

这日傍晚时分，一匹颇为神骏的马冒雨前来，嘶鸣一声停在门口，一甩鬃毛，抖落了一串水珠，得意扬扬地叫了两声。

店小二颇有眼力见儿，忙拎起竹伞出门招呼："客人住店不住？还有空房！"

马背上那人戴着斗笠，手中提一把长刀，翻身下马，将缰绳一递，点头道："劳驾。"

店小二这才发现，来人是个年轻女子，大半张脸都掩在斗笠下，只露出一个略显尖削的下巴，竟是十分白皙，几缕长发被雨水淋湿了，沾在耳边，露出一个秀美的耳垂，单就一个轮廓，便知道她长得绝不难看。

店小二一边牵马，一边偷偷打量她，见她提着刀也并不畏惧，喜气洋洋地问候道："女侠赶路辛苦，可带了蝙蝠令？有咱们家蝙蝠令的，吃住一律能便宜三成。"

那女客一顿，没料到此地行脚帮如此奇葩，居然大张旗鼓地做起了生意，不由得偏头问道："什么？"

她这一偏头，店小二便看清了她的脸，心道一声"好俊"，脸上笑容又真切了三分，觍着脸赔笑道："形势比人强嘛，都是逼的。"

把一帮大流氓逼得从了良。

女客笑了一下，一抬手，掌中红影一闪，露出一块玛瑙雕成的五蝠印来。

"五蝠！"店小二吃了一惊，当即知道来人必定与行脚帮渊源不浅，忙将腰往下一弯，说道，"您里面请，快请！有什么事随时差遣，想吃什么也随意点，咱们家没有，也能叫小的们上街给您买去。"

那女客却摆摆手，只说了一声"不必这样叨扰"，便径自进门，找了个靠门的小角落坐了下来，面冲大门，像是要等人。

鸿运客栈中颇为热闹，大堂快要坐满了，几个小跑堂的几乎要练出飞毛腿来，在众人之间来回穿梭，脚下都带着功夫。女客随便点了一碗热汤面，显然是饿了，面端上来便一直将自己沉在热腾腾的白汽里，一边吃，一边听旁边人吹牛侃大山做消遣。此间商人居多，铜臭气甚足，三言两语便能拐到阿堵物上，各自吹嘘自己的进项，不知真的假的，听着好像家家有金山。

忽然，邻桌有一个尖嘴猴腮的中年汉子说道："我不知诸位听说了没有，前一阵子我有个老朋友，是个贩布的，走商路的时候碰上了

'那个'。"

他一边说，一边在两眼上比画了一下。

有人小声道："铁面魔？"

正在喝汤的女客顿了顿，偏头看过去，插话道："那个什么……铁面魔不是在活人死人山吗？怎么也跑到东边来了？"

那汉子见发问的是个漂亮姑娘，话便多了起来，有意显摆自己见闻，说道："姑娘你想，那魔头手下养了那许多打手，又不事生产，吃什么去？活人死人山那边早就人迹罕至，打劫都没地方打。开战这许多年，陆路陆路不通，水路水路也不通，能走的统共这么几条线，我听说此人前些日子在晋阳那边，如今又跑到了这里……咳，此人倒也知道羊毛不能可着一头薅的道理。"

旁边有人急着发问道："快别废话了，然后呢？"

"那铁面魔沿途截下他们，要从每个人的人头上抽上七成的'过路费'。"那汉子道，此言一出，座中众人纷纷倒抽了一口凉气。"我那朋友胆小惜命，眼见不好，便认了倒霉，他们倒也没有为难，点了数目便放行了，还有拒不肯认与讨价还价的，一个没剩，通通被那铁面人的鬼虫子吸成了人干。"

有人义愤一拍桌子道："欺人太甚！"

座中一时沉默下来，这些人走南闯北，滚刀肉一般，提起金山银山，全都一副财大气粗睥睨无双的样子，此时却又好似摇身一变，成了柔弱无依的升斗小民，惶惶不可终日地忧心自己的前途。

好一会儿，有人道："我听人说那魔头也并非所向披靡，当年在永州，曾经败在'南刀'手下。"

角落里的女客本来正在喝汤，闻言立刻呛了一口，她汤里加了一把辣子，呛得眼眶都红了，忙去摸茶水，好在众人都各自发各自的愁，没有注意她。她四下瞄了一眼，悄悄将放在一边的长刀收到桌下，挂在自己靠墙一侧的腰上，刀柄碰到了她腰间的一个荷包，她想了想，将那荷包也解下来塞进怀里。

就在这时，座中有人低声叹道："可是这些好了不起的大侠如今又在何处呢？你们说说这个世道，降妖的闭门不出，几年不露一回面，倒是妖魔鬼怪横行四处，唯恐别人不知道自己的声名……唉，前些年老有谣言说霍连涛霍堡主欺世盗名，是害死兄长的元凶，我瞧着，现在还不如他老人家在世的那会儿呢，好歹大家伙有个主心骨，现在可好，你们说霍堡主是伪君子、真小人，那些不伪的，倒也给大家伙出头说句公道话呀。"

角落里的女客听了这番话，微微一怔，手中的汤匙悬在碗上，好一会儿没动。

突然，鸿运客栈大门又开，一个高大的男子走了进来。

此人没带任何雨具，浇得一头一脸湿透的雨水，脸色惨白，眼角带着一点淤青，长得相貌堂堂，神色却颇为紧张。他进门时站在门口，先颇有敌意地将整个客栈大堂中的客人都扫视了一遍，这才紧绷着双肩，提重剑走了进来。不少胆小的以为他是来寻仇的，原本低声说话的也跟着静了静，谁知此人进门时竟不小心被客栈门槛绊了一下，脚步登时踉跄一步，险些摔倒，一只大手扶在墙上，半晌，才喘匀这口气。

这么一看，倒又不像是寻仇的，反倒像是被追杀的。

店小二迟疑了一下，上前招呼道："客官……"

那男子冲他一伸手，手上有什么东西一闪而过，离得远的人都没看清，店小二却面色一变，十分恭敬地说道："失敬，您快里面请。"

那男子摇摇头，递过一把碎银并一个酒壶，说道："不了，我还要赶路，劳烦替我加一壶酒，包些个干粮肉干路上吃，我这便走。"

店小二不敢再劝，应了一声，接过酒壶，却没拿银两，一溜烟地跑去后厨。

浑身湿透的男子深吸了口气，勉强挺直腰，似乎想找个地方暂时歇脚，可是四下一看，众行商无不面露迟疑，纷纷移开目光，不肯与他对视，却又私底下一眼一眼地往他身上瞟。

男子见了颇为腻烦，好一会儿才在门口角落里看见一把空凳子，正是那独行女客一桌。他犹豫了一下，走过去低声道："姑娘，我坐一会儿，歇个脚可使得？"

那姑娘没说什么，做了个自便的手势。

男子膝盖好似陡然没了力气，一屁股瘫坐下来，蹭得椅子"吱"一声尖鸣，整个人往旁边墙上一靠，就这么一会儿工夫，他便闭上了眼，胸口起伏微弱，也不知是睡着了还是晕过去了。

店小二手脚麻利得很，三下五除二便收拾了一包冒着热气的干粮，卤肉切片，厚厚实实地夹在当中，壶里灌了驱寒解渴的米酒，一路小跑到那男子身边，小声唤道："客官，客官。"

男子却只是闭着眼，恍若未闻。

"哎，"同桌的年轻姑娘终于忍不住开口道，"别推了，他流了好多血，我都闻见味了，你看看，他可能是晕过去了。"

这姑娘正是李妍，她三年前一时贪玩，死乞白赖地非要跟着周翡他们私自离家，回去纵然有周以棠保驾护航，还是挨了大当家好一顿揍。李妍从小受宠，基本没什么挨揍的经验，不料攒到了十四五岁大，"和"了一把大的，据说当时她鬼哭狼嚎之音绕梁三日，余音经久不衰，吓坏了四十八寨山中一帮小弟子。

从那以后，李妍终于在习武上稍许用了点心，年初，她总算是以秀山堂四张纸窗花的成绩，险而又险地拿到了她的出门令牌。

这还是李妍头一次光明正大地出门办事，她跟李晟一起，要替李瑾容自西往东走一路，这是寨中例行"把脉"——几年前四十八寨暗桩大规模沦陷后方才有的规矩，先在寨中发一批信件，派几路弟子，随着信件路线暗访途中暗桩，"把脉"的人不必露面，只需途经每个地方的时候盘旋几日，信走他们便走，见无异状即可离去。

李妍他们走的便是直入东海的一线，济南府正好是最后一站。

就算是周翡和李晟他们，头一次出门的时候也只是个跟班的任务——虽然后来机缘巧合地变了性质——因此李妍这次出来，只是跟着李晟熟悉路线，除了被她哥没事训斥两顿，什么都不用管。

不料方才在城外，李晟不知看见了什么，抬腿便去追，只匆忙和她交代了一句，叫她在鸿运客栈里等。

李晟本意是打发她去不到半里远的小客栈里吃碗面，自己去去就回，谁知李妍从小到大，除了被杨瑾抓走的那一次，基本就没有离开过寨中长辈与哥姐身边，猝不及防地被一个人丢下，好似有生以来头一次出笼的金丝雀——恨不能立刻扑腾着翅膀上天撒欢，又隐约有些惴惴不安，因而极力装出一副饱经世事的淡定模样，将济南城中小小的鸿运客栈当成了探险的地方。

她当真是想什么来什么，不过吃碗面的光景，居然真出了"意外"。

店小二听了她的话，唬了一跳，小心翼翼地伸手晃了晃那男子，见他面容灰败，唇色发青，果然十分不好。这一晃动，他搭在腰腹间的胳膊掉了下来，腰腹间有血腥味传来，再仔细一看，血迹已经将黑衣浸透了些许，着实是受伤不轻。

店小二颇觉棘手，不知如何是好，便回头向掌柜张望了一眼。

鸿运客栈的掌柜是个小老头，手中拨着算盘，眼神却是精光内敛，是个内家高手。掌柜冲店小二一点头，便另有个跑堂的上前，想要帮忙将这男子挽下去。

就在这时，客栈外突然传来一阵尖锐的马嘶声。好似有一大群人冒雨疾行而来。

李妍突然有种不祥的预感，忙一低头，三口两口便将剩下的汤面灌进了肚子。她嘴还没来得及抹干净，便见几个头戴斗笠的黑衣人堂而皇之地闯了进来，为首一人手臂伸得长长的，面无表情地举着一块令牌，倨傲地亮给大堂中众人看。

李妍耳朵极灵，瞬间听见好几道低低的抽气声，老远的地方有个人小声道："我的娘，北斗怎么来了！"

李妍睁大了眼睛。

只见北斗令牌开路，后面跟着好几个黑衣人，鱼贯而入后分两列而立。接着，一个中年男子缓步走了进来，身后跟着的黑衣人毕恭毕敬地给他撑着伞，此人相貌堂堂，身穿绛红官袍，脚踩皂靴，手中提一把佩刀，端庄得能直接去上朝。

现存四大北斗，李妍见过两个，但听闻沈天枢是个形容枯槁的独臂人，形象与这官老爷似的中年人对不上，她便寻思道：莫非是北斗的"武曲"童开阳？

这群人一进来，客栈中顿时鸦雀无声。

那行脚帮的掌柜也顾不上再端着算盘在柜台后面装神，忙三步并作两步拨开众人走上前来，一揖到地，说道："诸位大人，草民做的是小本买卖，并无违法乱纪之事，该捐的也早早捐了，从未拖欠，不知诸位大人有何贵干？"

穿红袍的中年人瞥了他一眼，笑道："怎么，没事我们就不能住住店？"

掌柜额角冒出一点冷汗，赔笑道："自然，自然，只要官爷们不嫌弃咱们小店寒酸……哎，来人……"

"不必了。"官袍男子一摆手，公事公办地板起脸道，"北斗捉拿朝廷钦犯，闲杂人等退避，碍事的视同同伙处理！"

李妍听了"钦犯"二字，第一时间便联想到了眼前这怪客腰上的伤，她来不及细想，仗着自己躲在角落里被一帮人挡着，探手拿起桌上涮碗筷的凉水，手腕一翻，将半杯凉水一滴不浪费地泼到了那男人脸上。

重伤的男子不知被追杀了多久，被泼醒的一瞬间已经清醒，目光如炬。

与此同时，红袍男子一指那重伤男子，喝道："拿下！"

李妍眼前一花，便见那重伤之人猛地翻身而起，重剑横在胸前，"锵"一声好似潜龙出水，横扫第一个冲上来的北斗胸口，他功夫极少花哨，却是招招不落空，从众北斗中冲杀出去，睥睨无双，转眼已经冲到门口。

身着红官袍的中年人叱道："废物！"

而后，也不见他有多大动作，人影一闪，便不知怎么到了门口。他手中花哨的佩刀比寻常男子的手掌还要宽上几许，毒蛇似的翻身卷向那重伤之人。受伤男子不敢硬接，当下后退，红袍人冷笑一声，接连三刀递出，一招快似一招，而身上的袍袖衣摆竟然纹丝不动，三下五除二便将已经到了门口的人逼回了客栈中。

此时，客栈中的人们已经吓得四散奔逃，到处都是狼藉的杯盘，方才好似到处都满满当当的大堂顷刻空出一大块地方。

北斗们训练有素地围成一圈，将那重伤之人困在中间。

那重伤之人显然已经是强弩之末，不由自主地伸手去按自己腰侧的伤口，不住地喘息。

红袍人说道："刘有良，陛下待你不薄，你就是这么吃里爬外的？"

李妍心道：原来此人叫作"刘有良"。

　　她隐约觉得这名字听着耳熟，想是路上听谁提起过，却一时想不起来。

　　好在李妍虽然记性不怎么样，耳力却不错，她听见有那消息灵通的人小声道："哪个刘有良？不是那个御林军大统领刘有良吧？这可真是奇了，怎么这大官儿还成朝廷钦犯了？"

　　旁边有人"嘘"了一声，"嘘"完，自己又没忍住，接着道："怎么不行，你忘了那姓吴的'忠武将军'了？"

　　瑟瑟的秋风顺着客栈敞开的门扉往里灌，吹得人一阵阵发冷。

　　刘有良的冷汗顺着淋湿未干的鬓角往下淌，嘴唇不住地颤抖，却不回话。

　　红袍人目光扫过整个客栈里无知无觉看热闹的人，意味深长地笑道："我知道刘统领心软，要紧的话必不肯在这里说的，否则岂不是连累了这一客栈的无辜百姓？"

　　李妍一时没反应过来这话里的言外之意，座中有老江湖脸色却悄然变了——北斗一路追杀这刘有良，除了他犯了事之外，必是因为他知道了什么要紧的秘密。红袍人这是在威胁他，倘若他开口吐露一个字，不管此处的人听没听见，北斗都要斩尽杀绝！

　　刘有良喘得像个破风箱，能听见肺里传出的杂音来。

　　红袍人叹了口气，劝道："你就别再负隅顽抗啦。"

　　他话音未落，那刘有良便陡然仗剑向前，重剑流星赶月似的直取红袍人面门，红袍人大笑一声，好似嘲笑对方不自量力似的，信手接招。

　　鸿运客栈的老掌柜见此事难以善了，忙上前摆手作揖道："贵客！二位贵客，求您行行好，莫要在店里动手啊。"

　　红袍人轻慢道："我赔你那堆烂木头削的桌椅板凳，老东西，没你的事，滚一边去！"

眼见那刘有良被红袍人猫戏耗子似的逼得快要吐血，李妍下意识地摸向自己别在腰间的刀，心道：倘若阿翡在这儿，她保准不会在旁边看着。

这念头一闪而过，李妍悄悄将刀推开了一点。

然而随即，她又自己萎了，那红衣人武功太高了，凭李妍的眼力，连人家究竟有多高都看不出来，遑论上前管闲事。周围的人全都避之唯恐不及，李妍推了半寸的刀又定住了，心里犹犹豫豫地转念道：倘若李缺德知道我胆敢不自量力地管这等闲事，一定得气成个蛤蟆……而且我该怎么管？

就在李妍踟蹰间，突然，那方才还在讨饶的老掌柜蓦地上前一步，从怀中摸出一截双节棍来！

"哗啦"一声轻响，双节棍横空而出，精准地挂在了那红袍人与刘有良的兵刃之间，当空打了个旋，将两人的动作短暂地定住了。

红袍人怒道："老匹夫，你敢！"

他猛一拂袖，轻易便将掌柜的双节棍甩脱，那干瘪的老头顺势一侧身，在刘有良身侧站定，低声道："这位客人身上带着我门中信物，见此物者必得听他号令，客人仁义，不肯差遣，小的们却不能干看着他有难袖手旁观啊。童大人，见谅啦。"

这红袍人果然就是"北斗武曲"童开阳，他阴恻恻地说道："知道我是谁，还敢这样放肆，老头，我看你这客栈是不想开了。"

刘有良低声道："掌柜，不必……"

鸿运客栈是本地最大的一家客栈，因为店里的伙计们手脚麻利还嘴甜，颇有几道招牌菜，这几年在往来过客中颇有令名，俨然已经成了济南府一景，寻常江湖客光脚不怕穿鞋的，但连累这样大的一份产业便过了——这也是刘有良途经此处，却只是落脚，并未寻求行脚帮庇护的缘由。

掌柜的提着双节棍，笑道："小的们开店做生意，本就是给诸位朋友落脚跑腿，提供个方便，其他种种不过顺带，如今'天蝎令'重现，我们却因产业怕事退避，岂不本末倒置？"

说完，不待刘有良阻止，掌柜便道："诸位朋友，对不住啦，今日小店关张歇业一日，一干酒水饭菜算小老儿宴请诸位，不必破费了，还请诸位趁天未黑，另找住处！"

众人方才还在为英雄们都不出世而扼腕，此时一见这掌柜砸锅卖铁与北斗武曲杠上，当即二话也没有，纷纷识相地卷包离去，唯独李妍犹犹豫豫，一时觉得自己既然出身名门正派，又有武艺傍身，自然与那些商人不同，这么走了未免太不好看，一时又想李晟叫她在鸿运客栈等，她若是走了，她大哥来了找不到人，再碰上北斗等人，想必更得着急。

李妍提刀顺着人流走出鸿运客栈，却不像其他人一样走远，眼珠一转，她纵身攀上了一棵大树，将自己藏在重重树影之后。

童开阳道："好，行脚帮是吧？人路你们不走，这是非要走鬼门关了！"

说话间，门口马蹄声、脚步声纷纷而至，还能听见跑得慢的客人们的惊呼声，李妍侧头一看，吃了一惊，见有百八十个北斗黑衣人纷纷赶到。

大雨不知什么时候停了，天依旧阴沉沉的，满地泥泞，整个济南城都狼狈不堪。鸿运客栈的伙计们不由分说地与北斗黑衣人战作了一团。

伙计们都身怀武艺，资质却良莠不齐，行脚帮这种苦出身的江湖门派毕竟与训练有素的北斗黑衣人不可同日而语，何况北斗人多势众，不多时，场中行脚帮中人只有少数几个高手尚能勉强撑住，其他人基本是溃不成军。

掌柜一声呼哨，带着几个人将童开阳团团围住，头也不回地冲那刘有良道："刘大人快走！"

刘有良哪里肯从，正待分辩，那掌柜便又道："大人不惜露出天蝎令，必有能豁出命来的要事，还耽搁什么！"

刘有良听了，狠狠一咬牙，蓦地一抱拳："兄台，你我萍水相逢，大恩不言谢。"

掌柜的干瘪的脸上露出一个转瞬即逝的笑容，接着，刘有良长啸一声，退出战圈，重剑横扫，一口气连斩七八个黑衣人，杀出了一条血路，突出重围，深深地回头看了一眼血溅三尺的客栈，决然而去。

这一番动作想必消耗不轻，他离开客栈时脚步都已经踉跄，一声呼哨唤来自己的马，忍痛大喝一声"驾"。与此同时，四五个北斗黑衣人扑上来，刘有良重剑扫了两个，腰间剧痛，一时竟翻不过手来，就在这时，他听见两声闷哼，那剩下的北斗黑衣人竟然纷纷捂着脸自己退开了。

刘有良已经来不及细想是谁在帮他，只大叫一声"多谢"，便纵马狂奔而去。

他方才逃到城外，眼前已经模糊，伏在马背上不过勉力支撑，刘有良狠狠一咬舌尖，正待恢复几分神志，突然，狂奔的马惨叫一声，前腿倏地跪下，将背上的人摔了出去——地上竟有一道绊马索。

刘有良这一摔非同小可，眼前一阵阵发黑，在地上挣扎几次没能爬起来，而埋伏在此的北斗黑衣人已经包抄过来，眼看要走投无路，突然，一个沾满了雨水的大树杈横空而落，稀里哗啦地横扫一圈，那几个黑衣人的视线陡然被扰乱，吃了一惊，还不待他们反应，一把长刀便从树杈之后冒了出来，来人出其不意地连着放倒了三四个黑衣人。

刘有良终于大喝一声，拼命爬了起来。

这从天而降的救兵正是李妍，她在鸿运客栈外面静观其变时，见刘有良脱逃，便一路跟了过来。

李妍一手提刀，一手拎着一根比她人还大的树杈子乱挥，营造出了一种自己十分人高马大的错觉，趁隙冲刘有良道："大叔快跑！"

刘有良没料到出手的竟是这么个小姑娘，略有些吃惊，然而还不待他反应，便见那领头的北斗高高低低地长啸几声，无数黑影从两侧道旁冲了出来。

李妍："……"

这么多人，完蛋了。

此时，她已经别无选择，一咬牙，将那大树杈子扔在一边，深吸一口气，双手握住长刀，心道：阿翡要是能附我的身就好了。

不知身在何方的周翡并没有练就这种狐狸精的本领，北斗们却已经冲了上来。

李妍心道：拼了！

然而就在她以为自己即将杀身成仁的时候，眼前北斗的阵形突然乱了，只听一道凄厉的马嘶声由远及近，接着，一匹马闯了过来，马上人手持双剑，出手极准，三下五除二挑了一路黑衣人，直杀到李妍身边，冲她吼道："李大状！"

李妍差点哭了："哥！"

李晟没料到自己前脚走，她后脚就能闯出这么大的祸，后怕得火冒三丈，出手越发不留余地，北斗们躺下了一片，李妍机灵得很，倒也没闲着，一声口哨唤来自己的马，伸手去扶刘有良："大叔，马给你了，我有我哥！"

李晟："……"

这败家丫头好会慷他人之慨。

他不愿久战，杀退了一批黑衣人，便一把拎住李妍的肩膀，将她拽上自己的马，吹了一声哨子，李妍的马驮着刘有良连忙跟了上来。她一口气尚未松下去，不远处便传来一声长啸，震得人胸口发闷，李妍晃了晃，险些摔下马去。

接着，只见一个红衣人影几个起落便到了他们眼前："又是何方神圣多管闲事？"

李妍老远一看，认出来人，顿时失色道："大事不好！"

她慌慌张张地一夹马腹，催马快跑，李晟却不明所以，听闻有人出声，第一反应便是拉住缰绳，结果两人一个要马跑，一个要马停，闹得那被迫驮了两人的神骏好不郁闷，两条大前腿暴躁地刨着地面，快尥蹶子了。

李妍怒道："李缺德你找死吗？那是北斗的'武曲'！"

李晟："……"

他发现自己小看了李妍，单知道她能闯祸，不知道她能闯这么大的祸！

但此时再松开缰绳放马狂奔也来不及了，童开阳已经落在了他们一丈之外，那武曲星原本干净的皂靴上沾了一点血迹，整个人却连头发丝都没乱上一根，他微微仰头看着马背上的李氏兄妹，没太将他们这些年轻人放在眼里，只是负手而立，看了刘有良一眼，嗤笑道："方才是行脚帮，这回又是谁？刘大统领啊，不是我说，你原来好歹也是近卫第一人，怎么肯帮你的除了下九流的花子，就是毛还没长齐的小崽子？"

童开阳出现在这儿，那么鸿运客栈中人的下场可想而知，或许那老掌柜在客栈中说出那番话时便是已经料到了自己的结果，可刘有良万万没想到这么快。适才李妍一动手，他便看出了那小姑娘的深浅，跟与她同龄的后生比，算很不错，然而放在童开阳面前，便是不堪一击了，看她那兄长也未见得大上几岁，想来强也强得有限。刘有良突然一阵心灰意懒，感觉天意要亡他在此，便暗叹口气，忖道：罢了，谋事在人，成事在天，有些事勉力便是，真不成，那也是命，我何必再连累无辜？

他按住胸口，勉强咳嗽了几声，打马上前，冲李妍一抱拳道："姑娘与我素不相识，却肯出手相助，刘某感激不尽，来世必结草衔环以报，事已至此，我与这位童大人非得有个了结不可，你们……速速离去吧。"

童开阳微微提起嘴角，颇感有趣地看着马背上重伤的男子。

刘有良身材高大，惯常不苟言笑，因为目光十分锐利，好似时常含着杀气，乍一看，像是生着爪牙茹毛饮血的野狼，却没想到只是一只披着狼皮的羊。到了这步田地，别管他这番逃命是为了什么未竟的事业，还是单纯为了活命，难道不该利用一切可以利用的，想尽一切办法逃脱吗？

他居然还有心情将那两个不知所谓的年轻人往外摘……好像童开阳会信似的。

李晟皱了皱眉，低头递给李妍一个疑问的眼神——你救的这人是谁？

李妍其实不太清楚，只好悄悄将从别人那儿听来的只言片语学给他听。李晟一手提着缰绳，一手搭在自己腰侧的剑上，皱着眉不知想起了什么，忽然转头对刘有良道："这位刘……统领，可还记得忠武将军？"

刘有良沉声道："吴将军忠义千秋。"

李晟闻言，若有所思地看了他一眼，又看了童开阳一眼，片刻后，他往李妍手里塞了件东西，对她简短地交代道："你先走。"

说完，还不待李妍反应，李晟便陡然从马上翻了下来，长腿横扫了几个围在周遭的北斗，同时回手拍了那马一掌，那马总算得了个准信，当即撒蹄子狂奔起来。李晟嘬唇做哨，原本李妍骑的那匹马居然也听他的，根本不顾背上刘有良的号令，跟着前面的李妍便跑了出去。

李妍一番手忙脚乱，听见"咻咻"声，低头一看，李晟塞在她手里的居然是个点燃了引线的烟花筒，李妍忙脱手扔了出去，一颗小火球呼啸着冲向了半空，炸了个群星璀璨。

见此令者，四十八寨在此地的暗桩众人都会第一时间赶到。

李妍回头冲仍然留在原地的李晟大叫道："哥！"

李晟没理她，双手一分便抽出双剑，一边心里估算着自己能挡住童开阳多久，一边先下手为强地冲了上去。

李妍拽着马缰绳："吁——停……停下！"

李晟那匹马脾气暴躁得很，跑起来仿佛要腾云驾雾一般，不怎么听她的，身后刀剑声已起，李妍快要被这闷头往前跑的傻马急哭了，当即狠狠地将缰绳往后一拉，那烈马前蹄高高扬起，愤怒地甩着头。

李妍拼命想拨转马头，那马好似通人性，知道李晟的意思，大脑袋左摇右晃，就是不肯如她愿，李妍愤怒地在它脑门上拍了一巴掌："混账！"

她当即不管不顾了，直接从飞驰的马背上一跃而下，先在地上打了个滚，随后爬起来便要往回跑。

刘有良大叫道："姑娘！"

李晟已经与童开阳动起了手，他一出手，童开阳便是一皱眉，因为发现自己竟小看了这年轻人，偏偏那李晟还冲他笑道："童大人，你成名已久，我早想拜会，今日得了这不打不相识的机会，您可得不吝赐教。"

李晟这么一开腔，童开阳一句"将他拿下"顿时卡在了喉咙里，喊也不是，不喊也不是——因为李晟罔顾自己"有碍公务"的事实，将此番拦截直接变成了向童开阳本人挑战。童开阳成名多年，在自己手下面前也是要面子的，今日不亲手将这小子收拾了，怎么立威？

童开阳自视甚高，手中一把佩刀不过是寻常武官的标配，装饰大于实用，可见根本未曾将追杀刘有良之事放在眼里，更加不耐烦与李晟这种后生纠缠，他蓦地将佩刀一摆，当头向李晟劈了下来，李晟没敢接，连连退后好几步，见童开阳不过凌空挥刀，地面上竟出现一道两尺多长的狭长痕迹。

地面尚且如此，可想砍在人身上是什么结果。

李晟心里一惊，这武曲的功夫已经到了凝风成刃的地步！怪不得不在意拿什么兵刃。他不敢再硬碰，脚下步伐陡然繁复起来，整个人仿佛成了个行走的迷阵，叫人捉不到形迹——这是周翡后来教他的蜉蝣阵，李晟在这些花里胡哨的东西上确实天赋异禀，弄通了原理之后触类旁通，马上便青出于蓝。

北斗黑衣人们唯恐城门失火，殃及池鱼，纷纷退开了一个大圈子。李晟步法缥缈，走转腾挪，而他所经之处，地面上立刻便会多几道口子，纵横交错、宛如棋盘，路旁泛黄的树叶为童开阳戾气所逼，纷纷扬扬地往下落，乍一看跟下了一场蝴蝶雨似的，非得上前才能知道，每一片叶子都并非从叶柄处脱落，全是半片的，上面一道整整齐齐的刀痕！

李晟心思沉稳，身处险境，依然不动声色，脚下有条不紊，间或一剑抽冷刺过去。

童开阳的佩刀"锵啷"一声压住了他的双剑，李晟手腕发麻，却是不慌不忙地顺势卸力，行云流水一般滑了出去，童开阳突然大笑道："好个小贼，原来是蜀山门下！"

李晟一皱眉，他方才那招脱胎于年幼时在潇湘派门下学来的剑招，虽然已经不同，但依稀能看出一点影子来。几年前，王老夫人他们下山寻找张晨飞等人之后便再没回来过，李瑾容放心不下，几次派人四处暗访，至今毫无音信。此时，不知为什么，李晟听见童开阳这一笑，心里突然升起不祥的预感。

李晟倏地回身将双剑端平，便见童开阳扯开嘴角，冷笑道："那老太婆倒是有点意思，可惜太过不自量力，报什么仇？一大把年纪不好好在家等死，还学人家行刺，哈哈！"

李晟手背上青筋倏地跳了起来。

童开阳轻轻一舔自己的刀锋，说道："你知道老骨头掰开的声音，跟年轻些的响动不同吗？"

四十八寨的孩子，哪个小时候没跟在王老夫人身边讨过零嘴？李晟虽然早想过王老夫人他们或许已经遭到不测，可是闻听此言，还是怒火攻心，他一声没吭，双剑震出一声轻吟，诡谲轻灵的潇湘剑法直取童开阳咽喉胸口。童开阳爆出一阵大笑，笑声中竟含劲力，常人离开老远尚且觉得头晕眼花，更别提就在跟前的李晟了。

李晟脸色一白，耳朵里当场见了红，手中双剑却去势不改。童开阳一甩长袖要将他双剑笼在其中，同时，佩刀发出一声怪啸，睥睨无双地捅向李晟左胸，两人尚未短兵相接，突然，童开阳觉得身后有劲风袭来，力道竟不容小觑，他眉头一皱，脸上戾气上涌，仓促地回身荡开李晟的剑，偏头退避，只听"笃"一下，那砸过来的东西竟是个刀鞘，落地时正好砸在地面上两条交错的划痕中间，好似在棋盘上落了颗子。

童开阳怒喝道："谁？！"

身后林间，一阵"沙沙"声响起，随后，一个头戴斗笠的人牵着马从林中缓缓走出，手里拎着一把没了鞘的长刀。这人身量纤细，略显单薄，在女子……南方女子中，大约还能勉强夸一句"高挑"，乌云似的长发随意地扎起来垂在身后，身上沾着一层氤氲的水汽。

只见她把马缰随意搭在一棵树上，伸手将挡住了大半张脸的斗笠往上一推，瞥了李晟一眼，慢悠悠地开了口，说道："我还当是谁放的求救烟花。若不是我正好在济南城外，你难道打算让暗桩里那几只三脚猫赶来救你？啧，李婆婆，你是怎么想的？"

李晟见了来人，脸色先是一松，此时听她出言不逊，脸色又黑了下来："周翡，你'号'的不是这条'脉'，跑这里来干什么？"

"脚程快，活干完了顺便四处逛逛，不行啊？"周翡一边说，一边不慌不忙地走了过来，不知为什么，围在外圈的北斗黑衣人竟好似分海似的退开了。她看也不看这些黑衣人一眼，全然当他们在列队欢迎自己，径直提刀来到童开阳面前，再次将掉下来的斗笠往上推了一下，微微抬起一张清秀的脸，说道："哦，原来是北斗的武曲大人。"

童开阳眼角跳了几下，从牙缝里挤出两个字："是你。"

这几年，除非李瑾容召她回去干活，否则周翡一年到头，倒有大半年都在外面，也不知在哪儿野，倒是也没听说她在外面干了什么惊天动地的大事——或许干了，她没留名——逢年过节，周翡必定按时按点回家，李瑾容便也不大管她。

周翡认得童开阳正常，可童开阳居然也好像和她挺熟——李晟额角青筋跳了两下，他就知道这第一次下山就惊天动地的活土匪不可能像她表现出来的那么消停！

周翡手指摩挲了一下碎遮的刀尖，笑道："有日子没见您了，看来身子骨还硬朗。"

李晟警告道："周翡。"

周翡在他们两人中间站定，对李晟道："我跟这位童大人非但认识，还缘分匪浅，头一次见童大人，是您跟着沈大人追杀木小乔，当时我看见您了，您没看见我。第二次呢，您因为一株'火莲'，一掌将我打下山谷，险些要了在下的小命，我花了四个多月才重新爬上来，啧，当真是九死一生，大恩大德无以为报，只好潜入旧都，放火烧了贵宅。"

李晟："……"

"第三次……唉，说来惭愧，咱俩老为了那点开药铺的东西过不去，忒不上台面。第三次是为了一颗'滚地蛟'的蛇胆，我跟大蟒蛇和比大蟒蛇还要厉害几分的童大人斗了两天一宿，不才，通过偷奸耍滑略胜一筹，还叫童大人一把好剑葬身蛇腹，一直十分过意不去，今天特意带了十两银子前来赔偿。"周翡对李晟一伸手，"哥，给我钱。"

李晟再也不想从周翡和李妍嘴里听见"哥"这个字了。

童开阳看了李晟一眼，皮笑肉不笑地道："原来是令兄长。"

"不错，"周翡伸手薅出钉在地面上的刀鞘，在手里转了一圈，"童大人，看在旧识的分儿上，家兄要是有什么得罪之处，你就睁一只眼闭一只眼吧。"

童开阳被她这无理要求气得要炸，可是知道这妖怪丫头棘手得很，旁边再加上一个身手不弱的李晟，倘若真动起手来，自己未见得能讨得到好处，倘若真马失前蹄，折在这些小辈手里，弄不好以后得成为北斗的笑话。

他心头转念，强压怒容，当即挤出一个狰狞的笑容道："既然周姑娘这么说了，我也不便得理不饶人，请吧！"

周翡笑了一下："多谢。"

"慢，"童开阳又道，"令兄自然是能走，可那钦犯刘有良罪大恶极，我要拿他归案，想必周姑娘不会无故妨碍公务吧？"

周翡的脸被斗笠遮着，旁边人看不见她的表情，只见她沉默了一会儿。李晟跟她从小一起长大，一眼便看出周翡其实不想惹麻烦，否则早动手了，绝不会跟童开阳废那么多话。李晟猜她肯定不是像她自己说的那样只是"四处逛逛"，很可能是正要去办什么要紧事，刚好途经济南城外，老远看见炸开的烟花，打算过来管一下，管完立刻就走——童开阳显然不是能"管一下"就解决的麻烦，所以还是大事化小，小事化了最好。

周翡飞快地笑了一下，正要开口说什么，李晟却抢先开口道："公务之前，我想先请教童大人，你方才跟我说的，'潇湘'王老夫人的事当真吗？"

童开阳方才是认出了他的剑招，为了扰乱他心神才随口说的，谁知道他后面还有帮手？此时听了这一问，一时竟没想好说辞。

周翡愣了一下，低声问道："什么？"

李晟没吭声，依旧是提着双剑，剑指童开阳。周翡很快回过神来，一下就明白了李晟的意思。

是了，当初在华容城中，沈天枢和仇天玑为了逼她和吴楚楚露面，闹了那么大的动静，消息必定已经传开了，王老夫人不可能不知道。那老夫人素日温和慈祥，性子却极烈，倘若知道亲子被人害死，必定不肯善罢甘休……

李晟一字一顿道："童大人，你们追查朝廷钦犯，难道不知'杀人偿命'四字是如何写就吗？"

周翡突然抬起一只手，压在李晟的剑上。

李晟沉声道："阿翡，你怎么说？"

"你打不过他。"周翡捏着他的剑尖往旁边一扒拉，随后认命似的叹道，"你去料理其他那些，把后面那两个碍事的送走，闪开。"

李晟这才注意到李妍他们居然还没走远："你……"

周翡淡淡地说道："区区一个北斗而已，去吧，没事。"

童开阳怒极反笑："哈，好猖狂！好大口气！上次有那畜生挡路，让你在我手中侥幸逃脱，既然今日你执意要送死，我便送你一程！"

他说完，方才那能悬空裂地的刀锋已经向周翡当头斩了下来。

周翡一把推开李晟，整个人已单脚为轴，转了大半圈，翻手将碎遮刀尖架了上去，碎遮的刀尖好似被极大的劲力撞得弯了一个弧度，周翡手腕一翻，那长刀发出一声好似要经久不息的轻响，蓦地将童开阳弹了回去，随即那长刀好似行云流水一般缠上了童开阳。

童开阳在蚕茧似的刀光中同她拆了十来招，竟连退了六步，而后他大喝一声，双手握住刀柄，手背上青筋暴跳，倏地发力，刀有尽时，刀风却不竭，像一条看不见的巨龙咆哮着冲向周翡。周翡轻轻眯了一下眼，竟不退不避，直接以一招"斩"字诀迎上——

周翡头上的斗笠为刀风所破，倏地裂成两半，自她肩头两侧落了地，而两人兵刃相抵之处，童开阳的佩刀被宝刀碎遮撞出了一个缺口！

倘若这缺口再晚一分，童开阳那强横有如实质的刀风再晚卸一分，裂成两半的必不只那草编的斗笠。而她方才分明能躲，却非得迎着刀风而上，几近孤注一掷地强行接招，铺开了一场将自己的性命悬在刀尖上的豪赌……还赌赢了！

简直疯了！

童开阳的眼角再次不受控制地跳了起来。

周翡双手扣住碎遮刀柄，将碎遮一别，只听"嘎啦"一声，童大人的佩刀上好似结出了一大片蜘蛛网，暗淡的碎碴纷纷落下。

"哟，对不住。"周翡抬起头微笑起来，年轻姑娘的笑容自然都是明净动人的，可她这一笑，却叫童开阳后脊上蹿起一层凉意，便听她轻声说道，"您这把刀看着富贵，恐怕不是十两银子买得下的，哥……"

周翡装模作样地叫了两声，一脸无辜地转向童开阳道："看来他们先走了，要不我先给您打张欠条？"

　　童开阳当然不会承认自己武功不如这黄毛丫头，可仿佛是在三年前，他那一掌没能斩草除根之后，周翡身上就多了股叫人毛骨悚然的疯劲，好像摔上了瘾，谁也不知道她什么时候就会剑走偏锋，将自己和别人一起挂在悬崖上。

　　周翡不惜命，童开阳却惜，此时眼见那刘有良影子都不见了，童开阳自然也不愿意跟她纠缠。他冷哼一声，丢开碎了的佩刀，呼哨一声："追！"

　　身边的北斗连忙跟上，转眼不见了踪影。

　　童开阳毕竟厉害，周翡没去追，她手腕有些发麻，待人都走光了，她便还刀入鞘，低头用牙尖一扯护腕的布条，布条落地，露出了有些发红的手腕，周翡吹了声哨，安静地等在一边的马便训练有素地小跑过来，周翡摸出一把豆子喂它，心道：童开阳，便宜你再多活几天。

　　一人一马原地休息了片刻，周翡往自己来路看了一眼，皱了皱眉，终于还是驾马追着李晟等人而去。

　　刘有良在鸿运客栈里就是被李妍一杯凉水泼醒的，撑到现在，已经堪称奇迹，实在撑不住了，迷迷糊糊间，他不由自主地拽马缰绳保持平衡，拽得那马越跑越慢，到最后瞪着一双茫然的大眼睛，几乎就停在了原地。

　　李妍扒着李晟的肩回头看了一眼，问道："大叔，你怎么了？"

　　刘有良没回答，在马背上晃了两下，然后一头栽了下去。

　　李晟他们没办法，只好沿途留下标记，沿百脉水顺流而走，往章丘而去，好歹要先找地方歇脚。李妍一边帮着牵马，一边回头看："他好像发烧了，是不是得给他找个大夫——哥，阿翡没问题吗？"

　　李晟方才听了一耳朵周翡同北斗的新仇旧怨，皱着眉没吭声。虽然周翡不提，但李晟长了脑子会想，大概能猜到周翡为什么老为了"开药铺那点事"跟北斗过不去，寻思道：对了，好像听她随口说过一句，谢公子师门在蓬莱一带，该是离此地不远，莫非……

当年，谢公子借了他几本难登大雅之堂的"游记"，都没来得及还便再不见了踪影。李晟突然觉得，好像就是他们从永州回来的那一刻开始，日子后面仿佛有人挥鞭子狂赶，每天早晨一睁眼就有无数事要安排，无数从未考虑过的东西要想。他们原本按部就班地一年一年长大，不料节奏骤然被打乱，一夜之间便从凡事要请示的后辈，变成了四十八寨这一代能挑起大梁的"大人"。

"有问题你也帮不上什么，"李晟不动声色地催道，"不过童开阳见咱们走了，不会与她多纠缠，用不了多久就会追上来，快走吧，毕竟此处是北朝辖区。"

保险起见，李晟没有贸然进章丘城，他将刘有良安置在了城外一处圣人庙里，跳墙悄悄潜入后院，前头有个老先生正带着一帮学童入门拜见圣人，又烧香又训诫的，仪式还挺长。李晟悄悄看了一眼，对李妍道："你在这儿看着他，不准再闯祸了，我去前面看看，可能的话弄一辆马车来。"

李妍信誓旦旦道："哥你放心，我最靠谱了！"

李晟伸手摸了一把她很不要脸的狗头，不留情面道："放屁……唉，我还是尽快回来吧。"

李晟一走，李妍便警醒起来，她窝在圣人庙的后院里，竖着耳朵听前面的动静，前面有个说话好似喉咙里卡了鸡毛的老先生，拖着沙哑的长音，在那儿"之乎者也"地说着"圣人有言"，他念一句，便叫群童跟着念一句，小孩们可能是刚开蒙没多久，没读过什么书，老先生说话又带着口音，弄得一帮学童基本不解其意，只会跟着鹦鹉学舌，学得驴唇不对马嘴，十分可乐。

刘有良昏迷了一路，在这声音中短暂地清醒过来，他没有声张，只是安静地靠坐在原处，听着读书声，有些浑浊的眼睛半睁着，盯着晦暗的天光，不知在想些什么。

李妍悄声问他道："大叔，北斗为什么追杀你？你也和吴将军一样，其实是南朝的人，被他们发现了吗？"

刘有良偏头看了她一眼，笑了笑，说道："倒也不是，若不是我有要紧的东西要送到南边去，他们也未必发现得了……你们为救我担这样大的干系，实在……"

"那个不要紧，"李妍盘腿坐在地上，说道，"我姑说了，我们没事不惹事，但也不怕事，保全自己固然要紧，可若是保来保去，保成一帮苟且偷生的缩头乌龟，未免有违初衷。"

刘有良愣了愣，问道："尚未请教姑娘师承。"

李妍笑嘻嘻地说道："我是蜀中四十八寨的，忠武将军的女儿还在我家呢！"

刘有良先是一惊，随后大喜，还没来得及开口说什么，便听外面传来一阵匆忙的脚步声，念书的学童们陡然被打断，好像有一群什么人冲到了庙里。

刘有良和李妍脸色都是一变，同时屏住呼吸，李妍缓缓抓住自己的长刀。

只听前面有人嚣张地叫道："北斗缉拿朝廷钦犯！老头，看见有一男一女带着个受伤的人过去了吗？"

"这声音好像不是童开阳，"李妍心里暗自盘算着，"我未必不能一战……就怕他们人多。"

前面那公鸭嗓的老夫子颤颤巍巍道："各位官爷，不曾瞧见。"

那问话的北斗冷哼一声："章丘城已经戒严，他们不可能进城，没什么好去处——没用的老东西，闪开！给我前前后后地搜一遍！"

老夫子忙道："不可无礼！你……你们怎敢在圣人面前放肆！"

接着一片混乱，众学童受惊尖叫的声音响起，那脚步声越来越近，李妍猛地站了起来，周身都绷紧了，手心一片冷汗，她心里狂跳片刻，努力闭了闭眼定神，心道：拼了，我不如先下手为强！

她正要提刀上前，脚下刚滑出一步，突然，一道人影闪电似的落在她面前，李妍吓了好大一跳，差点惊叫出声，来人一抬手捂住她的嘴，冲她比了个噤声的手势。

李妍睁大了眼睛，差点热泪盈眶，来人居然是周翡！

周翡放开她，不慌不忙地冲刘有良点了个头，便提着碎遮往旁边墙上一靠，她站姿十分放松，好像丝毫没把逼近的脚步声和前面的混乱放在眼里。弄得李妍也不明原因地跟着放松了下来，好像此地有个周翡，外面是天塌还是地陷，她都不在意了。

就在这时，突然听见那老夫子暴喝一声："住手！你们这些……这些……南国子监便在十余里外，你们怎敢这样有辱斯文！"

周翡靠在墙角，听了这话，不甚明显地笑了一下。

李妍还以为她是笑话这老夫子迂腐，虽然也觉得骂北斗"有辱斯文"有点逗乐，还是不免有些担心，心道：那老书呆子无端这样得罪北斗，叫他们害了怎么办？

她便有些焦急地伸手去拉周翡的袖子，正要开口，却见周翡冲她摇摇头。

那老夫子吼出"南国子监"的时候，嚣张的北斗们停滞了一下，片刻后，又有个人开了口，这回听起来客气了不少，那人道："敢问先生是……"

那老夫子继续扯着刮得人耳朵疼的嗓子说道："老夫乃南国子监直讲林进，圣人门下，虽人微位卑，岂能坐视尔等放肆？倒要请教今日是哪位将军途经，好大的动静，好大的官威！"

先前出声的北斗道："不过小小一个直讲，若是放跑了朝廷钦犯，这干系你来担吗？"

老夫子当即振振有词地反唇相讥道："既是捉拿钦犯，便自去捉来，跑到此处寻一干学童的晦气是什么道理，我看阁下才是要放跑钦犯！"

李妍一口气卡在嗓子眼里，总觉得下一刻就能听见惨叫，不料那边尴尬地沉默了片刻后，后出声的北斗喝住了愤愤的同伴，那人大约是童开阳手下的一个小头目，听声音都能听出肯定是一脸忍辱负重,说道："原来是林先生，久仰大名，既然是先生，自然不会藏什么，有扰，咱们走！"

李妍没料到这反转，震惊得瞪大了眼睛。

不过片刻，脚步声渐渐远去，来势汹汹的北斗竟然撤走了。

李妍："就……就这么……"

外面安静了好一会儿，随即，老夫子絮絮叨叨地维持了一会儿学童的秩序，又开始带着他们"念经"。

直到这时，刘有良才松了口气，将一直梗着的脖子重重靠在一边，他气若游丝地说道："曹仲昆皇位来得名不正言不顺，初掌政权时，手上沾了不少人命，可是江湖人的命沾便沾了，读书人的命却金贵多了，后来他年纪渐长，毕竟没有'焚书坑儒'的胆子，也怕遗臭万年，这些年便开恩科，扩国子监。"

"扩着扩着装不下了，"周翡站在一边接话道，"于是弄出了南北两个国子监，为了显示自己能兼听，南北国子监师生定期能上书奏表给旧都，这些书呆子有时咬起人来比御史台还厉害。据说赵家人之所以仓皇南渡，便是老皇帝一意孤行动摇了朝中权贵与文臣的根基，有这前车之鉴，曹氏一直很小心，北斗名义是天子近卫，其实不过是办事的狗，未必敢在南国子监放肆……对不对，刘大人？"

刘有良一手按着腰间的伤口，艰难地笑了一下，低声道："不错，这林老先生虽不过一个小小直讲，名声却很大，他本是个老学究，办事说话稀里糊涂，有时甚至颠三倒四，实在不堪为官，偏偏运气极好，早年开私塾收学童，说来不过教些《千字文》之类识字开蒙的功课，不料经他开过蒙的，连续出了四五个一甲登科，连如今的祭酒大人都曾在他门下念过书，不少读书人家的孩子觉得由他老人家领着进门，将来必会大有文采。这都快成本地一典故了。"

李妍听得愣愣的。

周翡掀起眼皮看了她一眼："稀奇什么？你以为你哥随便找个什么地方，都敢把你自己丢在这儿？"

李妍忽然说不出话来。这几年，她见周翡的次数一只手能数过来，对周翡的印象仍然停留在那漫长的少女时光——李妍记得，周翡走路的时候头也不抬，经常旁若无人地沉浸在自己的世界里，因此既不认路也不认人。每次逢年过节，她都一脸爱搭不理地跟着李晟，倘或见了人，李晟叫人家什么，她就跟着叫什么……甚至有一次不留神跟着李晟叫了大当家一声"姑姑"。告诉周翡的秘密，永远不用担心她说出去，因为她根本不关心，听的时候就没听进去，头天跟她说的少女心事，扭头她就忘得一干二净。

这样一个两耳不闻窗外事的人，是怎么变成如今这样天下南北事如数家珍的？

李妍不会藏话，心里想什么，脸上能一目了然，周翡将碎遮往腰间一挂，双手抱在胸前，笑道："这有什么，我刚下山的时候也什么都不想，没人带路就找不着北。李婆婆比我还离谱，他办的那些破事我就不提了。"

李妍闷闷地说道："那后来你怎么找着北了呢？"

周翡顿了一下，目光在李妍脸上定定地落了片刻，随后说道："因为给我带过路的人都不在身边了。"

王老夫人、晨飞师兄、马吉利……还有谢允。

周翡说完，飞快地收回目光，话音一转，接着对刘有良说道："我知道童开阳或许会忌惮南国子监，只是我没料到他这么好打发，三言两语就走了。倘若不是有什么阴谋，那便必定是有缘故了。"

李妍立刻想起刘有良之前那句差点说出来的话，忙介绍道："这是我姐，是我们大当家的……"

"南刀。"刘有良不等李妍说完，便接道，"我知道，你在北斗中比在南边武林中出名，毕竟不是谁都敢在童开阳府上放火……周姑娘确实缜密——童开阳不敢，是因为如今南国子监祭酒是太子的亲舅，再正也没有的太子党……至于童开阳为何不想在这个节骨眼上得罪太子，咳……"

他半合着眼，气喘吁吁地咳嗽了几声，说道："因为曹仲昆死了。"

周翡："……"

李妍："……"

隔着一堵墙的地方，老夫子嗓着嗓子念到了"为万世开太平"，"平"字拖着三十里的长音，可谓一唱三叹，叫老旦听了也要甘拜下风。而年久失修的圣人庙后院里，只剩了半条命的中年男子躺在地上，轻飘飘地放出了这个石破天惊的大消息。

别说李妍，连周翡都愣了。

"京城现如今正秘不发丧，这消息只有皇后、太子与我们几个正好在场的近卫知道。太子想要趁此机会一举拔除端王在京的党羽，抢先继位登基，严令禁止将这消息传出，我们当时都被扣在宫里，有胆敢离开半步者，便以谋反罪论处。"刘有良一摊手，"于是刘某'谋反'了。"

李妍愣了半天，有些意外地说道："难道你要将这消息告诉曹……

那个大胖子？"

周翡低声道："李妍。"

李妍吐了吐舌头，不敢再说傻话了。

周翡走过来，挂着碎遮，半跪在刘有良面前，盯着他说道："若只是一个消息，刘大人大可以神不知鬼不觉地将话传出来，实在不必这样大费周章。"

"不错，我早在旧都的时候就已经设法将消息传给行脚帮了，这会儿，令尊想必早已经收到了。只是当时有些忘形，被小人陷害，否则不会那么容易被童开阳撞破。"刘有良吃力地将手伸进怀里，摸了半晌，摸出一个巴掌大的小盒，上面画着褪色的花草，像是个旧胭脂盒，"不过也无所谓，我本来也……"

刘有良吃力地动了一下，喘得像个破风箱，将那胭脂盒塞进了周翡手里："此地凶险，姑娘虽然有南刀令名，带着我也是多有不便，就不要……不要管我了，你将此物带回去给令尊，我心愿便了，死也……"

周翡问道："这是什么？"

"是'海天一色'盟约。"刘有良道。

周翡脸色蓦地一变。

便见刘有良急喘了几口气，又补充道："不是……咳，你们说的那个'海天一色'，你们争来抢去的那什么水波纹，我不知道是个什么东西，也不知道它为何要沿用'海天一色'的名头……当年旧都事变，一部分人走了，护送幼主南下，舍生取义，一部分人留下了，忍辱负重，都知道这一去一留间，或许终生都难以再见，我们便在临行时定下盟约，名为'海天一色'……"

舍生的与苟活的，忍痛的与忍辱的，恰如秋水共长天一色。

"最后一个活着的人，要将这份盟约与名单送到南边，这样哪怕我们死得悄无声息，将来三尺汗青之上，也总有个公论。可笑那风声鹤唳的童开阳，还以为这是什么要紧的机密，想从我手中拿到这份名单，好按图索骥，挨个清算呢。"

周翡打开扫了一眼，即使她现如今颇有眼观六路耳听八方的意思，名单上的很多人名对她来说仍然十分陌生，因为有些人大概终身没什么建树，未能像吴将军那样爬到高位，做出什么有用的事，只是无能为力地官居下品，在年复一年的疑惑与焦虑中悄无声息地老死，有些人则干脆卷入了别的事端中，在云谲波诡的北朝里，与无数淹没在蝇营狗苟、争权夺势中的人一样，怀揣着一份压得很深的忠诚，死于不相干。

刘有良道："我一路寻觅可托付之人，总算老天垂怜。周姑娘，便仰仗你了。"

李妍不知所措地看了看周翡，又看了看刘有良——章丘城已经戒严，这附近一带想必都已经被北斗的探子包围，带着这么个重伤的人，外有童开阳这种强敌，哪怕是周翡，恐怕也无能为力。

李妍很想拍着胸脯说一句"大叔你放心，我必能护你周全"，可她不能——她就算自己愿意豁出去，也不能替大哥和姐姐豁出去，只好眼巴巴地看着周翡。

周翡没吭声，想了想，将那旧胭脂盒收进怀里，站起来冲外面喊了一声："林老头儿，你念完经了吗？"

李妍："……"

只见一道紧闭的小门从里面推开，一个山羊胡子、五短身材的老头一手扒拉开门上的蜘蛛网，扶着墙走出来，扯着公鸭嗓，指着周翡道："放肆，不尊先长，没大没小！"

方才庙里闹哄哄的学童们已经走光了，老夫子挂着根拐棍一步一挪地走过来，他满头白发，看着足有古稀之年了，光是走这两步路便看得李妍提心吊胆，唯恐他一个大马趴把自己摔散架。

周翡不耐烦道："我没吃你家米，也没读你家书，少在我这儿充大辈了，快来帮忙！"

林进用拐杖戳了她一下，山羊胡俏皮地翘了起来："我是你师伯！"

周翡面无表情道："你是谁师伯？我可没有一个和尚师父。"

林进听了，脸上露出了一个十分猥琐的笑容，披着老学究的皮，身体力行地表演了一番何为"道貌岸然"，说道："早晚你得承认，嘿嘿。"

李妍觉得自己看见了周翡额角的青筋，然后便见那走路都颤颤巍巍的老东西上前一步，好似捡起一片纸似的，避开刘有良的伤口，轻轻松松地抓起他的腰带，一把将那五大三粗的汉子扛在了肩头。

李妍目瞪口呆地看着他，那老夫子挤眉弄眼地冲她一笑道："噫，这位小姑娘也十分俊俏，读过四书了不曾？五经喜欢念哪一篇？"

"她喜欢《三字经》，"周翡冷冷地说道，"别废话，走！"

林进冲她瞪眼道："人心不古，人心不古！周丫头，你再学不会知书达理，可别想进我家门了。"

由此可见，谢允那一身"贱意"绝非天生，也是有来历的。

周翡一横碎遮，怒道："你做梦去吧！"

林进老猴子似的蹦蹦跶跶地躲开，哈哈一笑，扛着个震惊得找不着北的刘大统领，一个起落，倏地便不见了踪影。

李妍指着老夫子消失的方向："他……他……"

"一个前辈，人虽然猥琐了点，但还算靠得住，交给他可以放心。"周翡顿了顿，看了李妍一眼，又道，"我就不等李婆婆了，你跟他说一声便是，我还有点事，过几日重阳回家。路上小心点，回见。"

李妍忙道："哎，等……"

可是周翡不等她开口，人影一闪，已经不见了。

第十一章·

蓬莱

"阿翡，"谢允写道，"听闻你不日将至，很是欢喜，东海之滨虾兵蟹将甚众，皆与你等水草精为同族，蘸油盐酱醋并碎姜末一点十分味美，你可与之多多亲近……"

　　傍晚时分，一艘小舟悠然横在水波之上，周翡悠然地坐在船舷上，她早就不是被一支长桨弄得团团转的旱鸭子了，偶尔信手拨弄一下，小船便直直地往前走去，逆水而行了一整天，便来到了一大片岛礁之地。

　　她不知已经来过多少遍，既不需要地图，也不必有司南，闭着眼便能令小船左拐右转，穿过一个令人眼花缭乱的石头阵，随即又钻入了一个堪堪能通过的石洞里，她放下船桨，任凭水流推着小船行进，其中拐了几道弯，水路越来越窄、越来越浅，直到船已经没法再走，她便将小船停在浅水里，轻轻一跃跳上了黑洞洞的岸上，摸索着在石墙上推了几下，"咔嗒"一声轻响后，山石上竟凭空开了一道门，步入其中走上约莫一炷香的工夫，前方竟豁然开朗，露出一片岛上房舍来。

有个老渔夫正在晒网，见她来，丝毫也不吃惊，轻描淡写地冲她点了个头，说道："周丫头，来得不巧，那小子前几日醒过一阵子，本想等你几天，实在不成了，昨天才刚回去闭关。"

周翡不甚明显地叹了口气，说道："路上遇上点麻烦。"

那老渔夫伸手指了指一处天然礁石山洞："快去吧，留了信给你。"

周翡却没有动。

她像个走了很远的路方才归来的旅人，心里未必不欢喜，只是十分疲倦，累得见了日日牵挂的亲人也不想言语，闻到久久思念的家常菜味也不想吃，看起来倒像是无动于衷似的。她在水边站了一会儿，见细碎的浪花来而复往地拍着岸上的礁石，一部分渔网落在了水里，随着水面起起伏伏，时而沉浸到苍白的泡沫中去，泛着异样的光泽。好半晌，她用碎遮轻轻戳了戳地面，摸出一个小瓷瓶，说道："我找到了传说中的'朱明火尾草'，托毒郎中磨成了粉才带回来，不知道有没有用。"

周翡当年从周以棠那儿拿到了地图，便跑去把梁绍的墓穴挖了个底朝天。

梁相爷也是惨，生前鞠躬尽瘁，死后不得安宁，那坟被人刨过不止一次，周翡去的时候，连他的尸骨都没找着，棺材盖也被掀在了一边，亮着个空荡荡的"三长两短"，十分凄凉。好在先来的"访客"找东西很有目的性，大部分陪葬品并没有动。周翡将和大药谷有关的东西都拿了出来，有用的送到了蓬莱，其他的便干脆卖了个人情，送给了应何从。

这些年，她对照着昔日走偏的奇才吕润那本《百毒经》按图索骥，走过无数人间奇谲之地，还跟童开阳结下了深仇大怨，自己也混成了半个奇珍草药的行家，结果却好似总是不尽如人意，治标难治本。有时候周翡也会想，如果她是谢允，她愿意像这样吊着一口气，大半时间都在昏迷中度过地活着吗？

只是想一想，她都觉得自己要疯。

思绪这么一拐，周翡便常常觉得灰心得很，可是她心性里偏偏又有点小偏执，虽灰心，却始终未死心，灰一晚上，第二天总还是能鬼使神差地"死灰复燃"。

谢允清醒的时间很短暂，刚开始，不过是被岛上三位长辈以内力疗伤时逼醒的，几乎没有意识，这一年来用了《百毒经》中所载，以奇蟒"蛟胆"做的"蛟香"，方才有些转机，已经能起来活动一阵子了，可惜……周翡紧赶慢赶，还是没赶上。

周翡轻声道："我还没找到同明大师说的那种内力。"

老渔夫不怎么意外，专心致志地拉扯着手中的渔网，头也不抬地说道："我听你进来的时候脚步略沉，似乎有些迟疑不决，便知道没什么结果。"

传说中的"蓬莱散仙"其实有四个人，当年有一位前辈为了救谢允，瞒着其他三人传了功给他，已经过世了。到如今，剩下一个高僧同明大和尚，一个混迹国子监、热爱误人子弟的林夫子，还有一个，便是这老渔夫。

这做渔夫打扮的老人名叫陈俊夫，名字与样貌均是平平无奇，说出去也未见得有多少人知道，可他做的东西却是大大有名——譬如早年山川剑为自己夫人定做，后来落了青龙主郑罗生手里那件刀枪不入的"暮云纱"。

相传此人有一双能点石成金的手，机关、兵器、宝衣……无所不精。

比起说话总是打禅机的同明大师，不着四六的林老夫子，周翡比较愿意和这位陈老聊天。

三年多，即使周翡天生是个爱跳脚的性子，也在屡次失望中淡定了，她与老渔夫一站一坐，嘴里说着丧气的话，脸上却没什么波澜，好像只是和他闲聊家常一样。

周翡问道："陈老，我要是到最后也找不到怎么办？"

老渔夫摸出一根样式古怪的梭子，以叫人看不清的手速在一层网上织另一层网，他用的鱼线极细，好似比传说中"五层纱衣可见胸口痣"的绸缎还要轻薄。陈俊夫手虽快，话却说得很慢，他轻轻地说道："老林头第一次见你，便要出手捉弄，当时你拿他一点办法都没有，现在不过两三年的光景，他已经不敢随便惹你了，你可知为什么？"

周翡虽然是个武痴，却也总有不想讨论武功的时候，闻言恹恹地说道："不知道，拳怕少壮？也没准是他老人家'之乎者也'念多了，越活越回去。"

陈俊夫伸手轻轻一拉鱼线，鱼线便干脆利落地被他截断了，平摊在地上的大"渔网"动了动，灼眼的光芒"哗"地一下，泼洒似的流了过去。他抬起黝黑的脸，眯着眼对周翡笑了笑，说道："因为别的人，或是走上坡路，或是走下坡路，或是原地不动，脚下起起伏伏，都有着落。你却不同，你走的不是斜坡，是峭壁，石阶之间没有路，只能拼命纵身跃起，每次堪堪抓到上面的石头，再挣扎着爬上去，万一爬不上去，便只能摔个粉身碎骨，这是置之死地而后生的路——我问你，你怕过吗？"

周翡愣了愣，随后点头道："嗯。"

怕是人之常情，可是偏偏她被谢允传染了一身霉运，每次身临险境，都好似被卡在石头缝里，想要不被困死在原地，只能一往无前，怕也没用。

陈俊夫问道："那怕的时候，你怎么办呢？"

"就假装我其实已经在高一层……或者更高的石阶上，假装到自己深信不疑时，便觉得眼前这一步不在话下了。"周翡抿抿嘴唇，冲陈俊夫一点头，勉强笑道，"知道了，多谢陈老指点。"

"指点什么，不过是教你自欺欺人地好受一点，快去吧。"陈俊夫冲她摆摆手，重新忙碌起来。

周翡转身走进谢允闭关的洞府中，刚到门口，便已经觉得热浪扑面，一股奇特的香味从中透出来，正是蛟香，据说普通人在里面打坐片刻，蹭几口蛟香，内功修为能事半功倍——只是不能久待，否则会对经脉有损。

洞府中被蓬莱这几位财大气粗的老东西弄得灯火通明，墙上半个火把都没有，全是拳头大的夜明珠，周翡一进去先愣住了——只见上次她来时还光秃秃的石壁上，被人以重彩画了一片杜鹃花，画工了得，那浓烈的红几乎能以假乱真，怒放了一面墙，绚烂至极地往人眼里撞，生机勃勃，好像一阵风吹过去，便能翻起火焰似的红浪来，叫人看一眼，胸中不散的郁郁便好似轻了几分。

蛟香缭绕中，一个清瘦了不少的人安静地躺在里面，苍白的脸色被墙上的画映得多了几分血色，手里握着一块绯红的暖玉。

周翡缓缓走到他身边坐下，感觉整个石洞热得像个火炉子，就大冰块谢允身边还能凉快点。

她抬头瞄着墙上的画，对谢允道："你画的？喷，你还挺有闲情逸致。"

躺着的人自然不能答话，但周翡的目光扫过一整面墙的红杜鹃，在角落里发现了几行题字并落款，先头题了一句白乐天的"回看桃李都无色，映得芙蓉不是花"，后面又道"经一场大梦，梦中见满眼山花如翡，如见故人，喜不自胜"，落款是"想得开居士"。

周翡看见"想得开"三个字，不由自主地笑了起来。

接着，她看见旁边小桌案上放了笔墨纸砚，便从石床边跳了下来，步履轻盈地转到小桌前，翻看谢允留给她的信。只见桌面上摊了几张画，头一张画的是个十三四岁的小姑娘，十分稚气，纤纤秀秀的，单腿站在一块大石头上，偏头正往画外看，眉目飞扬，显得十分神气。

周翡讶异地一挑眉，隐约想起这是自己年幼时在洗墨江中初见谢允的模样，她自己都已经有点记不清了，没想到谢允笔下居然还这么分毫毕现，周翡心头先是微微一跳……不料随后看见题字，顿时从感动不已变成了气不打一处来——姓谢的那倒霉玩意给这幅画起名叫"水草精小时候"。

周翡自言自语道："你才水草精，你是鳖精！"

第二幅画上是个少女，长大了些，面容俊秀，她手里拿着一颗骷髅头，正将它往一堆骨架上摆，旁边一堆幢幢的黑影，只有一束月光照下来，落在那少女背影上。

周翡这回压住了心里的波澜，先去看题字，见这张画上写的是"威风水草精只身下地洞，备战黑北斗八百小王八"。

周翡："……"

她原地磨了磨牙，回头扫了谢允一眼，不知是不是她的错觉，总觉得谢允嘴角好像还带着一点坏笑。周翡突然觉得自己那拖得脚步都发沉的心情实在毫无必要，这位想得开居士这么会玩，看来离死还远着呢。

她暗骂一声"混账"，愤愤地掀开第三幅画。

第三幅画上是一个年轻姑娘，比前面的少女又年长了些，五官同前两张如出一辙，人却是微笑的，她身穿一袭红裙，裙角飞扬，鬓似鸦羽，眉目宛然，站在一大片杜鹃花丛中，背着手拎一把长刀。

周翡愣了愣，突然觉得自己确实应该做一身这样的红裙。

随即，她又摇摇头，去看谢允那毁画的题字，题字道："画中仙是……"

"是"个什么，后面没了，周翡莫名其妙地找了一会儿，在角落里又发现了俩字："你猜"。

周翡忍不住问出声道："你这画名叫'你猜'？"

谢允不出声，画卷上却随着她的动作，落下了一个小信封，上面附了一张字条，写道："猜错了，不是你，是我媳妇。"

周翡哭笑不得地拆开信封，见里面是写过《离恨楼》与《寒鸦声》的熟悉字迹，整整齐齐的一整篇。

"阿翡，"谢允写道，"听闻你不日将至，很是欢喜，东海之滨虾兵蟹将甚众，皆与你等水草精为同族，蘸油盐酱醋并碎姜末一点十分味美，你可与之多多亲近……"

谢允的信里只字未提透骨青，也没有凄凄惨惨地感激她奔波，一边开玩笑消遣她，一边将蓬莱一带好吃与好玩的东西罗列了一个遍，又叫她去翻看枕边的小盒子，神神秘秘地说里头有"异宝"。结果周翡依言打开，发现里面是一堆叫她啼笑皆非的贝壳。结尾，谢允又可怜巴巴地央求道："笔墨均已列次石桌上，承蒙垂怜，长篇大论大好，只言片语亦可，盼你回复一二，稍解吾之思念于笔端。"

然后又画蛇添足地叮嘱道："另：笔墨仅供书写于纸面，勿作他用。"

周翡本来没想拿一堆笔墨干什么，看了这句话，顿时大受启发，她狞笑一声，挽起袖子，饱蘸浓墨，来到无知无觉的谢允面前，心道：这可是你自找的。

她伸手在谢允脸上比了比，果断大笔一挥，对着端王那张鼻子是鼻子眼是眼的脸开始"辣手摧花"，先在他脸上勾了个圆边，继而将他的眉毛画成了两道黑杠，两边脸上各勾了三根胡子，最后在额间加了个端端正正的"王"。

画完，周翡歪头打量了他片刻，还是觉得少了点什么，于是将谢允那只空着的手拉了过来，在他掌心上写道："欠揍一顿。"

周翡在火炉似的山洞中盘旋了一会儿，再出来时，来时的犹豫与疲惫不觉一扫而空。

陈俊夫头也不抬道："走了啊？"

"走了。"周翡冲他一点头，"重阳还得家去，曹仲昆一死，我爹大概又要开始忙了。回头我再四处找找，想办法再弄一枚蛟胆来。"

"不必急，有那一点够烧几年了。"陈俊夫说着，抬手将一个亮灿灿的东西丢给她，"拿去。"

周翡一伸手接住，见那是一件贴身的软甲，尺寸纤瘦，触手轻如无物："暮云纱？"

"暮云纱是什么破玩意？"陈俊夫笑道，"不过这也不是什么要紧物件，我织渔网剩一点巴掌大的边角料，做个什么别人也穿不进去，也就够你用。老夫给它起了个名，叫作'彩霞'，怎么样？"

周翡听了"彩霞"这"出尘脱俗"的名，一时无言以对，只好干笑一声。

周翡从谢允给她留的那一盒吃剩的贝壳里挑了几个颇有姿色的，自己穿了孔，缀在了陈老那渔网边角料织就的小衫里，便穿着这一身破烂走了，倘若再去弄两个带补丁的麻袋，光这一身行头，她便能在丐帮里混个小头目当当。她打算先回家一趟，向李瑾容复命，再去周以棠那里看看他有没有什么要差遣的，倘若这边事了，她便想着还得再往南边走一趟，找找还有没有其他蛟胆可以挖。

中原但凡成气候的武学都有自己的体系，有名有姓有渊源，同明大师说的那种内力倘若有，万万不该籍籍无名，既然在中原武林中遍寻不到，周翡便想着，或许可以去塞外和南疆碰碰运气。为这，她还应了入冬以后去南疆跟杨瑾比一场刀，以便支使他帮忙留意南疆的奇人异事。

大小事多得足能排到来年开春，周翡不敢耽搁，缀着一身稀里哗啦的贝壳，一路走官道快马加鞭。

谁知行至半路，尚未出鲁地，她便又看见了四十八寨的烟花——这回放得更巧妙一些，混在了一大堆寻常烟花里，不像是有什么急事，倒像是隐晦的通信。周翡半路拉住缰绳，望着烟花消散的方向皱了皱眉，不知是不是四十八寨的闯祸精们都被李瑾容派出来了，不然怎么隔三岔五便要作个妖？

然而既然已经看见了，她肯定不能放着不管，只好一拨马头奔着那边去了。

马撒开了蹄子约莫跑了有一刻的光景，夜空之中就跟过节似的，接二连三地炸着大小烟花，远远地还能听见放烟花处喧闹的人声，路上遇见的人渐渐多了起来，好似都在往那边跑。

周翡一个相貌姣好的年轻姑娘孤身而行，总是叫人忍不住多看几眼，时而有胆大脸皮厚的想上前同她搭话。

周翡小时候便有些"生人勿近"的意思，这几年常常行走险境，武功精进，身上越发多了些许说不清道不明的气质。搭话的见她不怎么吭声，大多也不敢纠缠，只有一个嘴上留着两撇小胡子的青年"男子"，在周翡身边来来回回绕了好几圈，还大着胆子上前问道："这位姑娘，你也是去柳家庄吗？"

周翡偏头瞥了此人一眼，见"他"骨架很是纤细，领口欲盖弥彰地高高支起，遮着喉咙，后背挺得很直，手肘自然垂下的时候微微落在身后，说话时下巴微收，虽然嘴角有两撇小胡子，但小脸白得在夜色里直反光，一看就是个贴了胡子的大姑娘。

周翡"嗯"了一声，便没什么兴趣地转开了视线。

谁知那姑娘依然不依不饶地凑过来，冲她说道："这柳家庄真是了不得，家里老太太过寿，还不是整寿，便弄出了这么大阵仗，怪不得人家说他们富可敌国。"

周翡对什么"杨家庄"还是"柳家庄"不感兴趣，刚想假装没听见催马先行一步，突然觉得不对劲，她轻轻一拉缰绳，猛地回过头去盯着那小胡子看。

小胡子住了嘴，端庄地坐在马上，冲周翡微笑。

"怎么是你？"周翡总算认出她来，讶异地问道，"你怎么到这儿来了，还弄成这样？"

原来那"小胡子"竟然是本该在蜀中的吴楚楚。

吴楚楚不会像李妍一样咧开大嘴笑，嘴角的动作永远不如眼角的动作大，她弯了弯笑眼，问道："怎么，不像吗？"

周翡哭笑不得地摇摇头。

"阿妍给我的。"吴楚楚低头将嘴上的小胡子撕了下来，露出花瓣一样的嘴唇，"我本来觉得不大雅观，但是看她一天到晚打扮得奇奇怪怪在山上跑，好像也别有些趣味，便忍不住东施效颦了，果然我还是学不像。"

周翡走了以后，在四十八寨陪着吴楚楚最多的也就是李妍了。李妍姑娘自带一股天生的歪风邪气，污染力极强——永远无法跟别人"近朱者赤"，永远能把别人带得跟她"近墨者黑"。

周翡又问道："谁送你过来的？"

"我自己出来的，同大当家说过了。"吴楚楚道，偏头见周翡直皱眉，她便又笑道，"你这是什么表情，大当家教了我一些粗浅的入门功夫，我有自知之明，又不会像你们一样没事路见不平拔刀相助，出门自保总是够用的。"

"大当家？我娘亲自教你吗？"周翡吃了一惊，随即又道，"怪不得你最近都不写信问我了。"

当年他们一帮人从永州回蜀中，便有点各奔东西的意思——李晟和周翡常年不在寨中，剩下一个李妍，虽然能与吴楚楚聊以为伴，但作为弟子的功课很重，再怎么受宠，李妍每日早晚雷打不动的练功与李瑾容定期的抽查总是躲不过去的，也没有那么多时间陪她。

吴楚楚一度不知道自己应该做什么，旧都里的官家千金们在她这个年纪，应该已经学着女红和管家，等着"父母之命，媒妁之言"嫁人了。一生到此，便算是尘埃落定，有了定数，往后生平起落，都在小小一方宅院之中，荣华落魄，也都悉数牵在夫家荣辱兴衰上。

可是她如今孑然一身，既不是官家小姐，也没有家让她管，她混迹在一群江湖草莽之中，彼此间好似有一条比海还深的鸿沟。寨中人待她虽好，也是"以礼相待"的好，不会越俎代庖地给她安排什么。而她十多年来积攒的勇气，在逃亡路上用了个一干二净，所剩不过一身的"温良"与"贞静"，并不足以给她指一条康庄大道。

至于父母深仇，那已经上升到了国仇家恨的地步，是旧都与金陵之间的斗争，她无能为力，丝毫插不上嘴。这种困惑是无从倾诉的，乱世中谁不是把脑袋别在腰间，活着尚且不易，谁有工夫听一个小小孤女那点幽微又矫情的茫然？

周翡有一次回家，见吴楚楚实在无所适从，便随口给她找了点事做——与曹宁一战中，四十八寨数十年积累险些毁于一旦，寨中不少门派本就已经人才凋敝，这样一来更是要没落下去，前辈们留下的武功典籍多年没有人修整编纂，不是缺页短字，便是留着落灰，很多典籍本身已经佶屈聱牙，间或还混进一些前辈乱七八糟的感悟，诸子百家哪儿的引用都有，极难看懂，被一代又一代大字不识半筐的粗人口口相传，谬误多得好似筛孔。正巧吴楚楚从小饱读诗书，周翡便让她帮着慢慢整理四十八寨的武库。

　　周翡本是随口一说，本意是让吴楚楚没事抄书解个闷。本来嘛，一个从未练过一天功夫的弱质小姐，靠一支笔去编纂一个土匪寨里的武学典籍，怎么听怎么扯淡。吴楚楚却好似抓住了一根救命稻草，真就一门心思地扎了进去。

　　她先是学了些奇经八脉、认穴之类的基础，大致有个概念之后，便又开始抄录原文。吴楚楚先从保存完好的开始，找那些可以让她大致通读的，每每遇到个别缺字，她便丝毫也不敢马虎，补一个字往往要考证月余。她闺秀出身，生性内向，刚到四十八寨的时候，没事都不好意思和人家主动搭话，更不必提讨教了，每每有疑问，只能不远万里地写信问周翡，每次来信必是厚厚的一沓。有时周翡跑到深山老林里接不到，攒几个月，回头一看，能从暗桩里收到半尺多厚的信，信中各种稀奇古怪的问题，常常把自以为基本功扎实的周翡也问得一头雾水，有些实在答不上来，还要去请教别的前辈。

　　周翡这几年进境一日千里，跟胸怀十万个"不懂"的吴小姐也有很大关系。

　　三年过去了，经吴楚楚修订过的典籍已有二十多本，虽从数量上看不过沧海一粟，她却已经渐渐摸到些门道，开始试着修复难度大一些的典籍，并能写一些注解了。

　　吴楚楚抬手将一缕掉下来的头发别到耳后，笑道："有一回修好的书被阿妍拿去看，叫大当家瞧见了，她便来问我要不要习武。我本想自己都这么大年纪了，再开始习武未必还来得及，大当家却同我说道：'古来大器晚成者不胜枚举，有那中年之后方才入门的，机缘巧合也成了一代大家。何况你不过十几岁，一辈子长着呢，你又不急着跟谁比武，入门慢一点有什么打紧？只要肯，练个十几二十年，纵然天资与机缘都一般，只要不去和人斗勇逞凶，功夫也够你用了，没什么来不及的。'"

周翡愣了愣，此言与当年李瑾容传她破雪刀时说的那番话异曲同工。

李瑾容不愧是年纪轻轻就敢北上杀皇帝的人，再怎么被岁月磋磨，天性中也依然带着"无匹"的我行我素。这些年来，倘若不是四十八寨沉甸甸地压在她肩头，她大概有能干翻活人死人山，成为一方魔头的潜质。

吴楚楚又道："你别说，纸上得来终觉浅，自己开始学着练一点，跟以前纸上谈兵确实又有不一样——我这回到这里来，是为了拜会这位柳老爷。"

周翡问道："此地主人吗？做什么的？"

吴楚楚道："这位柳老爷从前是泰山门下，年轻时还颇有些名头，后来金盆洗手，退出江湖，便接管了家里的生意，赚下了好大一份家业。我不是最近正在修订千钟派的功夫吗，李公子说千钟一派最早发源于泰山，武功与泰山体系一脉相承，我便写了信给柳老爷，想向他请教。"

周翡再次目瞪口呆——过去连跟李晟多说几句话都觉得不好意思的吴楚楚，居然相隔千里，写信给陌生人！

"你叫那货'李公子'我真有点听不习惯。"周翡想了想，又问道，"好多人惯于敝帚自珍，除非拜入自己门下，否则不大肯指点别人……这个柳老爷还真答应你啊？"

"答应了。"吴楚楚开心地说道，"柳老爷家大业大，自己虽已不在江湖中，却仍喜欢结交各路朋友，这些年生意上也是因为有各路朋友帮忙才能这么顺利。他给我回信说，自衡山没落，五岳这些年也相继有销声匿迹的意思，不少弟子尚未出师便下山各自去讨生活了，心里也觉得十分可惜。再说我来考证千钟与泰山的渊源，相互印证，来日若真有发扬光大的一天，也是好事。"

周翡也没想到自己不过随口一说，吴楚楚居然能做到这种地步，而且还叫她找到了一个志同道合的怪胎愿意配合。她不由得感叹世间万事皆在人为，吴楚楚花了三年，已经走到现在这地步，倘若她当真能三十年矢志不渝，这些年中原武林断绝的传承，也许真就能在她手里留下一息沿袭。

"对了，"周翡问道，"方才那烟花是你放的？"

吴楚楚摇摇头："柳老爷家高堂过寿，今日途经的三教九流都能到他府上沾个喜气，我本想着他们家今日客多，必定乱得很，便不去添乱，过两天再前去拜会，结果方才看见烟花传信，这才顺路过来。"

两人说话间，便混进了前往柳家庄蹭饭的大部队里，柳老爷可能果然颇有大方好客之名，往来柳家庄的有风度翩翩的，也有衣衫褴褛的，家仆训练有素，一概笑脸相迎。张灯结彩的庄子里已经坐不下了，流水的筵席一直摆到了门口，与主人家说几句吉祥话，随便坐下即可。

吴楚楚既然已经来了，便同家仆报上了名号并附上与柳老爷的往来信件，家仆一路小跑地到庄子里报信，周翡等待时无所事事，百无聊赖地四下瞟。

突然，她在人群里看见了一个颇为熟悉的人影。

这日月朗星稀，灯火乱撞，乱七八糟的光影交叠在一起，又不时有人走来走去，乱哄哄的转得人眼前晕，周翡却在目光扫过人群的时候看见了吴楚楚口中的"李公子"。

李妍不知道哪儿去了，没跟他在一起，李晟混迹在一帮跟他一样时刻准备去选"秀男"的翩翩公子中，好似十分如鱼得水。

周翡心中十分诧异，心道：我都在东海里游一圈回来了，怎么还能碰见这个倒霉蛋？真是孽缘。

李晟没看见周翡，他正虚头巴脑地端着个酒杯跟周围的人"推杯换盏"，小酒杯不过一口的容量，周翡眼睁睁地看着他足足跟二十个人碰过杯，装模作样地喝了许久，半天愣是没见他倒过一次酒，不知道那些大傻帽怎么让他糊弄过去的。随即，周翡还发现，李晟一直盯着一个方向。她顺着李晟的目光来回扫了两遍，没注意到有什么异常，正在纳闷，突然，有个醉汉东倒西歪地从人群中穿过。

醉汉哼哼唧唧地唱着一首特别下流的市井小曲，不少粗野的草莽汉子围着他哄笑，他却也不以为耻，走到哪儿便去人家桌子上摸酒壶，沿途祸害了一路，最后晃晃悠悠地来到了最角落的一张桌旁。醉汉一屁股坐下，伸手便去摸桌上一排没动过的酒壶。周翡吃了一惊，因为她直到这时才发现，那角落里居然坐着个黑衣人。

那是个身形瘦削的黑衣男子，面容清癯，两鬓斑白，整个人好似融化在了夜色里一样，很容易就被忽略过去。李晟盯的就是这个人。

这时，那黑衣男子抬头看了对面的醉汉一眼，方才晃晃悠悠的醉汉好像一瞬间酒就醒了，嘴里的小曲竟戛然而止。片刻后，他不自然地站了起来，有些踉跄地穿过人群，居然仓皇而去，而且走出老远还颇为心有余悸地回头张望。

周翡有些纳闷，见那黑衣男子坐姿端正，脸上蓄了胡须，目光平和，并不怎么凶神恶煞，她盯着他看了几眼，随后居然看出点眼熟来，搜肠刮肚地回忆了片刻，吃了一惊——因为认出此人就是当年在岳阳城外传她《道德经》与蜉蝣阵的冲霄子道长！

周翡心道：他这是还俗了吗？

冲霄子虽与她萍水相逢，却间接救了她一命，让周翡好歹没被段九娘玩死，此时机缘巧合见了，于情于理，她都该前去拜会一下。她当即打算穿过喧闹的人群，往冲霄子那边去。

不料她方才一动，那黑衣的冲霄子竟是若有所觉，他猛地往这边

231

看过来，目光如电似的射向周翡，还不等她远远地致意，冲霄子便突兀地转开了视线，躲债似的站起来，侧身闪入人群中。

周翡莫名其妙，十分不解，便要追过去。

可是好似整个齐鲁之地的叫花子与小混混们全都来柳家庄蹭饭了，不断有碍事的人挡路，那老道冲霄子好似一尾滑不溜手的黑鱼，转眼便要没入人潮。

周翡忍不住开口道："前辈！"

她话音没落，不远处忽然一阵喧闹。

只见一队家仆抱着热气腾腾的寿桃从院里面送出来，刚好挡在了周翡和冲霄子中间，等他们过去，冲霄子已经不见了踪影。院里笙箫鼓乐乍起，主人家还请了乐班来，女孩子清亮的声音从里院透了过来。

周翡拄着碎遮，一转头，发现李晟也不见了，她不由得在原地皱起眉来，心想：他认出我了吗？可他躲我做什么？

这时，吴楚楚吃力地挤到她身边，一拍周翡肩膀，冲着她的耳朵大声道："你怎么跑到这儿来了？"

她怀里抱着一摞旧书，在挤来挤去的人群中小心翼翼地伸手护着。

周翡忙伸手替她拿过一半，问道："这是什么？"

"柳老爷叫人送给我的，"吴楚楚道，"说是今日府上太乱，不能同我好好聊一回，万分过意不去，便将多年心得写来给了我。"

师父教徒弟都未必有这么用心。

吴楚楚又道："咱们这么走了是不是不太好，怎么也得进去亲自道声谢吧？"

周翡也很想见识一下这位柳老爷是何方怪胎，闻言没有异议，两人便小心翼翼地擦着边来到了内院。

院中桌椅板凳摆得满满的，连墙头上都坐了人，中间搭了高高的台子，台上几个水灵灵的姑娘各自吹拉弹唱，好不热闹。

两人方才找了个角落站定，台上的女孩子们便集体一甩水袖，行云似的齐齐退了场。

院里"咣当"一下敲响了锣，喧闹的人群登时一静。

只见座中一个喜气洋洋的中年人站了起来，想必正是此间主人柳老爷。此人身高不到五尺，生得圆滚滚的，给他一脚就能滚出二里地去，一笑起来见牙不见眼。

柳老爷站起来，没急着发话，先是假模假样地四下寻摸一番，找了一排台阶，颠着小短腿往上爬了好几层，而后手搭凉棚往四下一扫，见自己比其他站着的人都显得高了，这才甚是满意地点点头，在众人的哄笑中拱手道："见笑，见笑。"

他拿自己的个头开完玩笑，便怡然自得地整了整衣襟，朗声道："今日是我老娘八十四寿辰，俗话说了，'七十三、八十四，那谁不叫自己去'……"

众人又笑，戏台旁边站起来个干瘪瘦小的老太太，精神矍铄地拿着手中的扇子去砸他："王八羔子，你咒谁呢？"

柳老爷抱着脑袋躲开老娘一扇子，他脑袋大胳膊短，十分滑稽，嬉皮笑脸道："娘啊，你让我说完——我偏不愿意信这个邪，这才将大家伙都请来，热热闹闹地办个大日子，什么坑呀坎的，都给它踏平了！诸位今日肯来，肯赏我柳某人的脸，我都领情，一定得吃好喝好，多吃一口肉，便当是多给老太太壮一口阳……"

旁边有人把酒都喝喷了，满座哄堂大笑，八十四的老太太闻听这通满嘴跑马，气得一把抓起拐杖，指挥着两个大丫头搀扶，颤颤巍巍地要亲自上前，将那柳老爷一拐杖打下台来。柳老爷一边抱头鼠窜，一边叫道："娘！娘！儿子贺礼还没拿出来给大家伙看看呢，哎呀！您也给我留点面子。"

戏台后面的琴师们也是促狭，见此情景，锣鼓又起，给狂奔的肉球柳老爷施了一段妙趣横生的伴奏，唱曲姑娘的轻笑声夹杂其中，裙裾在幕后若隐若现，准备要上台再唱一段，墙头上的汉子们纷纷抻长了脖子，准备第一时间叫好，突然，喧闹的人群好似出了什么问题，从外围开始，疫病似的静默飞快地往里院蔓延过来。

人群莫名其妙，一传十十传百地安静下来，琴师"铮"地一拨琴弦，随即后知后觉地察觉到不对，一抬掌压住了琴弦，颤动不已的弦与琴两厢碰在一起，传出刺耳的一声"咯"，在一片寂静中分外明显。里头的人嗅到紧张的气息，不明所以地往外望去，便见一个柳家庄的家仆面无人色地挤开门口的人跑了进来："老……老……老爷，外……外面来……"

他话没说完，身后便突然有人受到了莫大的惊吓一般乱了起来。

接着，几个戴着铁面具的人大步走进来，好似一群行走的妖魔鬼怪，所有人第一反应都是离他们远点，一时间，他们所到之处便如那神龙分海一般，摩肩接踵的人群自中间起一分为二，让出好大一处空地给这群不速之客，恐慌的人们挤在一起，眼睁睁地看着这几个人大摇大摆地闯进来。

周翡听见周围好几个人小声将"铁面魔"三个字叫出了声。

吴楚楚与她咬耳朵道："好像是那位殷公子的人。"

周翡的拇指轻轻摩挲着碎遮刀柄，低哼了一声："阴魂不散。"

殷沛这些年的丰功伟绩，但凡是长了耳朵的就有耳闻，堪称恶贯满盈，仅就作恶这一点，他以一敌四，青出于蓝地压过了昔日活人死人山的魔头们。

吴楚楚皱起眉，忧心道："我半路上就听人说他最近突然开始在这边活动，没想到竟然是真的……他不会对柳老爷不利吧？唉，那个殷公子怎么会变成这样。"

周翡没吭声，目光从安静又慌张的人群中扫过——四十八寨的烟花，李晟，冲霄子……她总觉得今日这场寿宴有什么不对劲。

戏台后面的琴师好像也有些紧张，将琴弦压出了几道发涩的摩擦声。过寿的老太太不知是吓着了还是怎的，方才还生龙活虎地追打儿子，此时却面色铁青、浑身发抖，好似马上就要厥过去，须得两个丫鬟一边一个扶着才能站稳。

柳老爷冲丫头们打了个手势，叫她们将老太太扶到一边去，自己收敛笑容走上前去，冲着为首的面具人道："来者是客，诸位既然到了，便请上座好不好？"

"上座"的人显然不大欣赏这帮"芳邻"，闻听此言，立刻如临大敌地站起来一片。几个面具人却没吭声，训练有素地走上前来，站成一排，转身背对着柳老爷，冲着门口齐刷刷地跪下了，而后几个人抬着一架硬木肩舆走了进来，上面坐着个戴铁面具的人，惨白的手搭在一边，一只怪虫安静地伏在他手背上，触须一起一伏地动着。他已经瘦得脱了形，面具下的两腮凹了进去，下巴越发尖削，尚不到而立之年，嘴角两道法令纹已经开裂盘在他脸上，将泛着些许乌青色的嘴角压了下去，简直没个人样。

周翡横看竖看，除了来人腰间挂着的山川剑鞘，愣是没看出一点熟悉来，她忍不住问吴楚楚道："这人真是殷沛？"

吴楚楚小小地打了个寒噤，手背上冒出一层鸡皮疙瘩。

肩舆落地，殷沛却不下来，抬着他的一个面具人恭恭敬敬地上前几步，头冲殷沛趴在了地上，那殷沛这才缓缓站起来，踩着抬轿人的后背下了肩舆。周翡眼尖，见那趴在地上当地毯的抬轿人袖子微微撸起，露出手腕上一个曾被李妍调侃为"王八"的玄武刺青——竟是当年丁魁的旧部！

"热闹啊。"殷沛踩着活人地毯，阴恻恻地开了口。

也不知是不是他的形容太过可怖，戏台后面的琴又不知被谁不小心碰了，"锵啷"一声长音，在落针可闻的院子里显得分外高亢，能吓人一跳。

周翡耳根轻轻一动，目光倏地望向戏台，觉得这琴声有些耳熟。

柳老爷面色紧绷，开口道："敢问阁下可是'清晖真人'？"

那戴面具的嘴角一提，修长泛青的手指轻轻掠过怪虫的虫身，那怪虫的触须飞快地震颤起来，发出诡异的轻鸣。

"柳大侠不都接到信了吗？"戴着铁面具的殷沛道，"怎么，东西没准备好？"

柳老爷脸上的肥肉颤了颤："今日是家母寿辰，又有这许多朋友在，真人可否容某一天，明日定将您要的银钱供奉送上。"

殷沛笑了一下，说道："寿宴？那我们可谓是来得早不如来得巧了，怎么也要来讨杯酒水喝了……哟，那是什么？"

他目光投向那戏台旁边两个柳家庄的家仆，两个家仆手里抬着一个小箱子，殷沛目光一转过去，那两个家仆就好似被毒蛇盯上的青蛙，吓得两股战战，几乎不能站立。

柳老爷冷汗涔涔，声音压抑地说道："是柳某给家母贺寿的寿礼。"

殷沛"哦"了一声，问道："贺礼为何物啊？"

旁边一个管家模样的老者几乎将腰弯到头点地的地步，小心翼翼地说道："是……一件古……古物，相传是龙王口中所衔的宝珠，含在口中可避百毒……"

"哦，"殷沛一点头，好似不怎么在意地摸了摸手中怪虫，"避毒珠也算个稀奇物件吧，说起来，我年幼时也曾见家中长辈收过一颗，后来家道中落，便不知落在何方了。如今想来，东西未必珍贵，只是个念想罢了——拿过来给我见识见识。"

周翡听出来了，这颗避毒珠说不定就是殷家之物，后来不知怎么机缘巧合落到了柳老爷手上，殷沛就是为了它来的。她一时有些感慨——殷沛到如今依然惦记着四处搜集殷家旧物，却将自己这殷家唯一的血脉弄成了这副德行。

柳家庄一帮人谁都没敢动，殷沛嘴角的笑容便塌了下去，紧绷成一条线，阴恻恻地问道："怎么，我看不得？"

他说这话的时候，声调略微提高了一点，手上的怪虫跟着转过头，一对可怕的触须指向抬着箱子的家仆。一个家仆"扑通"一声跪了下去，整个内院中气氛顿时紧张得像一根拉紧的弦，方才柳老爷嬉笑间带起来的热烈气氛荡然无存。

周翡眼角一跳，将吴楚楚往后拉了一点，自言自语道："这真是殷沛吗？"

"你觉得有问题？"吴楚楚本来心里很确定，听周翡这么一问，忽然也动摇了，迟疑道，"可是除了殷沛，那怪虫不是碰到谁，谁就会化成一摊血水吗？李公子同我说过，一般蛊虫只认一个主……"

"嘘，"周翡竖起一根食指在自己唇边，道，"'李公子'一瓶子不满半瓶子晃，别听他扯淡。"

她最后几个字几不可闻，神经已经不知不觉地紧绷起来。

这时，戏台后面"咣"一声，好像是谁将瑶琴碰翻了，先是什么东西落地的声音，随后琴弦又仿佛在地面上擦了一下，突兀地"铮"一声响，那声音笔直地钻进了周翡的耳朵，一瞬间好似放大了千百倍，一种说不清道不明的玄妙感觉自她耳朵而下，叫周翡于电光石火间捕捉到了什么。

周翡心里一动，低声道："……是她？"

吴楚楚："谁？"

整个柳家庄的人都在看殷沛一行，只有周翡将目光转向了那戏台，她轻声说道："羽衣班……后台的琴师是霓裳夫人。"

吴楚楚震惊："什么？你怎么知道？确定吗？"

她知道周翡是不耐烦弄那些风花雪月的，在音律上向来没什么建树——而且就算她精通音律，能到"闻弦音知雅意"的地步，也得因"曲"寻"情"，通过几个杂音就能听出弹琴者是谁的事也太匪夷所思了。

周翡说不清自己是怎么知道的，方才她整个人的精力好似全在耳朵上，有一刹那，外界所有流动的气息都分毫毕现，与她身上奇经八脉产生了某种共鸣，那些气息来而复往，彼此相近，却又略有区别，这当中的异同无从描述，只化成了某种非常朦胧隐约的感觉，好似隔着一层薄薄的窗户纸，抽离出一阵影影绰绰的直觉，告诉她那戏台后面的拨琴人就是霓裳夫人。这不是第一次了，小半年来，每次周翡精力集中到了某种程度，她便都能看见那层遥远的"窗户纸"，几次触碰到，却都不得其门而入。

而且一旦分神，那种玄妙的感觉很快便消失了，吴楚楚那句"你怎么知道"，周翡张了张嘴，完全不知道怎么回答。

这时，柳家庄的老管家突然上前一步，伸手接过了那箱子，说道："人活七十古来稀，老朽这把年纪够意思了，你们都不敢，我送过去就是——清晖真人，你要看，便来看个清楚！"

他说罢，便捧着那小箱子，视死如归地向殷沛走去。原本跪在地上的两个面具人拦住了他，老管家便梗着脖子大声骂道："怎么，阁下又不敢看了吗？"

殷沛微微一抬下巴，那两个面具人便上前一把掀开了箱盖。

箱盖掀开的瞬间，殷沛手上的怪虫便一下立了起来，发出叫人胆寒的尖鸣，腹部两排恶心的虫腿上下乱划。不说别人，就连殷沛脚下踩的"活人地毯"都哆嗦得好似筛糠，冷汗流了一地，活像一块没拧干水的破抹布。

那箱子挺大，要两个人抬，其实里面的避毒珠不过鸽子蛋大小。柳老爷大约是为了好看，还给那珠子打造了一身隆重的行头——箱子里是一个两尺见方的水晶缸，缸里放了几株火红的珊瑚，上面以金丝镶出支架，中间最大最红的一棵珊瑚上顶着个金玉打成的贝壳，里面放着那颗价值连城的避毒珠，珠色碧绿，幽幽地映着一层一层的水光，夜色里，竟然比那蓬莱的夜明珠还夺目。

这样的异宝，要是放在平常，绝对够得上叫人大惊小怪一番的资格，不过殷沛其人显然远比这些死物更"惊怪"，这会儿愣是没被避毒珠夺去风头，依然受着万千人瞩目。

听说"避毒珠"含在口中能避百毒，连南疆的毒瘴都不在话下，人在野外时，要是带这么个东西在身上，蛇蚁虫蝎之流都不近身，可殷沛手上的怪虫却不知为什么，反而兴奋了起来，竟从殷沛指尖电光似的射了出去，垂涎三尺地直冲那个箱子扑了过去。连殷沛本人都没想到这个变故，他微微愣了一下，接着，那老管家大喝一声，在毒虫当空扑过来时猛地将箱子里的东西泼了出去！

价值连城的珊瑚与明珠滚了一地，水晶缸中的水化作一道水箭，将怪虫卷在其中，直奔殷沛而去！

张牙舞爪的怪虫当空被缸里的"水"泼了下来，正掉落到那趴在地上给人当脚垫的人脸上，那人发出一声杀猪似的惨叫，两眼一翻，竟当场吓得晕过去了。怪虫却没往他的血肉里钻，它醉虾似的抖了抖腿，蜷成一团不动了。

与此同时，殷沛猛一甩长袖，整个人拔地而起，平平往后飘去，落在了肩舆上。戏台后面骤然响起急促的琴声，便好似戏文里的"摔杯为号"一样。

原本杂乱的人群中倏地冲出几路人马，不知埋伏了多久，顷刻将不明所以混进来吃饭的局外人都冲到了边缘，从四面八方杀向殷沛，矮墙上几个人举旗打暗语，指挥这几支人马，周翡打眼一扫便认出了好几个熟面孔——举旗的人里有好几个是四十八寨的！

再一看，几路围攻殷沛的人马进退得当，轻而易举地便将他手下面具人分成了几块，逐个击破，阵形竟还能随着墙上的小旗变换，不用问就知道是"李公子"的手笔！

而后，偌大的戏台好似被人以利器劈开，自中间一分为二，霓裳夫人舞衣翩跹，火烧云似的从众人头顶掠过，双手一拉，掌中顿时多出三道与牵机丝相比也不遑多让的琴弦，尖鸣一声，劈头盖脸地扫向殷沛。

殷沛脚下不动，一甩袖便撞开了琴弦，尚未来得及还手，身后又有箭矢声破空而来——殷沛蓦地一扭头，见偷袭者竟是柳老爷那"八十四岁高龄的亲娘"！

那方才还站不稳的老太太肩背板直，手中攥着一把龙头连环弩，可连发利箭十余支，单看这身形便知道她绝不是个老太婆。殷沛整个人好似一片树叶，在无人扶持的藤肩舆扶手、靠背上足尖轻点，走转腾挪全都优美写意，那风一吹就轻轻晃动的藤编的肩舆在他脚下竟纹丝不动。

霓裳夫人一击不成落在一丈之外，十余支箭矢悉数被殷沛躲过，连衣角都没扫着，他被两大高手偷袭，竟从头到尾脚未沾地。

这魔头武功高得实在叫人骇然。

只见他飘飘悠悠地踩着藤肩舆一边的扶手，伸手将一绺落到前面的长发拨回去："原来避毒珠是给本座吃的饵啊？那还真是多谢诸位费心了。"

拿九龙弩的"老太婆"身上"嘎嘎"响了几声，整个人转眼原地长高了三寸有余，肩膀陡然宽了半个巴掌，原来她竟是个缩骨功的高手。而后，"老太婆"伸手在脸上一抹，将一脸的褶子撕了下去，这哪里是什么干瘪瘦小的老太婆？分明是个身形稍矮的健壮男子！

那男子一脸义愤，指着殷沛道："铁面魔头，你无因无由便杀我邹家上下二十余口，可曾想过有今日？"

"邹？"殷沛闻言，歪头想了想，双手背在身后，他已经极瘦削，衣衫又宽大，站在藤肩舆上，便好似个即将乘风而去的厉鬼一样，"干什么的？什么时候的事？我不记得了。"

姓邹的汉子先是一怔，随即怒气上涌："你这……"

殷沛低低地笑了起来："弱肉强食乃天道，譬如猛鹰捕兔，群狼猎羊——你难道能记得自己盘子里那头猪生前姓甚名谁？谁让你是鱼肉不是刀俎呢？"

那邹姓汉子听了，怒吼一声，搏命似的冲他扑了过去，与此同时，院中埋伏的人手也和殷沛手下的面具人动起手来。周翡的碎遮原本已经攥在手心，不知想到了什么，忽然又垂下，靠在墙角冷眼旁观场中情景。

吴楚楚说道："奇怪，如果柳老爷在水晶缸里放的东西能让那怪虫飞蛾扑火，为什么这半天只出来一只，我记得当时……"

她话没说完，便见霓裳夫人、邹姓的汉子与其他几个不知名的高手将藤条肩舆团团围住，合力围攻殷沛。

殷沛那一身邪功果然不同凡响，哪怕这样也丝毫不露败象。

他手下的面具人却没那么好的运气了，转眼便被不露面的李晟暗中指挥着人分头拿下。而后只听一声尖哨响起，霓裳夫人低喝一声，甩出一截白练，众人有样学样，长鞭、铁锁等物劈头盖脸地卷上了殷沛，配合得当地分别捆住了他的四肢。

殷沛冷笑一声，长袍鼓起，便要将那些碍手碍脚的破烂震开。

霓裳夫人却喝道："退！"

几个围攻殷沛的人都不耽搁，倏地往四方散开，他们前脚刚散开，便只听一片铁链与裂帛之声混在一起，殷沛竟用他奇高的内力将这些鸡零狗碎"碎尸万段"了！

霓裳夫人白练的碎片好似蝴蝶一样上下翻飞，煞是好看，一时遮蔽了殷沛的视线，而就在这时，整个柳家庄内院的地面竟然陷了下去，"隆隆"几声巨响过后，二十八根巨大的铁链从地下冒出来，骤然卷向殷沛。

铁链自动落锁的声音清脆逼人，转眼已经在原地织就了一个铁牢笼，将这叫人闻风丧胆的"清晖真人"牢牢地禁锢在了其中。殷沛暴怒着挣扎起来，柳家庄的院子都被他撼动，地面的石板"锵啷"作响，旁边几个人面露畏惧，不由自主地退开几步。

柳老爷道："清晖真人不必费心挣扎了，此物名叫'地门锁'，与'天门锁'皆是出自古机关名家之手，纵使你能上天入地，也是挣脱不开的。另外锁链上抹了一种名叫'流火'的药酒，是托一位用毒大家专门配的，并非毒物，但是蛊虫毒蛇之类沾上便醉，想必你那涅槃蛊一时三刻内也绝不能再害人了。"

他话音没落，便见有个人隔着一副手套，将方才掉落在地的怪虫捡起来扔在了火堆里，怪虫的身影闪了几下，顷刻便被火舌吞没了，发出一股说不出的恶臭。

邹姓汉子提着九龙弩，走上前道："铁面魔，我定要活剥了你！"

霓裳夫人却一皱眉道："邹兄弟，咱们事先不是说……"

邹姓汉子眼眶通红："说什么？杀人偿命，欠债还钱！此人与我有不共戴天之仇，不活剐了他，天理何在？"

霓裳正要说话，被锁在中间的殷沛却纵声大笑起来："天理？哈哈哈！"

他笑声十分尖锐，乍一听，竟好似带着些许撕心裂肺的意思，鬼哭似的笑声在柳家庄里回响。随即，令人毛骨悚然的事发生了，那笑声越来越大，竟好似回荡不休似的，从四面八方传来，汇合成一体。

"天理——"

"哈哈！天理何在……"

"哈哈哈哈……"

周翡猛地一拉吴楚楚的肩膀，将她推到一座假山后面的石洞里。

吴楚楚惊叫道："阿翡！"

"嘘，别动，别出来。"周翡想了想，又回过头来，半开玩笑地飞快说道，"延续中原武林各大门派传承的重任还在你身上呢！"

吴楚楚被这"咣当"一下砸在脑门上的重任吓蒙了。

周翡刚把吴楚楚藏好，便见有人抬着十七个肩舆从各个方向闯进来，每个肩舆上都坐着个与地门锁中捆着的人如出一辙的"殷沛"！

只听十七八人同时开口道："是谁要除掉本座啊？"

第十二章·恶人

当年一刀一剑、望山饮雪，该是叫人心折的。
到如今，剑剩剑鞘，刀锋未出，李晟在暗处不肯露面，
她迟疑着身在局外，殷沛在泥沼里自鸣得意。

　　仔细一看，这十七个——算上被地门锁锁住的，总共十八人，他
们长得并不完全一样，只是一水儿的瘦如活鬼，一样的装束和铁面具，
铁面具又遮挡住眉眼，只露出那一点脱了形的嘴唇和下巴。别说那些从
未见过殷沛的，就连周翡也分不出谁是谁。而方才的十八分之一都逼得
霓裳夫人与一众高手同时出招，这会儿竟来了一窝！
　　别的不说，反正柳老爷是绝对拿不出来一窝地门锁的。
　　三年前，周翡仗着同明大师一包药粉吓退了殷沛，那时周翡已经
初步碰到了无常破雪刀的"道"，刀法直逼一流高手水平，而相对地，
殷沛对敌经验少得可怜，一身诡异的深厚内力都是抢来的，短时间内很

244

难彻底收归己用。但即使是这样，倘若殷沛当时心性坚定一些，单是用那一身霸道的内力，便能轻易摆平周翡。

今非昔比，如今殷沛那"清晖真人"的名头在中原武林可谓是"风光无两"，恐怕再不会像当年初出茅庐时轻易被吓跑了。方才霓裳夫人等人围攻那铁面人，周翡冷眼旁观，还觉得没什么压力，自己仗着刀好，大概可以与之一战……可突然又来了十七个，这个她真战不了。

何况周翡一眼扫过这些铁面人，心里忽然有一个可怕的念头，这念头就跟她辨认霓裳夫人的琴音一样坚定得毫无道理——她想：万一他们都不是真正的殷沛怎么办？

一个人，豢养这许多危险的傀儡，稍不注意就会引火烧身，那么他必须得有办法压制住他们，要么凭武力，要么靠手段，这道理再简单不过。所以如果这十八个人都不是殷沛本人，他现在已经走到什么地步了？

周翡大略掐算一下，感觉殷沛怕是离飞升不远了。

她一边小心翼翼地顺着柳家庄院墙的墙根调整着自己的位置，一边悲凉地觉得"邪不胜正"这四个字纯属扯淡。倘若不摸着良心，也不考虑道义，那么就事论事而言，邪派武功就是毫无争议地比所谓"正派"的厉害。普通功法讲究经脉、积累、资质、方法、境界，此外还得冬练三九，夏练三伏，就这样，练上个几十年，须发皆白时，效果好不好还得看个人造化。

邪派武功却能让人一步登天，方才还是个狗见都嫌的"鱼肉"，摇身一变，立刻就能横行天下，叫群雄俯首！

倘若将功夫比作人，他们这些名门正派的功夫大概都是"姿色一般，性情恶劣，出身既穷，前途无亮"，还爱搭不理，得叫他们这些贱人几十年如一日地追在身后苦苦求索。人家邪魔外道的功夫则好比仙子公主，温柔小意，从不挑剔你什么，什么都愿意给你。

真是人比人得死，货比货得扔。

李妍那废物点心小时候听寨中长辈讲故事，讲到那些个为了武功秘籍而互相争斗的事，她总是瞪着一双无知的大眼睛不理解，那傻孩子以为武功秘籍都是她平日里避之唯恐不及的"功课"，为故事里那些坏坏竟肯为了"用功"而干坏事震惊了好多年。

如今看来，还真是孩子才会发出的感慨。

周翡的手指缓缓摩挲着手中碎遮，感觉柳老爷等人今日自以为是"请君入瓮"，闹不好是要"画地为牢"。

早在十八个殷沛同时出现的时候，四方墙角上挥舞着小旗的几个四十八寨的人便不见了，想必李晟也只是碍于什么人情顺路过来帮忙的，那小子倒是精明得很，忙是帮了，却从头到尾都没露面，转眼便把自己摘得干干净净。

李晟不露面，柳老爷等人却是要将这出戏唱完的。

铁面魔何许人也？他残暴嗜杀、喜怒无常，一点忤逆都能让他痛下杀手。这回柳家庄的人竟敢这样算计他，此事肯定不能善了，眼下求饶也来不及了。柳老爷纵横生意场这许多年，深谙人心，知道如今聚在柳家庄的人虽多，却好似一群恐慌的牛羊，一旦自己露出一点示弱的意思，牛羊没了"头领"，必然四散奔逃，那就纯粹是给这铁面魔送菜了。

柳老爷扫了眼前一圈的铁面魔，心里打定主意，依然镇定自若地说道："不知哪一位是清晖真人？"

这十八人异口同声地说道："柳慧申，你自诩不问江湖事二十年，如今伸手搅浑水，这样大费周章，却连本座是哪一个都不知道，说出去不是让别人笑掉大牙吗？"

这场景诡异至极，换个没见过世面的站在其中，大约连气都得忘了怎么喘，柳老爷却面不改色，又道："我只知道清晖真人本领极大，手段极高，本来堪为人杰，却四处为非作歹。柳某确实不问江湖事，可也见不得多年相交的老朋友日日在仇恨中辗转，不免不自量力一回，牵了这个头，同真人讨个说法。"

那位姓邹的听了这话，低头抹了一把眼睛，沉默地冲柳老爷拱拱手。

十八个殷沛放声大笑，每个"哈"字都吐得格外整齐，简直好像是一个人生出了十八张嘴："就凭你？你是什么东西？"

柳老爷挺胸抬头，站成了一团器宇轩昂的球，朗声道："不才，乃天地间一匹夫。"

十八个铁面人倏地一静。

柳老爷无视一圈死气沉沉的目光，说道："诸位，当年祸乱频起，北斗横行肆虐，手中握了多少怨魂？在下的师门，诸位的师门，多少千百年传承毁于一旦，可是我等别无办法，要么仓皇南下，要么隐姓埋名，何等憋屈！如今北斗七人，去之者三，眼看北斗式微，黑云将破，我中原武林之中，却又要因这等邪魔而人人自危！昨日是活人死人山，今日是柳家庄，明日又是谁？四大道观？少林丐帮？还是你蜀中四十八寨？"

周翡听出来了，柳老爷人路颇广，今天约到这里来围剿殷沛的显然不止明面上这一点人马，只是大家都不傻，来归来，未必肯为了那点人情冲锋陷阵。武林中人就是这样，自己孤身在外的时候，路见不平，未必不会拔刀相助，情义之下，未必不肯舍身赴义……但各大门派一凑在一起，"我"变成了"我们派"时，一群豪杰就成了斤斤计较的买卖人，你家看着我家，我家看着你家，谁都不当这个出头鸟。

柳老爷深吸一口气，目光扫过在场众人，一番话说得自己有些郁郁难平，他觉得自己像个海边堆沙子的人，拼命想把散沙聚成堡垒，抵挡一波一波的海浪，可尽是徒劳。

"可能刀剑没有临到谁头上，谁也想不到'道义'二字。"柳老爷苦笑了一下，伸手拎起家仆送上的一把红缨长枪，说道，"也罢，当年柳某在南边遇上恶匪，得邹氏镖局几位老英雄拔刀相助，方才有今日，我责无旁贷，诸位自便。"

姓邹的汉子与他带来的几个人二话不说，同柳老爷站到了一边。

霓裳夫人伸手摸了摸鬓角，将鬓上插的一朵鲜花摘下来，小心地放在一边，继而一挥手，羽衣班的女孩子们纷纷越众而出，聚在她身边。

霓裳夫人道："我们不过是些靠唱小曲为生的歌女伶人，不懂柳兄弟这些大道理，只是见不得故人之子这样败坏先人名声。小子，我希望你日后不要自称'清晖'，你不要脸，你九泉之下的爹还要。我就不信你能日日好眠，不信你家列祖列宗没在午夜时分找过你！"

周翡心里泛起一阵无可名状的悲凉，霓裳夫人把话说得这样狠，却仍是顾忌逝者声名，不肯当众点出殷沛真名。

当年一刀一剑、望山饮雪，该是叫人心折的。

到如今，剑剩剑鞘，刀锋未出，李晟在暗处不肯露面，她迟疑着身在局外，殷沛在泥沼里自鸣得意。周翡不知道听了这番话，那姓殷的和姓李的做何感想，反正她是有点难过。

十八个铁面人好似被霓裳夫人的话激怒了，同时开口道："你放屁！"

霓裳夫人叹了口气，微微抬起头，看了一眼沉沉的夜空，好似在和谁遥遥对视似的，随后她冷冷说道："你那养父虽不算什么恶人，这一辈子却还真是没干过半件好事，看他养大了个什么东西！"

地门锁一声巨响，十七个铁面人同时朝她发难，那被锁住的人竟也做出同样的动作，为破不开的地门锁所限，他离不开原地，那人却好似魔怔了一样，不知痛痒地跟其他人一起往前冲，只听"嘎吱"一声，他强行拖拽铁锁，一条腿竟被铁锁勒断了，扭曲成骇人的形状，这人却浑然不觉，拖着断腿，踉跄着半跪在地，依然不依不饶地玩命挣扎，脖颈上青筋鼓起老高，已经不像人了。

霓裳夫人手上琴弦倏地亮出，羽衣班的女伶们身着艳色衣裙，浑似一朵一朵开在夜色里的花，与可怖的铁面人们纠缠在一起，构成了一幕离奇的仙魔故事。

柳家庄一干人等随即杀入战圈，家仆下人们抬着铜盆四处泼洒事先准备的"流火"，一股淡淡的酒味四下蔓延开，怪虫们纷纷滚入其中，很快被在旁掠阵的人以烧火棍夹起来扔进火里。

可就算没有怪虫，实力差距却依然好似天堑鸿沟。

十八个铁面人说道："我倒要看看天下英雄何在！"

这一交手，羽衣班的花好似被秋风扫过，乍开便落，除了霓裳夫人尚能左支右绌地勉力支撑一会儿，其他人简直不堪一击。柳老爷金盆洗手多年，功夫已经落下了不少，手中长枪像是纸糊的，经典的泰山"三星连珠"刚刺出两下，便被一个铁面人徒手抓住，铁面人一掌压住枪尖，柳老爷便觉一阵难以抵挡的大力涌过来，厚实的双手上一对虎口竟一同撕开，鲜血淋漓的手再也握不住长枪，踉跄着往后退去，另一个铁面人好似鬼魅一样出现在他身后，狞笑一声，便要将他毙在掌下。

突然，一把极亮的剑当空插入，抹向那铁面人的手掌，铁面人一掌拍出，另一把剑灵蛇似的追了上来，电光石火间连刺三剑，趁着铁面人闪避时虚晃一招，将柳老爷往身后一带，正是李晟！

他一露面，周翡才注意到，方才那几个四十八寨的打旗人已经神不知鬼不觉地各带一拨人，占住了各个阵脚，呈梅花之势将这十八个铁面人围在了中间。

周翡在一个不引人注意的小角落里，吹了几声口哨，乍一听跟蜀中山间的鸟叫一模一样，示意李晟自己在旁边——这还是他们小时候调皮捣蛋时用的暗号，后来周翡跟李晟关系越来越紧张，已经好多年没吹过了，不知道他还听不听得出。

李晟耳根微微一动，随即他背对着周翡，还剑入鞘，将一只手背在身后，冲她轻轻摆了摆，叫她不要妄动。只见他微微一笑道："柳前辈说得在理，后辈受教了——杨兄，你说呢？"

他话音未落，便见一群眉目深邃、略带外族特点的人走了出来，为首一人正是杨瑾。杨瑾没吭声，一别手中断雁刀，那断雁刀"哗啦"一声响，在夜色中传出老远。

李晟冲他一点头，随即又风度翩翩地与那众多铁面人一抱拳，说道："清晖真人，你问天下英雄何在，我便同你介绍一番，四十八寨在这儿，擎云沟在那儿，行脚帮诸位兄弟方才忙着抓你手下那些抬轿子的废物，没空与你见礼，其他的嘛——请武当诸位前辈守好正门，留神怪虫。少林高僧们占住坤位，罗汉阵斩断铁面魔头联系，多谢助拳……"

柳老爷厚道，只让众人自己抉择，李晟这小子却坏得很，自己露面不说，一张嘴便将各大门派全都拖下水，口头上布下个天罗地网，还给各方势力全都分派了合情合理的任务，既让他们知道该干什么，又让他们不能浑水摸鱼。

布置完，李晟目光一扫一众铁面人，笑道："傀儡既然在，牵线人必定离得不远，殷兄，舍妹与你颇有渊源，早想和你叙叙旧了，再不出来一见，她可就自行去找你了。"

大人吓唬小孩的时候，总说："再不听话，大妖怪找你来了！"

轮到李晟吓唬殷沛，则说："再不出来，周翡找你去了。"

周翡难以置信李缺德竟然如此偷工减料，一时间也不知李晟是想激怒殷沛还是想激怒自己，她盯着她哥的后脑勺，心道：我要砸他一头包，不，至少得三层。

周翡畅想了一下，用幻想中的三层包暂时压下了怒火，集中精力做正事——李晟那句话不但是为了吓唬殷沛，也是说给她听的。

这十八张嘴实在太整齐划一了，要不是提前对好了词，那就肯定是殷沛用什么方法能控制这十八个人。如果是那样，控制十八个人同别人一问一答，还要控制他们与人动手且配合得当，难度就高了，即使殷沛真有这样耸人听闻的本领，他本人现在也必定不远，不在那十八人中间，也是在极近的地方。

可是怎么判断呢？

李晟还真是给她出了个难题。

不等周翡想出个章程，那边已经动起手来。倘若一个铁面人的本领有十分，那这些名门正派的平均水平只有十之一二。而且这并不意味着十个围攻者便能拿下一个铁面人，因为他们未必能互相配合，被围攻的人还会借力打力，叫他们互相掣肘……但这是在李晟露面之前。

李晟年轻资历浅，李瑾容一直没让他正式进四十八寨的长老堂，但实际上，四十八寨如今的巡逻防卫，是李晟和林浩分担的。他得齐门真传，在永州布阵围攻丁魁，领四十八寨防务，整合暗桩，后来甚至配合周以棠，帮他带过几次兵，指挥群架的水平炉火纯青。

而各大门派因为一时迟疑，失了先机，被动地被李晟点了一通名，叫这毛头小子支使得团团转，很快扭转方才颓势，竟势均力敌起来。

柳家庄的家仆不断把"流火"往地上泼洒，干了一层又洒一层，绝不让铁面人身上的怪虫有可乘之机，这让众人突然觉得传说中的铁面魔也不是不能战胜的，越来越多的人加入了战圈，竟布成了一张天罗地网。

霓裳夫人琴弦一张，正扣住了一个铁面人的脖子，铁面人眼明手快的一掌，将那要命的琴弦牢牢地粘在了手上，而与此同时，羽衣班的三个小姑娘同时袭向他下盘，一个手持长棍的少林和尚念一声佛号，一棒子当头砸下，这五个人将铁面人牢牢地卡在了中间，他大喝一声，惨白的皮肤上血管与筋骨好似可怕的长虫，突兀地暴起，然后狠狠一拉霓裳夫人的琴弦，抓得一手鲜血淋漓，硬是将她拽了下来，回手砸向羽衣班的三个少女，同时微一侧头，用肩膀前胸硬接少林僧人的一棒。

只听"咔"一声，那武僧的棒子竟然折了，就在他们两个拼硬功的时候，一柄刀背与刀柄加起来，甚至都不如最纤细的女子手指粗的小刀倏地闪过，刀锋几乎伴随着胭脂香味，果决无比地擦过了那铁面人的脖颈——他竟也没看出霓裳夫人是怎么在尚未站稳的时候将这一刀送出来的。

这就是四大刺客之一羽衣班的成名之技"杨柳风"。

霓裳夫人一击得手，被琴弦上未散的强大内力震得跟跄两步，后退三步方才站稳，她微微抿了一下嫣红的嘴唇，望向脖颈间一片血红的铁面人，目光有一丝复杂的躲闪，她怕自己费了这么大力气，只是杀了一个无足轻重的傀儡，却更怕面具掉下来，里面露出殷沛的脸。

然而下一刻，那前来帮忙的武僧突然喝道："小心！"

霓裳夫人只觉一股凉意顺着她的后背一路爬到了头顶，她来不及看清，已经本能地躲开了，羽衣班的一个女孩却没有这样警醒的直觉，根本没反应过来，便被一双冰冷的手捏住了脖颈，她最后看见的是那喷上了不少血迹的铁面具后面虫子一样冰冷的眼睛，而后一阵剧痛，脖子竟被那只手活活拗断。铁面人周身的血不断地从被割开的脖子往外涌，整个人迅速地灰败了下去，而他竟还能走，竟还能杀人，竟不知畏惧！

死人怎么能动？死人怎么还能杀人？

饶是霓裳夫人见多识广，也吃了一惊："这到底是什么？"

周翡此时已经爬到了柳家庄院里最大的一棵大树上，她停在树梢上，居高临下地看着混乱的战局，感觉要糟。

果然，下一刻，便有人叫道："这些人杀不死！"

"怪物！"

"死人……死人竟然也能杀人！"

恐慌立刻席卷了人群，那脖子上挂着一条伤口的铁面人身边方圆一丈之内立刻没了活物，他的脖颈脸颊已经呈现出死人般的灰白，手指竟在微微抽搐，脖子好似直不起来似的，略有些别扭地歪着，随后脚下骤然加速，冲着人群扑了过去。

第一个大叫着跑开的人彻底破坏了李晟的阵形，整个柳家庄顿时一片混乱，那邹大侠杀红了眼，见此情景，直接越众向前，挥一把金丝大环刀，一刀劈向那不知是死是活的铁面人，拼着挨上一掌，一刀卸下了铁面人的一条臂膀。

铁面人好似失去了平衡似的跟跄半步。邹大侠被他一掌打断一根肋骨，弯着腰吐出一口血来，却悍不畏死道："不死能怎样？砍了他的头，砍了他的四肢，看他拿什么威风！"

这拼命三郎的架势极具感染力，不少原本迟疑的人听了这话纷纷着上前，眼看要将这铁面人剁成肉酱，却只听"轰"一声，那会动的尸体炸开了，连树上的周翡都受到了牵连，她本能地横刀挡了一下，定睛一看，头皮直发麻——只见撞在她刀尖上的竟是殷沛身上的那种怪虫！

怪虫用无数小爪子抱住了碎遮刀尖，当即便要顺着刀身往上爬，周翡狠狠一甩手，内力透过碎遮直接将那怪虫震了出去，摔在地上不动了。

可地面上的人却没有这样幸运了，炸开的尸体里面钻出了百十来只怪虫，那些虫子个个十分瘦小，一露面就循着"流火"的味道四处乱窜，并且饥渴非常，沾上的活物，不管是人是鸟，一概吸干。

整个柳家庄简直成了一片修罗场，变了调子的惨叫声此起彼伏，李晟脑门上终于见了汗，喝道："周翡！"

周翡半跪在树梢上，在微风中随着树梢轻轻摇摆，精力集中到了极致，突然，那种非常玄的感觉又来了，周遭所有东西的动作都在变慢，每个人都没有了五官装束，在她眼里化成了某种符号——她看见少林棍法性烈如火，有些挥着棍子的年轻武僧像是暴烈的野火，而老和尚则像灯罩罩住的火星，感觉得到两个使刀人之间细微的差别，清晰地目睹了李晟双剑中驱除不掉的"潇湘"烙印……

周翡蓦地转向那十八个铁面人，发现了一个可怖的事实——他们的气息是完全一样的！

也就是说，如果她相信自己这股直觉，那这十八个人里没有一个是殷沛本人！

可那该是谁？还能有谁？

李晟的布置将柳家庄内院挤了个水泄不通，殷沛还能混迹哪里？

内院的一些人恐惧已经到达了顶点，再也不能忍受与怪物徒手肉搏，开始没命地往门口冲去，武当被李晟安排去守门，作为防止外敌入侵与魔头脱逃的第一道防线，骤然被恐慌的人群冲击开，一时不知如何是好，全都堵成了一团，李晟那边已经彻底失控。

周翡蓦地抬起头，目光射向内院的一角——最开始进来的那个铁面人身边带了好多狗腿子，有给他开路的，有抬肩舆的，还有给他趴下当地毯的，这些人想必都是以前活人死人山的旧部，被新主人可着劲地糟践，还要日日提心吊胆，基本不堪一击。最早随霓裳夫人他们动手的那一小撮行脚帮的人便将他们制住了，一直以刀剑架着绑在旁边。

她看见了一个面朝混乱战场的"俘虏"，那人一袭黑衣，眉目在面具下，嘴唇却微微上勾，裸露的脖颈上露出半个青龙刺青，他大大咧咧地亮着，丝毫也不遮掩，好像一点也不怕触怒新主子。

周翡看过去的时候，那人好像感觉到了什么似的抬起了头，隔着人海与满树尚未来得及黄尽的枝叶，他的目光与周翡撞上了。周翡想也不想便动了，方才还随风自动的树梢猛地拉紧，好似一张大弓，树枝绷紧到了极致，倏地放松，周翡好似身化利箭，冲着那被绑在树上的人而去。

与此同时，那人身上的麻绳蓦地炸开，暴虐的内息好似关外无可抵挡的白毛飓风，顷刻便将看守他的两个行脚帮的人撞开。

周翡的衣襟与长发全都往后飞去，而她竟连眼睛都不眨，碎遮炫目的刀光流星似的划过，竟从风暴中间硬劈开了一条缝隙，直指殷沛眉心。殷沛蓦地抬起双手，他的动作在周翡眼里也慢了不少，可殷沛内力深厚得近乎匪夷所思，她再要收回，已经力不从心，殷沛双掌一合，稳稳当当地将碎遮夹在了掌中。

他低喝一声，暴虐的内功顺着刀身而上，将周翡震出了一丈之远，而后也不追击，提气长啸一声，飘然而去。

周翡想也不想便追了上去。她一口气追出了数里，殷沛虽然形影飘忽，几次三番都没能甩脱她，行至一处杳无人烟的山林间，殷沛好似被她追得不耐烦了，脚步一顿，半侧过身来，冷冷的目光从铁面具后面射出来，望向穷追不舍的周翡："你来找死？"

周翡懒得同他扯淡，脚尖微一点地，碎遮的刀光便凝成了一点，撞向殷沛胸口，直奔着那膀大腰圆的涅槃蛊母虫而去。

怪虫察觉到她的杀意，愤怒地发出一声嘶哑的咆哮，这巴掌大的怪虫叫起来竟然颇为声势浩大，乍一听，居然有点像传说中的海涛拍岸声。殷沛长袖轻轻一拢，那身黑衣被内力撑起，仿佛金石铸就，与周翡手中绝代名刀的利刃错锋而过，竟擦出一串火花，而后他双手往下一按，按住碎遮的刀背，单薄得只剩下半个巴掌厚的胸口微弱而急促地起伏着，配上伏在他胸口的怪虫，显得又病态，又危险。

"哦，我明白了，你想杀母虫救下那些人？"殷沛低低地一笑道，"周姑娘，你还真是同当年在衡山一样不计后果。"

提起衡山周翡就来气，因为那件事谢允还跟她闹了一路的别扭，早知道殷沛能长成这副熊样，她吃饱了撑的才会答应纪云沉管那路闲事。她轻叱一声，长刀震开殷沛双掌，碎遮在她手中已经快到了极致，一阵刀光如幕，将殷沛整个人严丝合缝地笼在了其中。周翡的刀为无常道、走偏锋、无迹可寻，饶是殷沛功力极深，一时间居然也难以挣脱，只能连连被动接招。他身上那怪虫对这种僵持极为不满，鸣叫的声音越来越大，时而粗哑，时而尖锐，时而夹杂着古怪的"隆隆声"，高低起伏之变化多端堪比村夫泼妇骂街，好似在训斥殷沛不顶用。

"骂"了一阵，见不起作用，那蛊虫声音一顿，它背后开裂，两翼似的展开，露出下面的虫身，那虫身长得非常怪异，浑似一截白骨，夜色中，上了釉一般闪着微光。殷沛伸手捂住胸口的怪虫，摸到虫身上的变化，他脸色一变，懒洋洋的嘴角陡然绷紧，攻势骤然凌厉起来，几乎化成了一道残影。

周翡同他每一次的短兵相接，都震得手腕生疼。殷沛发了狠似的，一招猛似一招，丝毫不给自己和别人留下喘息的余地，密不透风的破雪刀竟被他以蛮力撕开了一条裂口，周翡好似微微有些脱力，碎遮倏地打了个滑，与殷沛错身而过。

殷沛一掌拍向她肩头："不自量力！"

而此时，周翡手中打滑的碎遮却蓦地反手一别，那刀尖幽灵一般，自下而上穿过殷沛双掌，从无穷处突出，走的竟是一条弧线——正是当年北刀的"断水缠丝"。

这一招宛如神来之笔，一下捅穿了殷沛那副无坚不摧的袍袖，在他那瘦骨嶙峋的手背上刮了一条血口子。两人在极小的空间内几番角力，你来我往片刻，殷沛宽大的袍袖与碎遮缠在一起，一时僵持住了。

周翡垂下眼，看着他胸口愤怒的蛊虫，突然同殷沛说了一句话。她问道："到底是你听它的，还是它听你的？"

殷沛脸色骤变，一瞬间神色近乎狰狞。

周翡才不怕他，见他色变，低笑了一声，火上浇油道："怎么，不会真叫我说中了吧？"

怪虫的尖叫声里带了回音，显得越发阴沉，殷沛额角的青筋几乎要顶破他的铁面具。他从牙缝里挤出两个字："闭嘴。"

周翡偏不，她强提一口气，将碎遮又往前送了两分："殷沛，以前你身不由己，受郑罗生挟持也就算了，现在你自由了，不必听命于人了，却又听命于一条虫子。是不是不给人当狗浑身不舒服？你可真是让我长了见识，你家列祖列宗见了也一定很欣慰。"

殷沛怒吼一声，骤然发力，一双袍袖突然碎成了几段，周翡踉跄半步，被那可怕的内力震得胸口一阵翻涌，喉咙里隐隐泛起腥甜气。

"我为那些敢怒不敢言的小人、懦夫杀了冯飞花，挑了丁魁，荡平了他们一提起便要瑟瑟发抖的活人死人山，"殷沛压抑着什么似的，一字一顿地说道，"我除了他们的心头大患，于是我就成了下一个心头大患，你告诉我，有这个道理吗？"

周翡听说过恶人先告状，没料到恶成殷沛这步田地，竟还有告状的需求，不由得一愣。殷沛脖颈间的青龙刺青泛着隐约的紫色，他瘦削的身体好像一片瑟瑟发抖的落叶，像是在忍受着什么痛苦。

"非……非我族类，其心必异，是不是？"殷沛死死地按住自己的胸口，抖得声音都在发颤。

周翡十分莫名其妙——方才除了一个不到半寸长的小口子，她没伤到殷沛什么，至于疼成这样？她皱着眉打量着殷沛，问道："喂，你哆嗦什么？"

殷沛急促地喘了几口气，艰难地挤出一个冷笑，按住那只盘踞在他胸口蠢蠢欲动的怪虫，对周翡说道："衡山那次，算是我欠你一回，你现在滚，我不杀你，往后咱们两清……滚！"

依照殷沛的恶毒，他这句话说得堪称饱含情义了，可惜周翡不光毫不领情，还嘲讽道："这么说我还得谢谢你了是不……谁？"

她话没说完，空中传来"咻"的一声，极轻，几乎到了近前才能听见，周翡警觉地拎着碎遮侧身躲开半步，两根两寸长的细针笔直地越过她，射向殷沛胸口的怪虫。那细针和寇丹的"烟雨浓"颇有异曲同工的意思，没有烟雨浓那么密集，力道却比寇丹强出不知多少倍，实乃夜里偷袭的神器。

殷沛隔空拍出一掌，挡开两根细针，倏地抬起头。只见一个黑衣人好似从影子里冒出来的一般，突然出现在周翡身后的树林里，拨开矮树缓缓走上前。

周翡看清来人，便是一愣："冲霄子……道长？"

叫"道长"似乎并不合适，冲霄子没有做道士打扮，他将头发利索地梳起，身着一身夜行衣，勾勒出宽厚的胸背，手中握着一根样式古怪的长笛，平添了几分诡秘的气质。

冲霄子冲周翡一点头，便不再看她，平静无波的目光转向殷沛，他对着殷沛伸出一只手，缓缓说道："殷沛，把不属于你的东西还回来。"

殷沛冷笑。

冲霄子道："当年我掌门师兄在衡山脚下捡到你，念在你是名门之后，不惜暴露我齐门禁地所在，将你带回去休养，替你疗伤、调理经脉，甚至打算教你武功，你是怎么报答他的？"

殷沛怀中的蛊虫再次发出高亢的鸣叫声。殷沛阴恻恻地低笑道："念在我是名门之后？名门之后多了，也没见贵派掌门把每个人都请到禁地——分明是那牛鼻子想要谋夺我家传的山川剑！"

冲霄子冷冷地说道："忘恩负义之徒，自然觉得道理都是自己的，错处都是别人的。殷沛，你今日说出这番话，就说明你压根儿不知道令尊这把山川剑上的水波纹是什么意思，你也压根儿不配拿着它。我掌门师兄以诚待你，你竟然私闯禁库，失手放出涅槃蛊，还被蛊虫迷惑，干出许多丧尽天良的事，你到九泉之下问问，自己配不配姓殷！"

周翡不止一次听李晟念叨过那位萍水相逢的冲云道长，听到这里，心想：那齐门的冲云子掌门当时不光捡了李晟三个月，还捡走了殷沛吗？

这沿途捡破烂是什么毛病？

周翡看着那涅槃蛊母虫，突然想起了什么，倒抽一口凉气，忍不住问道："那冲云道长……"

"我掌门师兄便是第一个死在涅槃蛊下的。那蛊虫贪婪成性，嗜人血肉，越是高手，它便越是激动，所谓蛊主人，不过是跪在这邪物本能下供其驱使的傀儡罢了。"冲霄子缓缓说道，"师兄死到临头，还想规劝你不要贪此邪功，竭尽全力地想着除去你身上的涅槃蛊的方法，没想到全是自作多情。我看你倒是颇为心甘情愿地受此虫驱使。殷沛，但凡你还有一点做人的尊严，便该自己了断在这里。"

殷沛狂笑，双目赤红，方才同周翡说话时勉强调动的三分理智已经荡然无存。他怀中的蛊虫一下一下扇起丑陋的翅膀，随后，窸窸窣窣的脚步声传来，数十个铁面人从四面八方拥过来，好似被那蛊虫从地下凭空召唤出的死尸一样。

殷沛冷笑道："哪个告诉你们……我身边只带着十八个药人的？"

周翡别无他法，只好暂时和来意成谜的冲霄子结成短暂的同盟，她持碎遮站在一边，刚好同冲霄子呈掎角之势，问道："道长，这些'药人'又是怎么回事？"

冲霄子解释道："在一人身上，沿经脉与血脉划出一百零八道伤口，然后以那蛊虫的毒液辅以其他引子，导入热汤，将此遍体鳞伤的人泡在其中，一个时辰之内，蛊虫的毒液便会黏附在伤口上，缓缓渗入，在这人身体表面覆上一层坚硬如虫甲的薄膜，三日之后，蛊虫之毒便能流到此人四肢百骸中，便是'药人'，与那些子蛊类似。这些药人依然是活的，平日里言语行走与常人无异，甚至能分享一部分蛊虫带来的好处，功力一日千里。这些药人会无条件遵从蛊母，一旦蛊母有令，他们便能舍去自己的性情，眨眼间就能做到众口一词、千人一面，便是蛊母叫他们去死，他们也能毫不犹豫地刎颈自尽。"

周翡蓦地想起永州城外，殷沛不知怎的看上了朱晨，非要将他带走的事。她当时还以为是朱晨的身世触动了殷沛，叫他同病相怜出一点偏激情绪，现在看来，根本是打算将兴南镖局的少主人捉回去当药人！

活人死人山那群墙头草一样的旧部对他卑躬屈膝，整个中原武林流传着他的凶名，而他尤嫌不足，他自己是涅槃蛊的大傀儡，还要豢养一群唯他命是从的小傀儡。

周翡头皮发麻，道："道长，贵派禁地什么志趣？为什么要养一只这玩意？现在怎么办？"

冲霄子到了这地步，依然不紧不慢，带着些许山崩于前而色不变的笃定，对周翡道："这些年周姑娘行走江湖，鲜少以真名示人，南刀之名却依然独步天下。碎遮乃当年大国师吕润所铸，可巧涅槃蛊这种人间至毒之物也是吕润所留，该有个了断，不知周姑娘可敢与老道担这风险？"

周翡："……"

被冲霄子这么大义凛然地一说，好像大魔头殷沛手到擒来，只让她受点累似的！可姑且不说那一堆身手不弱的药人，就是殷沛本人她都打不过。

殷沛的药人却不给周翡纠正老道士眼高手低的机会，转眼间已经围攻上来。

冲霄子手中长笛一摆，一把两寸长的细针倏地从笛子里冒出来，他动作不停，细针接连飞出三批，又快又狠。一帮戴着铁面具的药人纷纷运功相抗，他们身上的怪虫却好似有些畏惧那些细针，纷纷钻回了袍袖中。

冲霄子朗声道："我的针头上淬了特殊的驱虫辟邪之物，尚能抵挡一阵，周姑娘，那涅槃蛊母虫是罪魁祸首，交给你了。"

周翡："……"

当年冲霄子老道被木小乔困在山谷黑牢里，怎么没见他这么厉害？难道当时他是故意被木小乔抓住的？

冲霄子断喝一声打断她的胡思乱想："去！"

殷沛张狂地大笑道："好，你们俩一个是低调行事的南刀，一个是隐姓埋名的'黑判官'，我便一起领教，正好够吃一顿的！"

周翡瞳孔微缩——黑判官？

黑判官是谁？冲霄子吗？

"黑判官"位列四大刺客，多年前与鸣凤楼和羽衣班一同销声匿迹，竟然进了齐门？而齐门又恰好与"海天一色"关系匪浅，这里头又有什么牵扯？

诸多念头此起彼伏闪过，然而此时已经不容她细想，倘若叫殷沛带着蛊母跑了，别管"判官""阎王"，这几十个药人都能将他们俩困死在这儿——柳家庄那些倒霉蛋就更不用说了！

周翡倏地跃起，破雪刀斩字诀如断天河，睥睨无双地逼退面前一个药人，横刀拦住殷沛。

知慕少艾

她心里浮起万般滋味，不算惊涛骇浪，却也百转千回。
不过无论她坐在这里发什么感慨，思什么故事……对朱
晨来说，也都是无关紧要了。
因为晚了。

殷沛冲周翡冷笑道："齐门一帮臭牛鼻子，不好好念经，禁地里居
然藏着一只涅槃蛊，这种人说的鬼话你居然也信！"

周翡手下连出三刀，"风"里带着些许北刀的意思，刀刀粘连不断，
专门挑着殷沛的破绽，每每从他难以防护之处钻入，刀风无形无迹，纵
然殷沛内力能深厚到刀枪不入的地步，那蛊母却依然是一只脆弱的小虫，
无孔不入的刀风几次险些碰到蛊母。

殷沛一身武功全是夺来，没有正经八百地修炼过什么，不可能与
周翡较量刀术，他便干脆将双掌端平推出，以雷霆万钧之力撞向纤细的

碎遮，想以蛮力折断她的刀。无论碎遮的主人生前是多大一个奇才，毕竟已经死了几百年了，三尺青锋虽余遗恨，却究竟只是凡铁一块，而且因其刀极利、刃极薄，看起来比普通的苗刀还要脆弱一些，万万经不起这种纯力量的摧残。

周翡用坏的刀首尾相连摆一圈，大约能把四十八寨围过来，对此情此景可谓经验十足。她立刻撤力，横刀避其锋锐，可就在这时，殷沛胸口的蛊母好似终于忍无可忍，竟振翅飞了起来，闪电似的擦着殷沛的手掌飞起，丝毫也不受他蛮横的力道影响。

它像一片机敏的叶子，刚好自风暴中心穿过，精准而毫发无伤。

那一瞬，周翡直面形容可怖的怪虫，却并没有觉得恐惧或是恶心。

怪虫避开殷沛掌风的轨迹，在她眼里无限拉长、无限清晰，一直以来盘旋在她心头的某种若隐若现的感觉好似突然被一支看不见的笔浓墨重彩地描了出来——

第一次她成功安抚下体内造反的枯荣真气，让两股内息并行时流动在经脉中的气息。

第一次面对强大的对手，她气力已竭，枯荣真气自动运转时的人刀合一。

第一次摸到每一式破雪的门槛。

第一次领悟到无常之刀起落的奥妙……

她在山崖峭壁间，在密林深处，在万丈冰雪上，无数次地擦过生死一线。她在夜半难眠时，枕碎遮于荒郊间，幕天席地，孤独地仰望旷远星河，无数次被想不通的瓶颈卡在后面，觉得自己的刀法不进反退，而反复练的内力积累如指缝间沙砾，恍惚间生出难以忍受的痛苦，以为自己在武学一途上便会就此终结……诸多种种于无声无息间的诘问与磋磨，炸裂似的在周翡脑子里一一闪过，而后倏地缩成一点，落到已经近在咫尺的贪婪蛊母身上。

周翡突然动了，她脚下好似毫无规律地平移半步，看也不看那蛊母，碎遮斜斜划过，神来一笔找到了殷沛掌风间那条最虚弱的线，几无阻力地滑了出去，寒光四溢的刀刃毫发无伤地与殷沛擦身而过，遗落的刀风割断了他一缕垂在腮边的乱发。

她的刀尖画了个优雅的半圆，脚下踩在了蜉蝣阵的步调上，周翡人影一闪便不知怎么晃过了殷沛，从他另一边绕过，隐在殷沛身后的刀尖放过正主，直指涅槃蛊母。

殷沛骤然变色，不管不顾地以身去护那涅槃蛊母虫，只听"噗"一声，碎遮割破了他肩头衣衫，瘦骨嶙峋的身体顿时皮开肉绽，未尽的刀风一下掀了他脸上的铁面具，露出一张瘦得脱了形的脸……以及面具遮挡的乌青的眼圈与皮肉开裂的颧骨。

殷沛一时呆住了，他本以为自己已经天下无双，没料到竟有人能用一把还没有巴掌宽的刀伤了他。

"我不管你的涅槃蛊是从哪里来的，也没想为了谁找你报仇，更不知道你与齐门有什么恩怨，我今日不追究前因后果，也不与你论善恶阴阳，"周翡将目光从殷沛那张近乎毁容的脸上扫过，熟视无睹地说道，"只要你把柳家庄的药人和虫子都收回来，就算现在你要带着你那虫祖宗走，我也不拦你。"

殷沛一手抓在自己的肩头，枯瘦的手指戳进了那伤口里，发黑的血汩汩冒出，方才差点被一分为二的蛊母短暂地安静下来，静静地伏在他新鲜血肉上吸食。

那殷沛双目微突，眼白上的血丝好似一张密密麻麻的大网，将喜怒哀乐一并网在其中，然后他张开血盆大口，疯疯癫癫地大笑起来。

"我不，我偏不，实话告诉你，就算我死了，我的药人也会活蹦乱跳的，足够将那些个大义凛然的名门正派之人杀个干干净净。你能把我怎么样？周翡，你们那些为国为民的、道貌岸然的、名利双收的，说谁该杀，谁就该死对吧？你们好威风，好厉害……我便要看看你们能厉害到什么时候！"

周翡眉头一皱："损人不利己对你有什么好处，你有毛病吗？"

殷沛的笑容好似安了个门，拉开就洪水滔天，合上便消匿无踪，他刚才还露着满口牙，下一刻，脸皮马上绷成一面鼓。他恢复面无表情，盯着周翡，轻轻地说道："中原武林，自古容不下出类拔萃之徒，是你们先视我为异类的。那好哇，我就是丧心病狂，就是要人人对我畏如蛇蝎，人人见我望风而逃——山川剑算什么？他死了，你们倒都将他摆在祭坛上尊为圣人，倘若他活到现在，还不定是什么光景。我原先以为我爹死于郑罗生之手，后来又觉得纪云沉才是罪魁祸首，可是这些人都死了，我却没有痛快一分一毫。你猜怎样，我直到最近才想明白，殷氏原来是为'正道'与'大义'所陷，多可耻，多可笑！"

冲霄子喝道："周姑娘，不要听此人颠倒黑白！拿下蛊母！"

周翡余光一扫，见冲霄子武功比她想象中还要高，那老道士虽然此时已经颇为狼狈，却依然借着鬼魅一般的轻功和手中层出不穷的暗器穿梭于众多药人之间。

周翡知道殷沛说话如放屁，但也不十分相信这个有点古怪的"冲霄子"，干脆将他俩的话都当成了耳旁风，只专注眼前事，对殷沛道："再不收回你的药人，我可就只好杀你和你的虫子了。"

殷沛定定地看了她一眼，忽然道："你是不是知道些什么。"

周翡知道很多事，因为谢允的缘故，她没事的时候除了琢磨武功，就是琢磨"海天一色"。

根据她的总结，和"海天一色"扯上关系的，好像都没什么好下场。

　　吴将军杀身成仁就不说了，殷闻岚明显死于阴谋，而罪魁祸首却有待商榷。当时周翡年纪小，没感觉到不对，后来她仔细回想，觉得郑罗生那卑鄙小人要真有策划整件事的城府智计，他也不会那么容易被他们联手困死在衡山密道里。何况郑罗生等人无外乎为了传说中"海天一色"里的秘宝，但"海天一色"除了几颗大药谷的药丸子勉强算数，究竟还有什么秘宝呢？谁都说不清了。

　　而既然连霓裳夫人这种见证人都讳莫如深，那"海天一色"又是怎么传到活人死人山的青龙主耳朵里的？

　　再说李徵，当年护送完幼主没多久，李徵就遭到北斗暗算。段九娘那疯婆子脑筋不清楚，老仆妇说的故事多半也是她转述的，只能听个大概意思，细节推敲起来全是疑点——譬如当年段九娘的行踪是怎么被北斗知道的？而李徵既然得到暗桩报信，知道有北斗在四十八寨附近活动，为什么还会孤身犯险？这种孤勇不过脑子的事，周翡觉得她自己大概办得出来，但着实不像众人口中那温和缜密的老寨主办出来的事。

　　还有霍老堡主，霍老堡主被霍连涛下毒毒傻的这件事是板上钉钉了，但霍连涛哪儿来的胆子，谁给他的毒，随着这人一死，却始终是个未解之谜。

　　诸多种种奇怪的地方，如果全是巧合，那所谓"海天一色"也就只剩一种解释了——肯定是什么道行颇深的鬼怪留下的诅咒。

　　周翡眼神里一瞬间的迟疑叫殷沛瞧出了端倪，他倏地上前一步。然而就在这时，一股淡淡的暗香不知从什么地方飘来，甜腻得有些腥气。原本吸了殷沛的血之后便安静下来的蛊母突然疯了，高亢地鸣叫起来，周翡身后传来一声闷哼，那些药人也跟着亢奋异常，比方才凶猛了一倍，冲霄子骤然难以抵挡，被两个药人一边一掌打中左右两肋，人顿时飞了出去，撞倒了一棵大树，瘫倒在地，也不知是死是活。

　　药人们解决了老道士，自然是一起奔向周翡，涅槃蛊母虫好似忘了方才差点被周翡腰斩的事，居然再一次飞起来扑向她。

　　只听"嗡"一声，药人们身上的怪虫全都跟着蛊母飞到半空，一窝蜂似的密密麻麻地冲她飞来，那一瞬间，周翡看见了殷沛脸上的错愕，然而她已经顾不上其他了。

　　千钧一发间，碎遮倏地劈出，蛊母好似能预测她的刀法一样，往旁边一荡躲开了，然而随即，它便一头撞在早已经等在那里的刀鞘上，"啪"一声轻响，蛊母躲闪的所有空隙都被周翡那不显眼的刀鞘封住了。

　　此时漫天的怪虫已经落到了周翡的长发上，好似已经将她卷在其中——

　　周翡面不改色，刀尖追上蛊母，毫不犹豫地将它劈死。汹涌的怪虫集体一个停顿，而后雨点似的从半空中轰然落下，砸得周翡头上、肩上全是……

　　却没能伤她。

　　周翡一抖衣襟将怪虫都甩落在地，地面上铺了一层的虫子锃光瓦亮的身体以肉眼可见的速度灰败下去，转眼便不动了。

　　直到这时，她才后知后觉地起了一身鸡皮疙瘩。

　　可还没等她松一口气去收拾殷沛，后脑突然传来尖厉的掌风，周翡掠出三四丈远，倏地回头，惊见那些药人非但没有跟他们身上的怪虫一起趴下，反而个个好似怪虫的怨魂上身，不要命一般地扑向她，转眼便将她团团围住。

　　趁这时，殷沛倏地闪入林间不见了，周翡却顾不上琢磨他失去涅槃蛊以后会怎样，她略有些手忙脚乱地应付片刻，迫不得已踩出了蜉蝣阵法。蜉蝣阵法是以巧胜力之法，在对方人多势众或者武功比自己高的时候才能发挥出最大作用，周翡这一两年专攻刀法，已经很少再用了，不料此时被这些疯狂的药人追得满场跑。

她一刀将一个药人齐腕斩去右手，药人却浑不知疼，不依不饶地向她撞过来，与此同时，另一个药人自同伴鲜血淋漓的腋下伸出手，手中扣着当年丁魁用过的长鞭，一下卷上周翡的小腿。第三个药人从上方跃起，居高临下地一掌拍向周翡头顶，周翡无处可避，只好硬接。

怪虫一死，这些药人就好似回光返照，功力转瞬增加了两三倍，周翡当下便觉对方力道强横竟还在方才殷沛之上，顺着碎遮直接传到了她身上。她眼前一黑，险些没站稳，碎遮"嗡"一声巨震，周翡一口血堵在喉间。

幸好，应对这种"马上要玩完"的险境，周翡比一般人经验丰富，越是命悬一线，她便反而越是冷静。

她轻轻一咬舌尖，整个人倏地侧身，碎遮好似银河坠地，将那药人居高临下的一掌之力卸下来，而后将刀柄在半空中一换手，直接将刀尖送入那药人咽喉，推出半尺来远，横着砸向他一帮同伴，同时，她以那条被绑住的腿为轴心，长刀咆哮着画出一个圆，毕生的修为全在一把刀尖上发挥到了极致。

接、承、断、破、借力打力……全在毫厘之间，碎遮滴水不漏地织成了一张密密的大网，一圈发疯的药人竟难近她身半步。有那么一瞬间，周翡觉得自己意识里只剩下了这一把刀，五感在满口血腥气里通成了一线，药人们的动作一目了然，她甚至能看出这些药人之间细微的差别——那层萦绕不去的窗户纸毫无预兆地破了，消失了二十余年的南刀好似再次附在了三尺凡铁上，死而复生。

可惜周翡很快便从悟得进境的忘我之境里脱离出来——她同殷沛斗了一路，本已接近精疲力竭，方才一下又被药人重伤，此时已近强弩之末。

而药人们不怕疼、不怕死，一批一批往上冲，非得将她困死在此地不可。周翡从爆发似的刀术中回过神来，周身经脉都在隐隐作痛，从受伤的肺腑蔓延到胳膊上，"锵"一声，她的碎遮竟险些脱手。

周翡跟跄了一下，被腿上的长鞭猛地拉倒在地——

她狼狈地在地上滚了几圈，凭着风声躲开几个药人的夹击，手背在地上蹭破了皮，擦得生疼。她心里觉得十分不值——上一次这么拼命的时候，旁边还有稀世珍奇的药材，谁拼得过谁拿，但这回又算怎么回事？赔本赚吆喝吗？

周翡虽然在自嘲，也没耽误其他事，她伸手用碎遮刀鞘往小腿上一别，挑起绑住她的长鞭，而这一会儿工夫，已经有药人围上来了，周翡被腿上的鞭子牵制，一口气没上来躲闪不及，叫那药人手里的小板斧当当正正地砍中了肩头。

几根长发应声而断，周翡本能地咬紧牙关，闭了一下眼。

结果被卸去一肩的剧痛却没到，周翡只觉肩头被人重重地砸了一下，随即那小板斧竟顺着她的肩膀滑了出去。她的外衫撕开了一条裂口，露出里面那用渔网下脚料编的小衫来。密实的小衫微微泛着月光，比传说中的明珠与玳瑁还要皎洁明亮几分，边角处穿的贝壳在彼此碰撞中轻轻响着，好像蓬莱小岛上温柔的海水冲刷小石的泠泠声。

周翡总算从长鞭中挣脱，她得了这一点喘息的余地，自然要发起反击，不顾拉扯得发疼的经脉，再次强提一口气，将碎遮架起，刀刃在与掌风、各路兵器对撞时爆出一串暴躁的火花，药人们在凌厉的刀法下不由自主地被她带着跑。

周翡伤成这副德行，却没顾上心疼自己，反而有点心疼起刀来，她牙缝间已经渗出血，心里却想道：碎遮要是也折了，我以后是不是得要饭去？

这念头一冒出来，碎遮便发出一声有点凄惨的轻鸣，在疾风骤雨似的交锋中摇摇欲坠起来。

就在这时，所有的药人突然同时一顿。

周翡一时没收住，碎遮直挺挺地捅进了一个药人的咽喉，她脚下一个趔趄，长刀差点卡在里头拔不出来。周翡膝盖一软，同那药人的尸体一起跪了下来。那些诡异的药人好似发呆一样围着她站了一圈，带着些许大梦方醒似的茫然，有人左顾右盼，有人愣愣地盯着周翡，场中一片静谧。

周翡艰难地从火烧火燎的喉咙里咳出了一口血，撑着自己最后一丝清明，后脊发毛地提着碎遮戒备。随后，有一个药人僵硬地迈开长腿，冲她走了一步，随后"扑通"一声，直挺挺地栽倒在周翡面前。

周翡吃了一惊，下意识地抽了口气，一不留神被嗓子眼里的血卡住，引出了一串昏天黑地的呛咳。

药人们在她要断气的咳嗽声里接二连三地倒下，手脚抽搐片刻，转眼就都不动了。

周翡忍着胸口剧痛，以碎遮拄地，小心地探手去摸一个药人的脖颈，那身体还是温热的，脖颈间却是一片死寂，已经没气了——原来这些药人方才真的只是"百足之虫，死而不僵"的回光返照。

周翡一口气卸下，原地晃了晃，险些直接晕过去。

这时，不远处传来一阵窸窸窣窣的动静，方才被摔到一边的冲霄子醒了过来，狼狈地扶着树爬起来，走向周翡："姑娘……"

周翡单膝跪地的姿势没变，低声道："道长，你最好站在那儿，再往前走一步，我恐怕便要不客气了。"

冲霄子没料到她会突然翻脸，不由得微微一愣。

周翡垂着头，借着一个药人落在地上的长剑的反光留意着冲霄子的动作，一边竭尽全力地调息自己一片紊乱的气海，一边不动声色地缓缓说道："道长，你方才也说，这些药人虽然被蛊母控制，却并非没有自己的神志，绝不像寻常傀儡木偶之流那么好骗——那么他们方才追杀我的时候那样赶尽杀绝，为何到了你那里，随便往树底下一晕就能躲过一劫？"

冲霄子从善如流地停下脚步，目光闪了闪，从碎遮的刀刃上掠过，好声好气地说道："涅槃蛊乃稀世罕见的毒物，这里头的道理咱们外行人也说不明白……但你是不是对我有什么误会？"

周翡怀疑自己可能是伤了肋骨，方才打得你死我活不觉得，这会儿停下来，她连喘气都疼。

她自己的情况自己知道，此时单是站立已经很困难，万万没力气再同这来历成谜的老道士打上一回，只好尽量不露出疲态与弱势，强撑门面道："那倒没有，道长当年传我一套蜉蝣阵法，阴错阳差地救过我一命，一直还没机会当面感谢。"

冲霄子笑道："不足挂齿，我不过是……"

"只是晚辈资质愚钝，蜉蝣阵法中一直有很多地方不明白，"周翡挑起眼皮，自下而上地盯着冲霄子，眼神中有说不出的锋利，"不知道长可否解惑？"

冲霄子笑容微敛："那个不必急于一时，蛊母虽然死了，但此物邪得很，我看此地不宜久留，咱们还是先离开再说吧。"

周翡想了想，扶着刀笑了一下，背着一身冷汗，她咬牙站了起来："算了，我这暴脾气真是打不来谢允他们那种揣着明白装糊涂的哑谜，便同你说明白吧——当年在岳阳，木小乔纵容手下耍无赖打劫，在一处山谷地牢里，绑了好多无辜的江湖人士，我误打误撞地闯进去将人放出来，在那里跟冲霄道长萍水相逢，恰逢被朱雀主门下与北斗黑衣人两厢围攻，左支右绌，冲霄道长便口头传了我几式'蜉蝣阵'，你知道什么叫蜉蝣阵吗？"

"冲霄子"面无表情地看着她。

"蜉蝣阵是投机取巧的旁门左道，专攻一人对多人的阵法，轻功、八卦、五行、打群架经验等等包罗万象，教你如何拆开对手的配合，在一群强过你的对手面前借力打力，取的是'蜉蝣撼树'之意，要我说，差不多是给这帮药人量身定做的。"周翡看着"冲霄子"说道，"我见道长方才全是硬抗，没使出半步蜉蝣阵法，不知阁下究竟是老糊涂忘干净了，还是自信这些神通广大的药人都是蝼蚁？"

"冲霄子"先是一皱眉，继而又摇摇头，微笑着叹道："后生可畏，小姑娘看起来不言不语，原来心细得很哪。"

他说着，伸手在脸上轻轻蹭了几下，将嘴角长须摘了下来。

此人面相与当年的冲霄子有七八分像，戴上胡子一修脸形，便足足像了九分。周翡与冲霄老道不过是多年前的一面之缘，能大概记住他老人家长什么样已经不容易了，这一点细微的差别真的无从分辨。

周翡问道："所以你是'黑判官'封无言，不是冲霄前辈？"

"不错。"封无言痛快地一口应下来，温和地回道，"冲霄是舍弟，从小在齐门长大，我也是成人以后才机缘巧合碰见他的。因为他的缘故，这些年我一直与齐门渊源颇深，如今江湖早不是我们当年的那个了，连鸣风楼都隐居深山，我自然也早早金盆洗手。'黑判官'的名号早年间惹的是非太多，我便干脆在齐门隐居下来，偶尔需要出门，也都是借着冲霄的名号。除了这段故事，我与冲霄并没有什么不同，他也多次与我提起过你，周姑娘实在不必对我这样戒备。"

周翡又问道："封前辈，你说得有理有据，我差点就信了——可是你有所不知，当年齐门突然解散，冲霄道长落难，他迷药尚未退干净，听说沈天枢往岳阳霍家堡去了，便连夜离开我们，奔岳阳而去。临走，他听说我是李家后人，传给我一本书，里头除了记载了这偷奸耍滑的'蜉蝣阵法'之外，还有一套万法归一的内功心法。前辈见多识广，知道传人内功心法是什么意思吧？"

虽然有一些前辈高人好为人师，偶尔遇见可塑之才，也会随口出言指点几句，但指点归指点，不会传功，招式尚且好说，内功却绝对是非门人不相语的。至今，除了四十八寨的长辈，只有两个人传过周翡内功心法，一个是自称她"姥姥"的疯婆子段九娘，一个便是冲霄。

段九娘姑且不论，冲霄将那本《道德经》交给周翡，分明是有自己行将赴死，将传承托付以使其不断绝的意思。

"冲霄道长既然后来平安无事，又多次与你提起我来，怎么封前辈一点也不关心我看没看懂齐门的传承，反而一见面就逼着我帮你对付殷沛和涅槃蛊呢？"

封无言一脸无奈，说道："既然是齐门的传承，便是齐门的家务事，诸多细枝末节，他怎会与我尽说？唉，小姑娘，说句托大的话，我退隐时，你还尚未出生呢，我若是害你，图个什么呢？"

周翡心说：那谁知道，可就要问你了。

她正琢磨着如何不动声色地将此人吓走，突然，身后传来了奇怪的动静。

周翡当即警觉，倏地侧头，顿时一阵毛骨悚然，只见一个戴着铁面具的药人诈尸了，踉踉跄跄地从横七竖八的死人堆里爬了起来！

另一边，封无言用带着些许诡秘笑意的声音说道："呀，小心啊！"

他话音没落，手中那根笛子里已经甩出了一把长针，将周翡从头到脚罩在了其中！

一边是莫名其妙对她怀有杀意的黑判官，一边是诈尸的药人，简直是前狼后虎——要命的是，周翡的腿这会儿却还是软的！

她长到这么大，最大的本领便是学会了在绝境中保持一颗"气不断、挣扎不止"的心，可此时也只能瞪着眼无计可施。

那"诈尸"的药人好似发狂的野兽，口中发出一声不似人语的号叫，然后猛地向她扑了过来。

周翡本能地提掌去挡，无力的手掌却不听使唤，只能任凭那药人扑到了她身上。他还有气，气息却急而浅，喷在周翡脖颈上，带着挥之不去的腐朽味道，药人力气极大，一双瘦骨嶙峋的手臂好似两根铁条，死死地锢在周翡身上。

周翡的双脚离了地，被那药人从地上拔了起来，甩了半圈出去，随即那药人的身体倏地一僵。

周翡睁大了眼睛。

他居然以后背为盾，用那高瘦的身体挡在周翡面前——封无言那一把要命的长针悉数钉在了他身上！

夜风窃窃私语，月色渐暗，而星光渐隐，只剩下一颗晨星，孤独而无聊地挂在黑幕一角。

有那么一瞬间，周翡好似感觉到了什么，她缓缓地抬起手，便要去揭药人的面具。

药人却怒吼一声，一把推开她，周翡猝不及防地被他推倒在地，摔得眼前一黑。

封无言没料到这药人会突然冲出来，只见他一面搅了自己的事，一面将周翡扔了出去，正在莫名其妙，便见扔下了周翡的药人猝然转身，背着一后背的长针，以手做爪，朝自己发难。

封无言只好应战，轻叱一声，长笛如尖刺，戳向那药人眼眶。

药人力气虽大，此时周身的关节却好似锈住了，不怎么灵活，横冲直撞地上前来，封无言的笛子笔直地穿过他脸上的铁面具，直截入他眼眶——从眼眶处入脑，便是什么妖魔鬼怪也断不能活了。

封无言手上陡然加力，却不防那药人不躲不闪，一张嘴咬住了他的手腕。

这药人不知同黑判官有什么深仇大恨，死到临头竟然还要咬下他一块肉。封无言不由得骇然，手上使劲，小半根长笛都没入了药人的眼眶。药人方才急促如风箱的呼吸戛然而止，站着断了气息，牙却依然嵌在封无言手腕上。

封无言大叫一声，强行掰开那尸体的牙关。他的手腕这会儿已经没了知觉，伤口处黑紫的血汩汩地往外流淌，那药人浸染蛊毒已久，居然连牙关中都带了毒。封无言满头冷汗，一边运功相抗，一边拼命挤伤口的毒血，可那麻痹的感觉顺着伤口一路往他胸口爬。

这时，有刀光一闪，封无言手忙脚乱的动作一顿——

碎遮从他胸口处缓缓露出一个尖。

周翡捅完黑判官，就真的没力气拔刀了，只好任凭碎遮插在尸体上，旌旗似的竖在一地狼藉中间。

她脱力地往后退了几步，背靠在一棵大树上，又顺着树干滑到了地上。

毕竟是年轻，手背上的伤口很快凝住了，血迹混在浮尘里，几乎看不出皮肤底色。

周翡低头看了一眼自己的手，手心分明已经被经年日久的挥刀磨出了厚厚的茧子，方才持碎遮时太过用力，居然将厚茧也蹭破了。如果不是她实在没有余力，断然不会这么痛快地杀了封无言，她还想知道真正的冲霄道长的下落，想知道齐门禁地里为什么会养着一只涅槃蛊虫，想问清楚这金盆洗手已久的刺客到底同"海天一色"有什么关系，为什么要杀殷沛，又为什么要连自己也一并除去……不过毕竟真相可以事后探究，但一个不果断，小命玩没了，就什么都不用问了。

周翡开始觉得有点冷，好像从她下山的那一刻开始，她年幼时向往的那种可以和路人坐下喝一壶酒的江湖便分崩离析了，她被迫变得多疑、多思，怀疑完这个又戒备那个，随时预备着被一脸善意的陌生人暗算，或是被原本亲近信赖的人背叛……可是她天生便不愿意多想多虑，有时候觉得自己想得脑子都要炸了，却还是做不到"世事洞明"。

对了……还有那个舍身救她的药人。

封无言最后掰开了药人的牙关，将戳在他眼中的铁笛拔了出来，用力过猛，将他脸上的铁面具和几颗门牙一并掀飞了，露出下面血肉模糊的一张脸。再英俊的人，眼睛被捅出一个窟窿，形象也齐整不到哪儿去，何况这人多年身中蛊毒，已经脱了相。

他死不瞑目地倒在地上，张开的唇齿间还挂着些许血迹，丑得十分骇人。

周翡盯着那张脸看了许久，才从那尚算保存完好的半截眉目中看出了一点端倪，依稀认出个熟人的轮廓——好似是当年他们在永州城外偶遇的兴南镖局少主朱晨。

殷沛抢过活人死人山，其恶迹比以前的四大魔头加起来都更甚，死在他手里的无辜之人不计其数，一个小小的镖局，家道中落，过去便要靠依附在霍连涛手下才能勉强度日，夹缝求存，与无根之草没什么分别，想必在如今世道，便是一夜灭门，也没人会惦记着给他们申冤报仇。

永州一行，发生过太多的事，记忆里浓墨重彩处足能画出一大篇，相比之下，途中顺手搭救的小小镖局好似个添头，实在没什么叫人记住的价值。如今回想起来，周翡只记得一行人里有个颇为见多识广的老伯，一个面容模糊的大姑娘，还有个沿途当装饰，一跟她说话就结巴的小白脸。

周翡年纪渐长，阅历渐深，很多事不必再像以前那样非得条分缕析才明白，心里隐约明白朱晨为什么帮她。她微微仰头靠在冰冷的树干上，感觉周遭夜风好似不堪重负，将散在其中的水汽沉甸甸地坠成露水，漉漉地压在她发梢眉间，她心里浮起万般滋味，不算惊涛骇浪，却也百转千回。

不过无论她坐在这里发什么感慨，思什么故事……对朱晨来说，也都是无关紧要了。

因为晚了。

周翡不知在满地尸体的林中坐了多长时间，想起谢允那段风花雪月的《离恨楼》，前些年红遍大江南北的戏文，已经销声匿迹良久，连最蹩脚的艺人都不再唱了——人们不爱听了，这些年越发兵荒马乱，人人疲于奔命，传唱的都是国仇家恨。

风花雪月太远，过时了。

曹仲昆已死的消息不知有没有传到周以棠那里，想必大战又要开始。

江湖中也暗藏风波，几代人你方唱罢我登场的武林，每个人都有自己的私心，每个人都有一套千回百转的故事，每一时都有人死，每一刻都在争斗。众多不知从何处而起的因果好似细线，被最废物的手艺人祸害过，织成了一团乱麻，周翡连个线头都找不着，只觉得人人都在自作聪明，人人都被网在其中，就好像这永远也过不去的未央长夜一样，一眼望穿了，依然看不见头。

周翡试图将种种事端理出个先后条理来，不料越想越糊涂，只好疲惫地闭了眼，任凭意识短暂地消散，靠在树干上半晕半睡着。

直到漫长的一宿过去，她才被刺破天宇的晨光惊扰。

扰人的晨光中夹杂着几声琴弦轻挑的动静，周翡睁开眼的一瞬间已经警醒起来，一眼便看见逆光处有个人坐在树梢上，就在距她不到一丈远的地方。

那人轻飘飘地坐在树梢上，两鬓已经斑白，身上穿了一件妖里妖气的桃红长袍，长发披散在身后，手中还抱着把琵琶。

居然是好多年不见踪影的木小乔！

第十四章·

问药

"听说齐门那老道士抽羊角风，不知从哪儿找到了涅槃蛊苗，我还当是谣传，原来世上真有这东西……啧，可惜被你一刀劈了，听说老道士养着这玩意是为了入药呢。"

周翡一惊，下意识地去摸腰间兵刃，摸了个空，才想起碎遮还插在封无言的尸体上。

木小乔漠然地看了她一眼，伸出十指压住琵琶弦，从树上跳了下来，在众多尸体中间走了一圈，然后自来熟地转头问周翡道："殷沛还是跑了吗？封无言是你杀的？"

周翡张了张嘴，但受伤后嗓子有些肿，她一时没发出声来。

木小乔"啧"了一声，动手从封无言背后抽出了碎遮，摸出一块细绢，将刀柄和刀身上的血迹擦干净。

"碎……遮。"木小乔念出刀名，歪头思量片刻，说道，"有点耳熟，这是你的？"

以周翡如今在破雪刀上的造诣，本是不必怕木小乔的，可这会儿她一身重伤，刀还在别人手里……就不大好说了。

谁知下一刻，木小乔一抬手，把碎遮抛给了她。

周翡一抬手接住，不由得松了口气，只有握住刀柄，她才有自己双脚踩在地面的踏实感。她略带疑虑地打量着这位前任大魔头，不知道他葫芦里卖的什么药。

"你不用那么紧张，"木小乔一边用脚尖将封无言的尸体翻过来仔细观察，一边头也不抬地对周翡说道，"我不杀女人。"

周翡听了这番不要脸的标榜，实在哭笑不得，便重重清了一下嗓子，哑声道："你怎么不说自己还吃斋？"

木小乔竟未动怒，坦然道："不骗你，我确实不杀女人——只杀男人和丑人，其貌不扬的在我这里不能算女人，杀便杀了。"

周翡无言以对，感觉能说出这话的人，脑子里想必有个洞庭湖那么大的坑。不过她转念一想，又觉得这也没什么，因为木小乔一直是个举世闻名的大魔头，向来不讲道理，整日恃强凌弱、滥杀无辜，想取谁性命就取谁性命，他今日说丑的不算女人，明日说年纪小的不算女人，后天没准又变成年纪大的不算女人——反正都是自己说了算，取决于他想对谁下手而已。

人们评判山川剑之类的圣人，往往标准奇高，但凡他有什么地方处理不当，便觉此人盛名之下其实难副，有伪君子之嫌。但对木小乔之流便宽容得多，只要他不暴起咬人，或是只要他咬的人不是自己，便还能从他身上强行分析出几分率性可爱来。

周翡也未能免俗，很快便"原谅"了木小乔的出言不逊，问道："朱雀主许久不露面了，今日到此地有何贵干？"

木小乔拢了一把鬓角的乱发，说道："我来瞧瞧那个铁面魔，听说那小子就是殷沛，山川剑鞘也在他手上？"

周翡道："不错。"

木小乔便说道："按理这不关我的事，只不过上回在永州，羽衣班那老太婆算是帮过我一把，虽然她没什么用，不过我不欠人情，这回也来帮她一回。"

永州城里，霓裳夫人出面争夺过慎独印，为什么算是帮过木小乔一把？这回围剿殷沛，她又是因为什么？

木小乔这句话语焉不详，内涵却十分丰富。

周翡想了想，迟疑着试探道："恕我愚钝，没听明白……朱雀主帮霓裳夫人什么呢？"

木小乔看了她一眼，笑道："想问什么直说，我才不管什么誓约盟约限制，我想说什么便说什么。"

周翡本来就不擅长打机锋，立刻就坡下驴，直言道："所以朱雀主也是'海天一色'的见证人。"

"不错。"木小乔道。

周翡又道："霓裳夫人曾经说过，所谓'海天一色'，并没有什么异宝，只不过是一个盟约。"

"一群大傻子立的盟约。"木小乔道，"双方互相不信任，便找了一帮两头拿好处的见证人——比如我，一边给我的好处是答应帮我查一个仇人的身份，另一边答应帮我脱离活人死人山。"

周翡恍然大悟——这么看来，鱼太师叔他们也一样，当时鸣风楼主兄弟两人中了透骨青，一边给了他们"归阳丹"，一边给了他们退隐容身之地。

怪不得当年老寨主李徵力排众议，将格格不入的鸣风楼引入四十八寨。

周翡问道："那盟约到底是……"

"就是不泄露'海天一色'的秘密，"木小乔道，"你别看我，看我没用，那秘密至今没泄露过，所以我也不知是什么。保密人大多家大业大、跑得了和尚跑不了庙。我们见证人却大多是刺客之流，藏在暗处，一边盯着保密人不泄密，一边见证他们不因此被杀人灭口……好比个买房置地的'中人'，你明白吗？"

周翡被这里头乱七八糟的关系绕晕了，低头沉思。

"水波纹就是那些保密人最后的保命符，要是对方生了恶意，要害死他们，保密人便能通过约定的方式将信物托付给见证人，据说几件信物凑在一起，就算当年的保密人都死干净了，也能拼凑出'海天一色'的秘密来。"木小乔道，"不过这么多年过去，保密人没有泄露秘密，也都死于不相干的事，看来不能算是'杀人灭口'，此事便该一了百了了，至于那水波纹的信物被别人拿去也无所谓，反正他们不知道这东西是什么。"

周翡道："所以当年山川剑被郑罗生拿去，霓裳夫人也并未出面去追？"

"追也没用，羽衣班那婆娘斗不过郑罗生。"木小乔一摆手，"不过确实也这样，殷闻岚绝不会将'海天一色'四个字泄露给郑罗生。她若是不依不饶去追讨，反倒等于将这事捅出来了，这才一直沉默，只是……"

木小乔话音一顿，周翡飞快地接道："只是没想到好多年以后，'海天一色'居然不知怎么被捅出来了，还因为一堆越传越离谱的传说，导致大家都趋之若鹜地争夺，所以朱雀主当年去永州是为了收回慎独印？"

"哈！"木小乔长眉一挑，"我才不像羽衣班的女人那么爱管闲事，我就是去取霍连涛的人头的。"

周翡没理会他这番出言不逊，说道："那霓裳夫人这回是为了从殷沛那里收回山川剑？"

"大概吧。"木小乔道，"那姓柳的肉球出身泰山，我与泰山派素有龃龉，便没露面，没想到他们打得那么热闹，居然叫殷沛无声无息地跑了……咦？这是……"

周翡刚想问他黑判官是否也是见证人，以及此人是什么来路，便见木小乔负手站在一边，颇为感兴趣地低头望着一具巴掌大的虫尸，说道："听说齐门那老道士抽羊角风，不知从哪儿找到了涅槃蛊苗，我还当是谣传，原来世上真有这东西……啧，可惜被你一刀劈了，听说老道士养着这玩意是为了入药呢。"

周翡听见一个"药"字，立刻把什么都忘了："入什么药？"

木小乔道："我怎么知道？"

周翡病急乱投医地上前一步："求前辈告诉我。"

木小乔挑眉看了她一眼，突然不知怎的临时起意，猛地伸出他那只专门掏心的左手，抓向周翡的咽喉。幸好周翡虽然心神微乱，却没有真的将他那句"不杀女人"的鬼话当真，她在极有限的地方，一把将碎遮往上抛出，刀背"锵"一下撞在木小乔那凶器一样的指甲上，随后她单手一带刀柄，横刃往前一推，继而毫无预兆地变挡为砍。

木小乔被迫侧身避开，刀风的余韵拨响了他手中的琵琶，"铮"的一声。他长发与长衣在晨风中乱七八糟地飞成了一团，缓缓将指甲收入掌心。

他的脸很白，眼珠却格外黑，这些特点若是生在少女身上，该是很好看的，可是落在一个上了年纪的男子身上，便活脱儿是个吊死鬼的模样了，幸亏他今天大发慈悲，没涂胭脂，倒是没有前几次"盛装登场"

时那么骇人。

周翡无奈道:"我早知道朱雀主准得食言而肥,只是没想到您吃得这么快。"

木小乔"哈哈"一笑,将清亮的嗓音捏了起来,捏出了能以假乱真的女声,俏生生地说道:"哪里,我看那齐门呀,也散了摊子,霍家呢,也断子绝孙了,殷闻岚的儿子好大出息,在外头给那虫怪当孙子,倒是你们李家一支,还有些人留下来,想好好端详一二呢,你要是出息,我就把涅槃蛊的故事告诉你。"

周翡冷笑,要是"端详"完发现不怎么样,搞不好就"失手误杀"了,这大魔头到时候还有说辞——你死你的,我又不是故意的。

木小乔把玩着自己的指甲,目光从周翡身上缓缓扫过,每一次停顿,都仿佛暗示着周翡身上的一处空门,他好像个抓到了耗子的大猫,用爪子将猎物来回扒拉着玩,不恐吓个够,不肯轻易下嘴。

周翡却突然动了,她看也不看木小乔,径直迈开步子绕过他,捡起头天晚上掉落在药人之间的鞘,将碎遮还刀入鞘。

木小乔:"……"

他头一次见识到这样嚣张的"傻大胆",有点新鲜。

周翡不慌不忙地说道:"我听一位长辈说,上一代人中,朱雀主的资质可谓其中翘楚……之一,但是年轻的时候庚气太重,练的功夫学名叫作'百劫手',走了伤人伤己的旁门,鼎盛时固然无坚不摧,可一旦走起下坡路,便也如江河日下,我原先不信,现在看来是真的。"

"百劫手"三个字一出,木小乔的神色便是一顿,只是他城府深沉,没露出什么,只淡淡道:"哦?"

"三年前我在永州见朱雀主,见你身形已略有凝滞,"周翡将长刀背在身后,在原地踱了几步,又转头一指木小乔胸口道,"方才见朱雀主出招，感觉更明显一些，你檀中气息不顺，百劫手便欠了几分果断，不然就凭当年活人死人山的四象之首一爪，我也没有那么容易避开。"

木小乔奇道："你们不都说四象之首是郑罗生吗？"

周翡很文静地低头一笑，说道："郑罗生？算个屁。"

木小乔皮笑肉不笑地道："小姑娘，你这究竟是在奉承我，还是在吓唬我？"

周翡站定，不答反问道："朱雀主素日是不是还有头痛之症？"

木小乔的眉头终于皱了起来。

周翡略一摊手，说道："我可不是算命的，方才朱雀主的百劫手再高一寸，撞到的便是我的刀柄，我必来不及取刀变招，以阁下这身高，不该这样'眼高手低'，大约是长期垂目所致吧？这才有这一猜。"

木小乔缓缓道："哦？若我再高一寸，你必来不及取刀变招？那你又怎么敢这么使刀？"

"蒙的，"周翡十分敷衍地笑道，"可能运气好。"

她说话间，不知是有意还是无意，伸手弹了弹自己的左臂，微微活动一下脖颈，手掌自颈侧擦过，又好似没睡醒一样，按起了右边的太阳穴。

木小乔下意识地将琵琶端在了身前——周翡点到之处全是他身上微恙处，方才她那招劈砍显然留了余地，否则一击不中可以中途直接变作"破"，若取他左肩，木小乔必不甘心在一个小辈面前躲闪，肯定会反击。

然而以那种姿势，他左手必被碎遮压制，提不起来，只能侧身以右臂格挡，而"破"乃破雪刀中变招最多的一式，因击其一点，随时能幻化为"斩""劈"等，甚至滑入"山、海、风"中的招数，倘若周翡的刀够快——不必很快，能和当年她在永州时差不多便可以——她就能转成"风",招式将老未老时变过去,刚好能擦过他右脖颈!

木小乔见她像煞有介事地按太阳穴,脑子里那根三五不时要出来捣乱的筋好似又有蠢蠢欲动之意,"突突"地跳了起来。

"我的刀一直是瞎练,鲜少能遇上前辈高人指点。"周翡道,"难得朱雀主仗义,那我便却之不恭了。"

话音刚落,周翡突然欺身上前,碎遮在半空中出鞘,这本朝第一国师的遗物果然非同寻常,流星一般的光顺着刀刃疾驰而过,木小乔听见风声时,那刀已经到了近前。他悚然一惊,将琵琶往前一推,这一回,碎遮却在空中画出一道极复杂的弧线,分毫不差地避开了那琵琶,直指木小乔拿琵琶的手,逼得他不得不避其锋芒。

木小乔料到这姑娘或许得到了南刀几分真传,却没料到她年纪轻轻,一把刀竟然已经练到了这种地步,神色一时阴晴不定,说不出话来。他再一回头,却见纷繁的刀光倏地烟消云散,就像她突然发难一样,又毫无预兆地骤然止歇,她随手收起碎遮,似笑非笑地对木小乔道:"这回朱雀主可打量清楚了?"

木小乔盯着她瞧了许久,忽然说道:"你的刀同李徵的不太一样。"

周翡从身上扯下一块干净的布料,小心翼翼地将那怪虫涅槃蛊的尸体包起来:"自然比不上我外公——朱雀主方才说告诉我这蛊虫的故事,现在可以说了吗?"

木小乔没理会,将琵琶放下,目光放空了,望向洒在地上的晨曦,半晌,方才出神似的说道:"李徵刀法很好,取各家之所长,透着一股渊博中正之气。我见他时,他没有你那么深重、那么包罗万象的杀机。若论修为,你还比不上他,但倘若他还在世,真要动刀,也未必能赢你。"

周翡一愣,没料到木小乔对她的评价忽然这么高。

木小乔突然感觉有点索然无味,他一生想怎样便怎样,恣意任性、罔顾声名，轻生也不重诺，无义无情，睥睨群雄，到此，方才意识到被他睥睨谩骂的"群雄"都已经老死年华里了，好似不过一夜之间，那些不值青眼一看的少年人便都开始崭露头角。

霜华落尽，他再怎么孤高自许，也是老了。

他便平淡无奇地讲道："相传，涅槃蛊是从关外某个神神道道的巫毒墓里挖出来的，在地下埋了不知多少年，出土时已经是个干瘪的壳，却居然还是活的。它一出世，便将当时挖坟掘墓的几个贼变成了自己的药人，药人们横行过一时，好像还成立了一个什么'涅槃'神教，很是威风。因涅槃蛊嗜好高手血肉，便驱使它的傀儡们惹了不少人命官司，涅槃神教自然犯了众怒，当时武林盟主牵头，带了中原十六门派一同前去讨伐，国师吕润那时还是个意气风发的药谷弟子，代表大药谷前去助拳，身上带了七种克虫的药粉，至今都已经失传，其中一种正是涅槃蛊的克星，制住了蛊母，方才剿灭了这个'药人'神教——只是个传说，不知道真假，那时候我还没投胎呢。

"吕国师当年亲口证实涅槃蛊已被他药死，至于后来为什么又活了……嘿嘿。"木小乔十分尖酸刻薄地笑了一下，说道，"那可得问问你们名门正派是怎么想的了。不过有谣言说，这蛊虫之所以名'涅槃'，是因为它有起死回生之功。"

周翡："……"

如果别人告诉她，这东西能祛痰止咳、解毒化瘀……哪怕说是能壮阳呢，她都信，可是"起死回生"？这也太没谱了，一听就知道是胡说八道，她不由得有些失望。

随即她转念一想，觉得自己确实也是瞎激动，吕润的《百毒经》还在她手上，这涅槃蛊母要真有什么药用价值，应该会有所记载才是。

"我还听到过几个江湖谣言，"木小乔想了想，又道，"吕润留下涅槃蛊，据说是为了让赵毅将军还阳。齐门那牛鼻子就不知道为什么了，他早年同大药谷私交甚笃，涅槃蛊都能弄到手，想必手里还有其他好东西。你要真好奇得厉害，可以去试着找找齐门禁地，反正齐门现在已经没人了，不算擅闯。据说就在湘水一带，离你家不太远，只是他们惯常藏头露尾，又喜欢装神弄鬼地搞一些阵法，找不找得到就看你自己了。"

周翡本来觉得可有可无，此时听到"其他好东西"，顿时眼前一亮："多……"

"谢便不必了，看你样子好才同你多说几句，唉，这世道，上蹿下跳的都是丑得可杀之人。"木小乔冷漠地感叹了一声，便不再理她，盯着封无言的尸体看了片刻，将他翻过来又倒过去地踢着玩了一会儿，嗤笑道，"可怜的老东西，武功稀松，亏心事又干太多，仇家比我还多，这些年美其名曰当'见证'，龟缩在齐门里方才过了几年安稳日子，齐门一暴露就开始惶惶不可终日，只敢拿着兄弟的名号行走江湖，不料人家还是没拿他当自己人，到死也没叫他找到齐门禁地的门往哪边开，怪不得那么恨殷沛。"

周翡："……"

她这才知道，原来封无言刚开始只是利用自己对付殷沛，后来竟是因为殷沛多嘴多舌地当着她叫破了"黑判官"的名号，才逼得他要杀自己灭口。

这冤情简直没地方诉！

木小乔说完，便不再搭理周翡，轻轻一拨琵琶弦，唱道："音尘脉脉信笺黄，染胭脂雨，落寂两行，故园有风霜——"

正是久未闻听的《离恨楼》。

木小乔一句唱完，人已经在数丈开外，反复吟咏的靡靡之音低回婉转，却极有穿透力地传出了老远，大概是在昭示霓裳夫人他已经来过了的意思，所谓"人情"还得也是敷衍。

周翡立刻便要掉头回柳家庄找李晟，临走又想起了什么，神色复杂地看了朱晨一眼，走到他身边静默片刻，伸手将他那只仅剩的眼睛合上，忽然看见他衣袖间掉出一块小小的牌子，便拂去上面的尘土，捡起来看了看，只见那小木牌被人摩挲得油光水滑，不少字迹都浅了，上面的"兴南镖局"几个字倒还清晰可辨——正是朱家的旧物。

周翡想了想，把木牌收起来，又在旁边寻了一处土壤松软的地方，刨了个浅坑，削下一块木头刻了个碑，将人入土为安了。

第十五章·
一代新人

"你是名门之后，"霓裳夫人对着他笑道，"小人当道的时候，人人自危的时候，每个人都被压得喘不过气来的时候，每个人都希望再出一个李徽、殷闻岚那样的人物，明白吗？"

晨光扫过光怪陆离的小树林，也扫过了修罗场一般的柳家庄。

幸存下来的人全都是一脸呆滞、劫后余生——头天晚上太混乱了，先是蛊虫大爆发，人们互相踩踏奔逃。幸亏李晟情急之下以烟花示警，率先将火把引燃，又勉强稳住各大门派，将剩下的"流火"四处泼洒，方才没落得满地血尸的下场。

谁知他们刚缓过一口气来，那些耀武扬威的怪虫突然同时落地死了，李晟先是一惊，随后又是一喜，心里知道肯定是周翡追上了殷沛，然而还不待他庆幸，那十八个药人一个个就跟疯了似的大肆屠杀。李晟满身狼狈，简直不知道自己这一宿是怎么过来的，嗓子已经喊哑了，只觉跟着周以棠打一宿仗都没这么可怕。偏偏他还不能直接脱力晕过去，场中各大门派虽然都是被他一句话坑进来的，但苦战一宿，俨然已经将李晟这年轻的后辈当成了主心骨，一大帮人围着他七嘴八舌。

李晟总算体会了一回当年周翡初出茅庐就被传为"南刀"是个什么感受了，简直烦不胜烦，还得装出一副谦逊有礼的样子，心里头一次期待着周翡赶紧滚回来，好把杀魔头、杀蛊虫的名头往她身上推。

可周翡去哪儿了呢？

李晟先是找到了假山中藏着的吴楚楚，吴楚楚早早被周翡藏起来，她生性谨慎，又生怕自己武功低微给人家添麻烦，周翡叫她躲起来，她就躲起来，心里再好奇，也能忍住绝不往外多看一眼，因此也说不清周翡去哪儿了。

李晟从半夜三更等到日出地面，周翡依然不见踪影。

刚开始，李晟一边焦头烂额，一边在心里暗骂周翡那不靠谱的东西，可等到天亮还不见人，他又开始有点慌了。

周翡这些年一直在外面四处野，连北斗童开阳的宅子都敢烧，胆大包天，却没闯过什么自己收拾不了的祸，如今照样活蹦乱跳的，按理说，其他本领不知有多少，保命的本领应该是不缺的。可那殷沛并非可以常理度量之人，他自己武功高强，身上还带着那种见血封喉的怪虫，周翡单独追出去，会不会出什么事？

李晟艰难地维持着自己处变不惊的假面具，心里的不安好似一锅架在火堆上的水，开始是冒泡，随后天越来越亮，"水"也越烧越沸，"咕咕嘟嘟"地眼看要炸锅。

柳家庄里的这些蛊虫和药人都倒了，依照常理推断，很可能是蛊母被杀了。

可那蛊母是怎么死的？是不是周翡杀的？

李晟方才连周翡什么时候突然失踪的都没看见——如果真是她杀了蛊母，能从殷沛那儿全身而退吗？万一不能，他回去怎么跟大姑姑交代？

他越想越担惊受怕，偏偏所有人都不让他全神贯注地坐在那儿担心，时时刻刻不叫他消停。

"李少侠，这些药人的尸体你看怎么办？"

"李少侠，伤者都安排下去了，你看那些中了蛊毒的怎么处理？"

"李少侠，我听说近日有北斗的人在附近出没，咱们闹出这么大动静来，会不会招来朝廷走狗？"

"李少侠……"

烦得李晟后悔得肝胆俱裂，恨不能回到头一天晚上，抽自己两巴掌，他狠狠地跟自己较劲，心里道：怎么哪儿都有你，当这是蜀中山头吗，跟着瞎掺和什么？轮得到你出头吗？

李晟到柳家庄来，纯粹只是"人情面子活"，李瑾容命他带几个人过来撑个场面而已。所以十八药人刚一露面的时候，他一看形势不对，立刻就跟其他门派一样缩了。

四十八寨以前自成一国的时候，几乎不与外人来往，但几年前曹宁带兵围困蜀中那一回，却叫李瑾容看出了寨中不少门派都有"一代不如一代"的趋势——想当年跟着李徵老寨主"奉旨为匪"的那些都是何许人也？随便丢一个名字出去都能落地有声，砸出个当当响的坑来。可是如今的年轻人呢？

就连李晟小时候那眼高手低的熊样都能算是"出类拔萃"，四十八寨后继无人可见一斑。

这样的乱世里，世外桃源长不出什么好苗来，只能长一山谷任人采摘的青菜和蘑菇。李瑾容意识到这一点，因此这两年刻意恢复了同外界的来往，时常放年轻人出门办事历练。

这回柳老爷暗中召集各大门派围剿铁面魔殷沛，当然也给四十八寨去了信。李瑾容这老江湖一听就知道怎么回事，知道各大门派碍于面子，肯定会响应，但这些年来，硕果仅存的名门早习惯偏安一隅了，去了也未必肯出什么力，多半也就是过去给助个威，倘若真有人出手收拾大魔头，便跟着收拾一下战场，算是助拳，见势不对，一准是比谁跑得都快。

正好李晟在附近，李瑾容便从附近暗桩中抽调了一批人手给他，叫他代表自己过去。

李晟从小心眼多，在外人面前也素来稳重，没有周翡那狗不理的臭脾气，李瑾容不担心他会闯祸，去了几封信叫几个故交帮忙照看一下，又嘱咐李晟"便宜行事，千万小心，跟着前辈，不要随便出头"——意思是让他在各大门派面前跟着混个脸熟，有少林武当等泰斗在前，别人出手他就敲敲锣边，别人跑路他就跟着跑，反正那些老江湖一个个鬼精鬼精的，跟着他们吃不了亏。

谁知人算不如天算。

大当家也没料到，李公子在她面前的"稳重"，至少八成都是装出来的，并且关键时刻，比看似不靠谱的周翡还能热血上头。到头来，李大当家一句嘱托，他给掐头去尾，只做到了"便宜行事，随便出头"八个字。

李晟强行将一声"不要烦我"的怒吼压了回去，硬是挤出一个扭曲的笑容，故作淡定地对众人吩咐道："尸体自然要和蛊虫一起清扫，弄到一起烧了吧。蛊毒麻烦杨兄……"

杨瑾自己虽然只能当个打手，但手下一帮擎云沟的南疆采药人还是颇能派得上用场，一听这吩咐，立刻将他们四肢发达只会砍人的门主丢在一边，被李晟支使得团团转起来。

柳老爷忙搭腔道："请诸位神医不吝医药，一干费用我柳家庄全包。"

"还有北斗，也确实在这附近，前一阵子我遇到过，因为一点别的事，与那童开阳交过手，这会儿按理他们应该南下了……不过也不好说，以防万一，能否请诸位前辈各自派些人手，到山庄附近巡视一二？"李晟想了想，又补充道，"要是有什么变故，可以用我四十八寨的联络烟花互通消息。"

柳老爷微叹了口气，点头道："长江后浪推前浪啊，都听李少侠的吩咐。"

李晟冲他微微一笑，将四十八寨自己的人叫到身边，低声吩咐道："你们一起去，兵分三路，找周翡，不要声张。"

暗桩们立刻领命而去，表面上跟众人一样在柳家庄外围巡逻，实际假公济私，到处找人。

李晟打发了一干庶务，想起李瑾容的嘱咐，悔得肠子发青——刚到柳家庄的时候，不少前辈主动跟他搭话叙旧，还和颜悦色地为他引荐了不少人。李晟人情练达，自然知道肯定是李瑾容提前给他打的招呼，托人家照顾。

结果人家照顾了他，他却一时冲动，反而将大家都给拖下了水。

李晟方才威风得不行，这会儿却一想起自己办的破事，心里就直冒苦水，只好硬着头皮亲自一家一家走，探望伤者，送完药又低声下气地跟人反省自己思虑不周。

别人不知道他心里是怎么胆小怕事的，虽然刚开始许多人是被李晟逼出来的，但此一役毕竟灭了铁面魔嚣张的气焰。虽然不知那铁面魔本人的尸体是否也在大火里，但杀他这一众药人，又剿灭了那么多蛊虫，也算扬眉吐气了。都是以"侠义"立身之人，忍气吞声地偏安一隅也多半出于无奈，谁愿意整日苟且？就是一开始对李晟颇有微词的，见他事后不骄不躁诚诚恳恳，又有柳老爷舌灿莲花地打圆场，便也揭了过去。

霓裳夫人调息良久，走过来同李晟告辞。羽衣班虽然金盆洗手很多年，到底是刺客一流，不大愿意混迹在人群中。

霓裳夫人道："要是没有别的差遣，我们这便去了。"

此地到底是柳家庄，送客也该柳老爷出面，李晟便没有越俎代庖。

霓裳夫人虽然已经一把年纪，但多年来极重保养，武功又高，因此看起来并不显老，反而随着岁月流逝，身上有种洗练过的倦怠妩媚，身后还跟了一大群妙龄的女孩子。李晟知道非礼勿视，便避开视线不去直视她，只恭恭敬敬地对她执晚辈礼道："是，多谢前辈仗义之举，前辈慢走。"

霓裳夫人觑着他，突然轻轻笑了一声，伸出手指去挑李晟的下巴。

李晟从小跟李妍、周翡一起长大，长到青春年少的大好年华，对小姑娘的印象只有两个，一个是"麻烦精"，一个是"讨厌鬼"，虽然也看"山海经"，但不过图个新鲜，对画片外真真正正的女孩子总有点敬而远之的意思，又兼言行颇受周以棠君子风度影响，没有要紧事，断然不会主动找外人家的女孩说话撩闲，从来没经受过这个，当即被霓裳夫人吓一大跳，木着脸往后退了半步。

霓裳夫人大笑道："你这小哥，我这把年纪，做你奶奶也使得的，躲个什么？"

李晟又退了一步："前辈玩笑了。"

"你啊，同你祖父一样无趣。"霓裳夫人虚虚地伸手一点他额头，笑完，却又正色起来，整了整散乱的衣袖，她略微压低了声音，对李晟说道，"日后多到江湖上走动走动吧，我瞧你姑姑应该也是这个意思，否则不会将你派来。"

李晟没领教过这种变脸如翻书的路数，一时不由得有些迷惑。

霓裳夫人侧过身，目光一扫仍停留在柳家庄中的众人，轻声道："人家伙对你好，不单是瞧在你们大当家的面子上，昨夜你带着众人打退殷……铁面魔，想必叫大家看到了一点希望。"

李晟十分茫然。

"你是名门之后，"霓裳夫人对着他笑道，"小人当道的时候，人人自危的时候，每个人都被压得喘不过气来的时候，每个人都希望再出一个李徽、殷闻岚那样的人物，明白吗？"

李晟一听，心说这不是瞎扯吗？他至今连李家破雪刀都没入门呢！

李瑾容看到周翡的刀，才知道自己对小辈人看法太局限，后来其实亲自写了一份破雪刀的刀谱给他，而周翡虽然性格很不是东西，但做人比较大方，而且十分自负，练武这事上，问她什么她都会事无巨细地回答，断然不会藏私。

但李晟双剑使惯了，而且受四十八寨各门派杂学影响颇深，总是不得其门而入，久而久之，干脆也就大概练练，知道这"家学"是怎么回事就得了，没再下过功夫。

"不必妄自菲薄。"霓裳夫人眼角微微一弯，露出几道俏皮的纹路，"振臂一呼天下应的，有时不见得是武功最高的。你很好，想清楚自己往后要走什么样的路，不要辜负了长辈们的拳拳之心——代我向阿翡问好。"

她说完，不待李晟反应，便转身而去。

李晟莫名其妙，忍不住对旁边的吴楚楚道："她什么意思？是让我学霍连涛，也去弄个武林盟主当当吗？"

吴楚楚眨巴眨巴眼，还没说什么，李晟便反应过来自己拿她当了李妍，语气过分亲密了，顿时尴尬得不行，忙一低头，含糊道："我也出去找一趟周翡。"

说完，他脚底抹油，便要溜走。

之前还好，此时李晟见了众人看他的眼神，又想起霓裳夫人那句"每个人都希望再出一个李徽、殷闻岚那样的人物"，他就跟衣服里爬满了虫子似的，浑身不自在，一路低着头，贴着墙边往柳家庄外溜。

好不容易避开众人视线跑到柳家庄外，李晟还没来得及松口气，眼前一花，一个人冒冒失失地堵住了他。

李晟倏地吃了一惊，看清来人，顿时又喜又怒，张嘴便训斥道："周翡，你死哪儿去了？"

"别废话，"周翡道，"快点跟他们说一声，跟我走一趟！"

李晟白白担惊受怕了半宿，让周翡气得鼻子歪到了耳垂上，当即使了个千斤坠，站成一根坐地桩，问道："跟你走哪儿去？你干吗去了？为什么耽搁这么久不回来？还有……"

他皱着眉，打量着周翡一身黑一块白一块的污迹，没好气地拍开她那脏爪子，正想问她在哪个泥坑里滚成这样。便见周翡在身上摸了摸，摸出一个布包塞给他，大方道："对了，还有这个，拿去。"

李晟狐疑地接过来："什么……"

"东西"二字尚且卡在喉间，李晟便跟那被利刃劈开的涅槃蛊母看了个对眼。

他这一惊非同小可，胸口一颗心陡然从"缓缓行路"变成了"夺路狂奔"，差点要顺着嗓子眼从头顶喷出去。李晟手一哆嗦，险些将此物扔出去，随即又想起这蛊母虽邪，却也十分珍贵，忙又慌慌张张地捧住，一时也不知是要扔还是要捧，两只手忙了个不可开交。

李晟好不容易将涅槃蛊母抓在手中，只觉得这玩意沉得压手，翅膀和好似白骨的身体异常坚硬，透过布包还在扎他的手，而那虫腹却又十分柔软，像那种啃树叶为生的肉虫，轻轻一按，好像还能发出可怕的"咕叽"声。

李晟浑身僵硬，哆哆嗦嗦地问道："这是什么？"

"殷沛身上那只蛊母。"周翡道，"好像是个了不起的物件，我也不知道能干什么，你先收着吧，万一有用场呢。"

她杀便杀了，不就地焚尸，居然还给拿回来了！

李晟感觉自己往后见到毛毛虫恐怕都会多起一层鸡皮疙瘩，恨不能双手没有知觉，强撑淡定，总算没有尖叫着把蛊母甩到周翡脸上。

周翡三言两语解释了涅槃蛊的来历，又说道："哥，你跟我走一趟呗，咱们去探探齐门禁地，冲云子不是教了你不少东西吗？他们那些难死人的阵法我不知怎么破。"

李晟哼了一声："求我啊。"

他一边说着，一边有些放心不下地回头张望了一眼人声鼎沸的柳家庄，总觉得自己跟周翡这么跑了不太好。

周翡便不耐烦道："你管他们做什么，明天他们就能传你一剑捅死二百五十个殷沛，后天便哄你当武林盟主，大后天指不定是北斗还是哪个犄角旮旯的魔头便要给你找麻烦，还有各种脑子有坑的少侠整天找你递战书，再过几天，因为点鸡毛蒜皮，稍不留神，没准你又得变成'盛名之下其实难副'，下一个霍连涛就是你。"

她这一番言语有点偏激，李晟一开始听得啼笑皆非，本想端出大哥的架子，教育她不要这么"愤世嫉俗"，然而他突然想起霓裳夫人跟他说的那几句话，渐渐便笑不出了。

不等周翡一口气说完，李晟便将自己的外袍一脱，把那涅槃蛊虫里三层外三层地包了个严严实实，而后将两头一系，改造成了一个小包袱，挂在腰间，对周翡说道："我得先把李妍接来。"

　　因为怕李妍那张嘴没个把门的，李晟便事先将她和几个比较稳重的四十八寨弟子一起放在了柳家庄附近的一处客栈里，美其名曰让她"接应"，其实只是把她"寄存"在那儿。一来一往也用不了多长时间。

　　李妍很快到了，周翡也悄悄通过四十八寨的人将吴楚楚带了出来。

　　李晟给柳老爷留了一封客客气气的告别信，和从各地借调的暗桩们知会一声，神不知鬼不觉地从柳家庄里溜了出来，顺路南下。

——未完待续

夜深忽梦少年事

他听见风与浪不分彼此，时而近在耳边，时而又远在
天际。那是海的声音，他自幼听惯了的，身在这小小
的岛屿上，隔绝尘世喧嚣，一眼能望见天际。

　　他听见风与浪不分彼此，时而近在耳边，时而又远在天际。那是
海的声音，他自幼听惯了的，身在这小小的岛屿上，隔绝尘世喧嚣，一
眼能望见天际。

　　天际，何其浩渺，而礁石上的凡人，就如同身陷囹圄的蝼蚁，终
身逡巡盘旋，过上三寸晨光，这一生，便走马观花似的匆匆掠过了。

　　谢允在半梦半醒间伸手一捞，没碰到人，一愣之后，他清醒过来，
这才想起来，自己这是回了蓬莱——陈大师今年要过整寿，他和阿翡早
早动身赶往东海，半路上，他家日理万机的打手媳妇听了丈母娘一道传
信，被支使到济南办事了，须得耽搁两天才能赶回来。这会儿刚过午夜，

更深漏重，岛上万籁俱寂，只余涛声。谢允自小命薄、身薄、亲缘淡薄，薄成了一张纸，好不容易娶了个荣辱与共的媳妇，他这张纸恨不能化身膏药黏在媳妇身上，理所当然地成了个媳妇迷。罕逢孤枕，有点难眠，谢允也不委屈自己，自己吹起小曲哄着自己玩。同时，他伸了个懒腰，滚到空出来的半张床铺上。

床脚靠墙的地方有一排雕花木柜，样式古朴，放些备用的枕头被褥等杂物，往常回蓬莱小住，都是周翡睡里面，那地方足够她和柜子和平共处，然而对手长脚长的谢允来说，就颇为捉襟见肘了。黑灯瞎火间他也没看清楚，一滚过来，翘起来乱晃的脚正好撞上了木头柜门，一下戳到了麻筋上。

谢允"嗷"一嗓子缩回了脚，柜门被他"稀里哗啦"地带开，他一面坐起来收拾，一面心道：这水草精，生得这么短，说她是半个人还要打我，岂有此理！

他将掉出来的夏凉枕塞回去，忽然一顿，因为看见木柜角落里有一个眼熟的漆盒。

经年日久，那漆盒上有些地方已经褪了色，盒盖也很难严丝合缝，谢允伸手将那盒子拿出来，轻轻抹去上面一层灰尘，打开一看，见那漆盒里装的是一把长发，雪白的绸缎捆成一束，打了油，这么多年过去，新鲜得依旧好似刚从头皮上刮下来。

那是他自己的头发。

谢允八九岁的时候，还没来得及长成一个废话用车拉的男子，大多数时候，他甚至是沉默寡言的。

古人有"闻鸡起舞"的典故，蓬莱岛上没人养鸡，年少的谢允于是每天都在声势浩大的涛声中爬起来，头顶漫天星辰，独自来到海边礁石上，对着大海练功。练上大概一个时辰，看见海天相连处苍白起来，他才能借着早膳的片刻光景稍做休息，然后要跟着师父或是某个师叔习武。及至午后，又要开始读书，四书五经、兵法韬略，他全都得有所涉猎，老师们恨不能将他的脑壳掀开，把上下五千年一股脑地塞进去，半天下来，往往叫他头痛欲裂、烦躁不堪。

可是烦躁也得忍，谢允晚上还得温书、练字、作文给师长指正。他总是温到一半，就困得睁不开眼，可是还要强撑，偷懒是万万不行的——他是赵家后人，是懿德太子的遗孤，他身上背着千斤的国仇家恨，背着数万人的身家性命，那些东西一起沉甸甸地压着他，挤在他不满一寸深的胸口里，连他那些与生俱来的俏皮也无处安放。

自仓皇逃离旧都之后，谢允从幼儿长成了小小少年，身边却唯有海礁与贝壳能充当知己。每年长了个子，或是春秋换季，他才有机会离岛去找裁缝量体裁衣，见那些渔民的孩子流着鼻涕追跑打闹，一脸愚痴，便总不由得心生向往。年幼的皇孙常常想，如果自己不是什么赵氏遗孤就好了。那时他心里还没有那么深的城府，怎么想的，他就怎么和王公公说了。

王公公是当年东宫的人，不到十岁就净身入宫，一直跟在懿德太子身边，文不成武不就，只是忠，忠到了虔诚的地步，别人信佛信道信神仙，他信太子。

曹氏叛乱时，王公公奉太子之命，把东宫唯一的骨血悄悄送出了宫，才走到半路上，逼宫的乱党就包围了皇城，王公公抱着小皇孙藏在运恭桶的车里，臭气熏天、痛哭流涕地走上了逃亡之路。

这一路九死一生，及至阴错阳差地来到济南府，被林夫子救下时，王公公已经是遍体鳞伤，还瘸了一双腿，纵然有同明大师圣手神医，双腿到底是没保住，老太监苟延残喘地活下来，一年不如一年。

王公公从小就给人当奴做婢，不知道人是什么样的，因此不把自己当人，也不把别人当人。他认为自己是太子的马鞍、鞋底、痰盂、夜壶，是腌臜的下贱玩意。谢允则是太子骨血，是贵不可言的玩意——二者虽有天渊之别，但同属于"玩意"。尽管这团珍贵的骨血越长越大，越长越像人，会说会笑会思量，但在王太监眼里，他也依然只是"骨血"，是一剂给赵家王朝吊命的药汤，听说谢允竟对自己的出身有了意见，王太监大惊失色——这一口救命的药汤要发霉！

两人话不投机半句多，小皇孙厌倦了日复一日的"复国大业"，而王公公好话歹话说尽，没有蛋用，便只好改成以死相谏，每天寻死觅活，终于彻底激化矛盾——小皇孙忍无可忍，趁着半夜三更，他剃光了自己的头发，自作主张地出了家。

当个和尚，得斩断尘缘、四大皆空，虽然就此要与生猛海鲜话别，将来嘴里恐怕要淡出一排鸥鹭，但不用每天惦记着杀这个宰那个，一切好商量。

"我为什么不能出家呢？"小皇孙同前来找他讲道理的同明大师说道，"我师父是大和尚，我就应该是个小和尚啊。"

同明大师哭笑不得："遁入空门，是看破红尘，你知道什么叫'红尘'吗？我看你啊，就是没出息，想逃避责任。"

小谢允赵家人本性发作，认认真真地答道："我为什么非得有出息呢？我又不能自己决定自己是谁的儿子，我要是能决定，就不当父王的儿子。"

同明大师便问道："那你想当谁的儿子？"

"打鱼的、撑船的、挑担的，都可以，"赵家的不肖子孙掰着手指头，老气横秋地说道，"这样我就不必读书，也不必练功，等将来长大了，我可以卖力气为生，当个跑堂的或是车夫，跑堂的可以耳听八方，车夫可以走南闯北，岂不是比现在快活？"

同明大师听了这番剖白，不由得长叹口气——赵家王朝，自开国太祖以降，当真是黄鼠狼下耗子，一代不如一代，就算上一代不亡国，皇位传到这位皇孙手里，这社稷大概也不剩什么气数了。

谢允拽了拽他的袖子："阿弥陀佛，师父，我说得不对吗？"

"坐下，坐好。"同明大师指了指面前的蒲团，令新鲜出炉的"小和尚"坐好，伸手在那反光的秃瓢上摸了一把，发现这果然是颗圆滚滚的大好头颅，难怪那么多人想要。

同明大师说道："你只看见那些海边做苦力的娃娃自在，却不知道他们一辈子快活的光景只有这几年，一旦身子骨开始抽条，就要替家里干活。挑担的要挑一辈子的担，撑船的要撑一辈子的船，日日起早贪黑，糊口尚且困难，更遑论听风赏月。身后一家老小都是石头，沉甸甸地压着你，让你病不起、死不起，只好低着头往前奔，这还是太平年间，倘若有个天灾人祸，那就更惨，夭折的比活下来的多——你知道他们心里想什么？"

小男孩不知民间疾苦，听了这话，呆呆地摇摇头。

"阿弥陀佛，他们心里想，我为什么不是公子王孙呢？"同明大师轻轻地说道，"那些女娃娃更苦，幼时祈求父母垂怜，不要将骨肉发卖，挣扎着长大出嫁，要祈求婆家垂怜，生死祸福全不由己，这是生而为人，托上牛马命——你又知道她们心里想什么？"

小皇孙无言以对。

"生老病死，此乃生之苦，凡人奔波半辈子，都是为了挣脱娘胎里带来的命，哪儿是那么容易的呢？你单知道自己的苦处，没见过别人的命啊。"同明大师诵了一句佛号，将谢允面前装模作样的木鱼收走。

"师父，"谢允问道，"那世上可有不苦的吗？"

"那是有大造化的人，"同明大师道，"有父母长辈顶着风刀霜剑，他才能一生下来就是自由身，是前世修行来的，你我没有这个福分，我也未曾见过。"

"我后来想，这种一生下来就是自由身的'大造化'之人，不就是我家阿翡吗？"谢允拉了拉周翡的长发。周翡办完寨里的琐事，就马不停蹄地赶到了蓬莱，方才洗去一身尘土，正在屋里晾头发，听谢允讲他当年在"空门"前跳脚砸门的故事解闷。谢允摸着她的头发干得差不多了，便动手动脚地拿在手里玩："往后遇到沟沟坎坎，你这团师父钦点的福气可要保护我。"

周翡掐指一算，谢允那时不到十岁，按理应该是撒尿和泥的岁数，而他居然已经能跪坐蒲团，完整地听完老和尚这一通经，再想想自己那鸡飞狗跳的童年，她不由得觉得有点自愧不如，问道："师父这么一说，你就还俗了？"

谢允一手拢起她的长发，一手捏起她的下巴，答非所问道："我娘子真是好看。"

周翡两根指头弹飞了他的咸猪手，谢允小小地吃了一惊——他一手推云掌不说空前绝后，好歹也能算个举世无双，又身负师叔毕生修为，居然差点没躲开，被周翡的指风扫了一下手腕，有点麻。

谢允诧异道："奇怪了，你什么时候趁我不注意拜了名师，这指风里的破雪刀意快入化境了。"

周翡白了他一眼："我同楚楚说几句话，你还要追着旁听不成？"

谢允一想也是，除了为四十八寨的事情跑腿，周翡大多被他黏着，仔细算来，果真也就只有她跟同龄的几个姑娘闲坐消遣时，他不大方便陪同。

因缘际会，吴楚楚这闺秀中的闺秀竟在四十八寨扎下了根，因天生资质有限，开始习武又晚了些，这些年来功夫只是平平，在江湖中连个三流也算不上，偏偏她不辞劳苦，天南海北地替各大门派规整失传的典籍，倘若单是嘴里论道不动手，依她这旁观者清的见识，往往能令当局者醍醐灌顶，很有些歪才。

谢允奇道："难不成你娘把破雪刀也传给她了？破雪刀不是你李家的不传之秘吗？"

周翡一摆手："我们四十八寨没有所谓'不传之秘'，我娘当年不传，只是她那时觉得我辈皆蠢材，大当家日理万机，懒得浪费那功夫雕朽木。她现在凡事支使李晟去干，自己清闲了，又觉得楚楚不是朽木，自然愿意教她。破雪刀是我外公一生之作，不过他老人家生前在三道中只走通了'无锋'，临终仍自觉九式未通，所以没有留下典籍。只有我娘常年跟在他身边，耳濡目染学了来，正好交给楚楚整理归纳，她时常来问我，一来二去，反倒成了我向她请教。"

谢允笑道："当年中原武林，门派林立，无不敝帚自珍，唯恐自家秘籍被外人瞧去一眼，到如今各自零落衰败，靠吴小姐一个外人牵头帮着苟延残喘，反倒是你们这些敞开门，任人学的四十八寨传承至今，这些事说来真是吉凶莫测。"

周翡嗤笑道："吉凶莫测？但凡能流传下来的功夫都有精髓，烂大街的功夫，练到了极致，也未必比不上别人。武学一道，殊途同归，怎么，拳脚腿掌还要按品级分封个妃嫔媵嫱吗？挖空了心思去窥视别人家功法的，还有那玩命捂着一点残本不给人看的，都是一路没出息的蠢货，就算传承下来有个什么屁用？"

谢允："……"

道理虽然是这个道理，但不知怎的，从周翡嘴里说出来，自有一番让人牙根痒痒的狂妄，他们家这个水草精，不言语的时候也算是眉清目秀、赏心悦目，但凡张嘴说话，必能损人一个跟头。想当年她初出茅庐，武功尚且稀松时，就有一颗狂得上天入地的心，现在就更不用说了。

谢允叹道："可不是吗？多谢娘子肯为为夫这没出息的蠢货留在凡间，不然我看这九天十地要装不下您老了——哎，你想梳个什么头？十字髻？凌云髻？飞天髻……嗯，梳个堕马髻也好看，只是梳了这头你要老实点，不然一会儿就挣散了。"

周翡除了年幼时王老夫人给梳过像样的头，自己基本只会随便一捆，全然摆弄不来那些花样，偶尔想要美上一美，都只能低声下气地求某人，只好老老实实地应了一声："哦。"

梳头梳了一半，周翡突然想起自己方才好像问了句什么，被谢允打岔打过去了："我刚才……"

"别乱动，"谢允将她的脸扳正，头也不抬地说道，"对了，你去济南的时候，有个行脚帮的兄弟过来送了封信，杨兄邀你去南疆，去不去？"

"邀我去南疆揍他？"周翡果然将方才的话题放在了一边，"行吧，下雪天打孩子，闲着也是闲着。"

谢允透过铜镜看了周翡一眼，蓬莱岛上都是一帮老头，鲜有铜镜，这镜子不知是从哪个箱子底扒拉出来的，模糊得几乎看不清人影，是以他这一眼十分不动声色，他若有若无地笑了笑，四两拨千斤地将话题带到了天南海北，让周翡忘了她方才想问的话——

"师父这么一说，你就还俗了？"

八九岁的男孩，心里装着一万件想不通的事，执拗又愚蠢，怎么听得进老和尚枯玄幽涩的长篇大论？他当时被同明大师的话震住，隔天转脸就忘了，一到要"冬三九、夏三伏"地用功时，什么大道理都不顶用。

王公公是个不会武功的瘸子，小皇孙的"风过无痕"已经小有成就，想躲开那喋喋不休的老货轻而易举。王公公人影也见不到，在偌大一个蓬莱岛上口干舌燥地呼喊了三天，没人理他，王公公闭了嘴。

就在小皇孙以为自己终于取得胜利，得意扬扬地爬到树上，准备朝他耀武扬威时，他看见王公公将一封血书挂在胸前，拿了陈大师的鱼线，半夜三更关上门，将自己吊在了房梁上。

尸体叫鱼线抻长了一寸半，老太监立下汗马功劳，死不瞑目。

谢允忘了自己是怎么从树上下来的，也许是惊动了同明大师，叫师父抱下来的，也许是自己摔下来的，那一段记忆模糊不清，至今回忆起来，依然只有那随风摇荡的尸体大睁的双目和触目惊心的血书。

他大病一场，从那以后，天性柔弱任性的小皇孙终于被"拨乱反正"，成了为复国而生的牺牲品。

周翡同陈大师赶潮去了，谢允罕见地没有黏着她，他缓步慢行，独自溜达到蓬莱岛最边缘处，丛生的野草中，有个无名无姓的孤坟。

里面埋的只是一副衣冠。王公公血书中直言，自己乃罪奴之身，倘若贵人们垂怜，千万不要立碑祭扫，再折他的身后之福，只愿烧成一把灰，撒进东海，这样，他就能一路向北，漂回故土。

谢允隔着一丈远站定了，看着那无名冢，忽听身后有人说道："王老施主泉下有知，该是心愿已了，再入轮回了。"

谢允没回头："师父。"

同明大师缓缓走过来，师徒两人并肩而立，半晌没人言语，随后同明大师一拍他的肩头："走吧。"

谢允低头跟上他，忽然说道："该偿的命，这些年，我算是偿过了吧？”

同明大师低低地诵了一声佛号。

他花了半辈子，终于挣脱了娘胎里带来的命数，后半生身心自由，从此天高地迥，任凭来去。

“殿下可有什么抱负？”

“我啊，我没出息得很，既不想文成，也不愿武就，就想给媳妇当个簪花梳头的男丫鬟。”

图书在版编目（CIP）数据

有匪.叁，多情累 / Priest著.—长沙：湖南文艺出版社，2017.7（2020.8重印）
ISBN 978-7-5404-8130-8

Ⅰ.①有… Ⅱ.①P… Ⅲ.①言情小说—中国—当代 Ⅳ.①I247.5

中国版本图书馆CIP数据核字（2017）第125669号

上架建议：畅销·古代言情

YOUFEI. SAN, DUOQINGLEI
有匪.叁，多情累

作　　者： Priest
出 版 人： 曾赛丰
责任编辑： 薛　健　刘诗哲
监　　制： 毛闽峰　与　其　李　娜
策划编辑： 钟慧峥　张园园
文案编辑： 王　静
营销编辑： 贾竹婷　雷清清
封面设计： Violet
版式设计： 潘雪琴
封面插画： 呼葱觅蒜
出版发行： 湖南文艺出版社
　　　　　　（长沙市雨花区东二环一段508号　邮编：410014）
网　　址： www.hnwy.net
印　　刷： 三河市鑫金马印装有限公司
经　　销： 新华书店
开　　本： 700mm×955mm　1/16
字　　数： 248千字
印　　张： 20
版　　次： 2017年7月第1版
印　　次： 2020年8月第5次印刷
书　　号： ISBN 978-7-5404-8130-8
定　　价： 35.00元

若有质量问题，请致电质量监督电话：010-59096394
团购电话：010-59320018